В серии

ВОЙНА и МЫ

ВОЙНА и МЫ

ВОЕННОЕ ДЕЛО ГЛАЗАМИ ГРАЖДАНИНА

А.В. Исаев

АНТИСУВОРОВ
ДЕСЯТЬ МИФОВ ВТОРОЙ МИРОВОЙ

Военное дело
просто и вполне
доступно здравому
уму человека.
Но воевать сложно.
К. Клаузевиц

МОСКВА
«ЯУЗА»
«ЭКСМО»
2007

ББК 63.3(0)62
И 85

Оформление художника *П. Волкова*

Исаев А.

И 85   Антисуворов. Десять мифов Второй мировой. —
М.: Эксмо, Яуза, 2007. — 416 с., ил.

ISBN 5-699-07634-4

Усилиями кинематографистов и публицистов создан целый ряд
штампов и стереотипов о Второй мировой войне, не выдерживающих при
ближайшем рассмотрении никакой критики.

Алексей Исаев разбирает некоторые наиболее яркие мифы о
самой большой войне в истории человечества: механизмы «блицкрига», роль автоматического оружия в армиях разных государств, счета
асов-истребителей, боевое применение танков и кавалерии, первые
шаги реактивной авиации.

Рассчитана на широкий круг читателей, интересующихся военной и политической историей 30—40-х годов прошлого века.

ББК 63.3(0)62

ISBN 5-699-07634-4

Введение

«Пьяные немецкие автоматчики шли в «психическую атаку» за «тиграми», «на него ехали десять танков, и он одного за другим подбивал их из выхватываемых один за другим из ящика «фаустов», «кавалеристы пошли в самоубийственную атаку на танки», «вместо обороны им приказали наступать»... Фразы, подобные этим, встречаются в мемуарной, исторической и публицистической литературе, посвященной Второй мировой войне, сплошь и рядом. Большая часть из них уже стала своего рода штампами, обязательными компонентами повествования. Если немецкий танк, то — «тигр» или «пантера», если самоходная артиллерийская установка — «фердинанд». Если нужно изобразить солдата вермахта, то обязательными компонентами становятся закатанные рукава серой униформы, короткие сапоги и пистолет-пулемет «МП-40» с крюком под стволом и коробчатым магазином. Советский солдат чаще изображается вооруженным трехлинейной винтовкой с игольчатым штыком. Ему постоянно чего-то не хватает, единственное средство борьбы с танками у него — длинноствольное тяжелое противотанковое ружье, которое попутно используется для стрельбы по самолетам. Советский солдат передвигается преимущественно на своих двоих, а лошадь в вермахте представляется просто какой-то дикостью — немецкие солдаты на страницах книг и в кинолентах до наших дней включительно перемещаются исключительно на грузовиках или гробообразных БТРах «Ганомаг». В крайнем случае авторы или режиссеры сажают людей в серой униформе с закатанными рукавами и «МП-40» в руках на мотоциклы.

Не везет, как правило, и командному составу нашей армии. Над командирами Красной Армии начальство постоянно измывается, вынуждая вместо сидения в теплом окопе наступать, бросаясь сотнями на строчащий пулемет в стиле «людской волны». У немецкого командования есть некий волшебный рецепт блицкрига, позволяющий со своей на 100% моторизованной армией, обходя все встречающиеся на дороге узлы сопротивления на грузовиках, с губными гармошками, почти не вступая в бой, продвигаться на сотни километров и захватывать огромные массы пленных. На короткое время их наступление останавливается выскакивающими из засады неуязвимыми «Т-34» и «КВ», а уж окончательно блицкриг останавливается как вкопанный, после того как его встречают в долгожданной обороне, на которую талантливый командир из ранее репрессированных пошел вопреки приказам руководства. Последний гвоздь в крышку гроба блицкрига забивают несколько бойцов с помощью противотанковых ружей, расстреливая немецкие танки в лоб один за другим. Пиротехнические эффекты от попаданий пуль ПТР в танки, как правило, просто незабываемые. Картина несколько утрированная, но в целом вполне узнаваемая.

Досталось в этом ряду и одному из наиболее известных широкой публике локальных конфликтов, хронологически укладывающемуся в рамки Второй мировой войны, — советско-финской войне декабря 1939 г. — марта 1940 г. Ужасные морозы, уходящие несколькими этажами в скальную породу ДОТы, финские лыжники-автоматчики и «кукушки» на деревьях — все это создало картину ледяного ада, в который попала Красная Армия.

Разумеется, яркие, образные картины не являются исключительным изобретением отечественной исторической и публицистической мысли. На Западе также присутствуют свои кумиры и фобии, только носят они другие имена. Один из наиболее известных примеров — это история создания и боевого применения реактивного истребителя «Ме.262», на пути к триумфу которого якобы оказался сам Адольф Гитлер, в силу странного чудачества потребовавший переделать истребитель с незаурядными характеристиками в «блицбомбер». Столь же хорошо знаком отечественному читателю миф о том, что вермахт обошел «линию Мажино».

Однако если приглядеться к явлениям, породившим вышеописанную череду образов Второй мировой войны в массовом сознании, то выясняется поразительное несоответствие реальности хорошо известным стереотипам. Массовый солдат вермахта оказывается пешим путешественником, вооруженным винтовкой. Данная работа представляет собой попытку разобраться в мифологии Второй мировой войны и по возможности расставить факты и события по своим местам.

Глава 1

«Панцер» и «штука» равно блицкриг

Яркими образами успехов немцев в 1939—1941 гг. стали танки и пикирующие бомбардировщики «Ю-87», известные как «штука» (сокращение от «штурцкампфлюгцойг» — пикирующий бомбардировщик) и прозванные нашими солдатами «лаптежник» и «певун». Однако этот образ как-то упускал из виду, что немецкие танки периода блицкригов были далеки от совершенства. В польской кампании большую часть танкового парка составляли устаревшие танки «Pz.I» и «Pz.II». «Штука» — это архаичный самолет с неубирающимся шасси и на образ чудо-оружия совсем не тянул, несмотря на действительно впечатляющие возможности по бомбометанию с пикирования. Более того, «штуки» в ходе блицкригов действовали не на всех участках фронта. Например, на Украине в июне 1941 г. ни одной эскадры, вооруженной пикирующими бомбардировщиками «Ю-87», попросту не было.

Термин «блицкриг» следует трактовать в данном случае в максимально общем виде, как достижение целей войны в результате одной крупной операции или цепочки операций. С этой точки зрения немецкий план войны 1914 г. — это тоже блицкриг, попытка в скоротечной кампании разгромить Францию. Тогда война перешла в затяжную фазу вследствие недостаточно быстрого продвижения вперед охватывающего крыла германской армии. Французы в августе 1914 г. сумели перевозками со своего правого фланга собрать против охватывающей «клешни» достаточно сил, чтобы остановить ее и перевести войну в позиционную на долгие несколько лет.

Польша

Несмотря на усиленную пропагандистскую работу ведомства Геббельса, победа над Польшей в сентябре 1939 г. была одержана по причинам, далеким от тактических особенностей использования танков и пикирующих бомбардировщиков. Вполне прозрачно и четко ситуацию проанализировал советский военный специалист Г.С. Иссерсон. Он писал в 1940 г. следующее:

«Ошибки польского командования могут быть сведены к трем основным.

1. На польской стороне считали, что главные силы Германии будут связаны на западе выступлением Франции и Англии и не смогут сосредоточиться на востоке. Исходили из того, что против Польши будет оставлено около 20 дивизий и что все остальные силы будут брошены на запад против англо-французского вторжения. Так велика была вера в силу и быстроту наступления союзников. Таким образом, план стратегического развертывания Германии в случае войны на два фронта представлялся совершенно превратно. Так же оценивались и возможности Германии в воздухе. Наконец, твердо рассчитывали на непосредственную эффективную помощь Англии воздушными и морскими силами. Бесследно прошли исторические уроки прошлого, уже не раз показавшие подлинную цену обещанной помощи Англии, которая всегда умела воевать только чужими солдатами.

Из всех этих ложных расчетов делают еще более ложные выводы. Считают возможным обойтись чуть ли не одной армией мирного времени. С мобилизацией второочередных дивизий поэтому не спешат. Но об этом широко оповещают, объявляя о мобилизации двухмиллионной армии. Такой дезинформацией думали напугать противника. Однако эффект получился совершенно обратный, так как германское командование сосредоточило в ответ еще большие силы против Польши.

2. На польской стороне считали, что в отношении активных действий со стороны Германии речь может идти только о Данциге, и даже не о всем Данцигском коридоре, и Познани, отторгнутых от Германии по Версальскому договору. Таким образом, совершенно не уяснили себе действительных целей и намерений противника, сводя весь вопрос уже давно назревшего конфликта к одному Данцигу.

Поэтому о Силезском направлении, откуда на самом деле последовал главный удар германской армии, весьма мало заботились.

3. На польской стороне считали, что Германия не сможет сразу выступить всеми предназначенными против Польши силами, так как это потребует их отмобилизования и сосредоточения. Предстоит, таким образом, еще [32] такой начальный период, который даст возможность ноликам захватить за это время Данциг и даже Восточную Пруссию.

Таким образом, мобилизационная готовность Германии и ее вступление в войну сразу всеми предназначенными для этого силами остаются невдомек польскому генштабу»[1].

_____

[1] *Иссерсон Г.С.* Новые формы борьбы. М.: Военгиз, 1940. С. 31—32.

Польская армия была элементарно упреждена в развертывании. Немцы медленно накапливали силы на границах Польши и скрытно провели мобилизацию, то есть довели свои дивизии до численности военного времени. В первом блицкриге это получилось невольно — первоначально датой нападения было назначено 27 августа, и к этом дню вермахт был почти полностью отмобилизован и готов к бою. Это позволило напасть на не закончившую мобилизацию и развертывание польскую армию (большая часть дивизий проходила мобилизацию внутри страны и перевозилась к границам) и, обладая подавляющим численным превосходством над войсками у границы, перемолоть всю польскую армию по частям. По аналогичной схеме произошел разгром Красной Армии летом 1941 г. Храня гробовое молчание на дипломатическом поприще, немцы сумели на какое-то время усыпить бдительность советского руководства. Это позволило им провести перевозки дивизий к границе с СССР во все нарастающем темпе. И когда это сосредоточение было соответствующим образом оценено, отреагировать советское руководство уже не успевало. Для приведения в боевую готовность и переброски к границе войск внутренних округов времени просто не оставалось. Поэтому РККА встретила войну, как и польская армия, разорванной на три оперативно не связанных эшелона, которые немцы били по частям. В принципе это избиение в случае с Польшей и СССР могло происходить и без «панцеров» и «штук», более архаичными средствами. «Панцеры» и «штуки» лишь несколько усиливали эффект, достигнутый политическими средствами (молчанием на дипломатическом поприще в случае с СССР).

Чингисхан нового времени

Не следует преувеличивать возможности вермахта. Если мы попробуем присмотреться к нему, то увидим, что образ высокоманевренной армии несколько не соответствует действительности. Полностью моторизованные дивизии составляли лишь небольшую часть германской армии. Более 80% состава вермахта — это пехотные дивизии, передвигавшиеся преимущественно на лошадях. Артиллерийский полк пехотной дивизии вермахта — это 2696 человек личного состава и ни много ни мало 2249 лошадей. По штату в пехотной дивизии в 1941 г. было более 6000 (шести тысяч!) лошадей. Всего в вермахте в 1941 г. было свыше одного миллиона лошадей, 88% которых находилось в пехотных дивизиях. О таких масштабах использования гужевого транспорта не мечтал даже Чингисхан. Как ни парадоксально это звучит, Красная Армия на тот момент была моторизована в куда большей степени. В стрелковых дивизиях по штату военного времени № 04/400 механическая тяга использовалась следующим образом. В дивизии было два артиллерийских полка, один на механической тяге, а второй на гужевой. В первом (гаубичном) артиллерийском полку полагалось иметь 48 тракторов «СТЗ-НАТИ» для 122-мм гаубиц и 25 тракторов «С-65 Сталинец» для 152-мм гаубиц. Наконец, в зенитном дивизионе по штату числилось 5 тракторов «СТЗ-НАТИ» для четырех 76-мм зенитных орудий. Один трактор был запасным. Остальные орудия и минометы дивизии транспортировались лошадьми. У немцев, как нетрудно заметить, лошадьми перемещались ВСЕ орудия артиллерийского полка. В одинаковой степени моторизованных в стрелковой и пехотной дивизиях были противотанковые дивизионы. В первом случае в противотанковом дивизионе был 21 тягач «Т-20 Комсомолец» на восемнадцать 45-мм орудий. Во втором случае 37-мм «ПАК-35/36» перемещались грузовиками Круппа «Протце». Таким образом, можно сделать вывод, что общего превосходства в подвижности у немцев перед их противниками не было. Большая часть германской армии была даже менее подвижна, чем французская армия и английский экспедиционный корпус. Над Красной Армией у пехоты вермахта было некоторое, не слишком значительное превосходство в подвижности за счет неотмобилизованности РККА к июню 1941 г.

Обойденная «линия Мажино»

Одним из действий, с помощью которого был произведен разгром союзников в кампании 1940 г., часто представляется обход линии укреплений на франко-германской границе. Они были известны под названием «линия Мажино» и закрывали южный участок границы. Считается, что линия была построена с роковой ошибкой — не был прикрыт северный участок границы, через который, собственно, и прорвались немцы. Никакой роковой ошибки, разумеется, не было. Задачей «линии Мажино» было... направить немецкое наступление во Францию по маршруту плана Шлиффена 1914 г., то есть через страны Бенилюкса. «Линию Мажино» можно назвать построенной под девизом высказывания Клаузевица: «Располагаясь за сильными укреплениями, мы заставляем противника искать решение в другом месте». Необходимость прорывать сильные укрепления должна была, по идее строителей линии, заставить немцев выбрать обходной маршрут. Это позволило бы союзникам довольно точно просчитать действия противника и навязать ему сражение в Бельгии.

Однако в действительности немцы прорвались через «продолжение» «линии Мажино» в Арденнах. 17 мая

1940 г. два 210-мм орудия открыли огонь по небольшому укреплению Ла-Фер. 18 мая два каземата с 75-мм пушками были оставлены своими гарнизонами. Немецкие штурмовые группы начали пробивать себе дорогу в глубь укреплений. Соседнее укрепление Ле Шен попыталось поддержать защитников Ла-Фер огнем 75-мм орудий, но казематы находились слишком далеко, чтобы огонь был сколь-нибудь эффективным. К концу дня 19 мая все укрепление Ла-Фер было захвачено, и немцам была открыта дорога в глубь Франции. Между 20 и 23 мая были один за одним уничтожены четыре укрепления Мобежа. Последний удар по «линии Мажино» был нанесен в июне 1940 г. в ходе операций «Тигр» и «Медведь». Против укреплений применялась 420-мм артиллерия, удары пикирующих бомбардировщиков, штурмовые группы. В целом можно сказать, что «линия Мажино» была хотя и с трудом, но прорвана немцами в нескольких местах. Не менее драматичные события разворачивались в Бельгии. Многим хорошо известен захват форта Эбен-Эмаэль парашютистами. Действительно, 10 мая 1940 г. парашютисты на 40 планерах приземлились на крышу форта Эбен-Эмаэль и заставили гарнизон капитулировать подрывом кумулятивных зарядов на куполах и башенках форта. Однако эта акция отвлекла внимание общественности от куда более важных событий. С 10 до 15 мая 1940 г. шло сражение между штурмовыми группами пехотинцев и гарнизоном форта Обин-Нефшато. С помощью 305-мм и 355-мм был разрушен форт Баттис, капитулировавший 22 мая. Опыт Вердена не прошел даром. Форты во Вторую мировую войну уже не были непреодолимым препятствием для армии, получившей опыт позиционной борьбы на Западном фронте в 1914—1918 гг.

«Линия Сталина»

Не стали препятствием для блицкрига и укрепления «линии Сталина». Они были взломаны, причем часто без участия «панцеров» и «штук». Например, прорыв Летичевского УРа в середине июля 1941 г. силами XLIX горного корпуса Кюблера. Опишу наиболее сложный этап, последнее сражение за ДОТы «линии Сталина», находившиеся в долине Днестра. С какими трудностями пришлось столкнуться и как они были преодолены, описывает история 2-й пехотной дивизии: «Долина Днестра образует углубление глубиной 160 метров с крутыми обрывами между возвышенностями Бессарабии и Подольским плато. С обеих сторон Арионешти дивизия изготовилась к переправе реки. Пять дней продолжались приготовления к выяснению целей, заготовка боеприпасов, разведка позиций и дорог. 17 июля в 3.15 началось наступление. Неведомая доселе сила огня обрушилась на крутой берег противника. 1-я и 2-я роты 22-го истребительно-противотанкового батальона и 3-я батарея (Раймерса) прошли у Унгури в процессе трудной и бесшумной работы (в прямом смысле слова прокрались!) непосредственно на берег реки, в 90 метрах от противника, на открытую огневую позицию, а также перенесли передовое орудие 8-й батареи и поразили бункеры на другом берегу. При образцовом взаимодействии всех родов войск (кроме дивизионной артиллерии 6-й артиллерийской роты со вторым батальоном 818-го артиллерийского полка, 154-го армейского артиллерийского батальона), прежде всего посредством быстрых действий саперов штурмовых лодок (70-й саперный батальон) удалось успешно осуществить наступление через реку. Не выявленный до этого ДОТ на крутом склоне на левом соседнем участке создавал препятствия посредством флангового огня, на место переправы обрушился огонь минометов и артилле.ии. Но с восходом солнца 65-й пехотный полк слева и 16-й пехотный полк справа овладели господствующими береговыми высотами южнее ручья Бронника. Несмотря на воздушные атаки и огонь артиллерии, который предположительно координировался оставленным в тылу и спрятанным наблюдателем по радио, до 20 часов удалось соорудить 8-тонный мост через реку шириной 80 метров (46-й саперный батальон). Саперы дивизии были приданы атакующим подразделениям для уничтожения ДОТов и снятия мин. После того как были выдвинуты вперед тяжелые орудия, резервы и огневые позиции с их подразделениями связи, наступление было продолжено 18 июля. 2-я и 3-я зона укреплений «линии Сталина», которая с севера упиралась в Днестр, упорно оборонялась противником. Особенно большие потери понес в боях 65-й пехотный полк у Волохи»[1]. Так было на укреплениях Бельгии и Франции, так было на «линии Молотова», по той же модели прошли бои на «линии Сталина». Механизм армии XX столетия без задержек перемолол бетонные коробки с пулеметами.

Инструмент блицкрига

Сами по себе «панцеры», то есть танки, не давали однозначного ответа на вопрос о причинах успехов германских войск. Во Франции в 1940 г. противником немецких танкистов были средние танки «Сомуа S-35» и тяжелые танки «B1bis», превосходившие наиболее совершенные на тот момент немецкие танки «Pz.III», «Pz.IV» по бронированию и возможностям орудия. В СССР в

---

[1] *Friedrich-August von Metzsch.* Die Geschichte der 22.Infanterie-Division 1939—1945. Verlag Hans-Henning Podzun. Kiel. 1952. S. 20—21.

«Гочкис Н-39» — «неправильные» танки.

1941—1942 гг. танковые войска Красной Армии имели на вооружении значительное количество «Т-34» и «КВ», обладавших над немецкими танками подавляющим превосходством по измеряемым в миллиметрах и километрах величинах. Значительную часть танкового парка вермахта в период самых громких побед 1939—1941 гг. составляли легкие танки «Pz.I» и «Pz.II». Второй загадкой является отсутствие количественного превосходства, которое могло бы хотя бы теоретически компенсировать недостатки техники. Например, 1 мая 1940 г. в составе германской армии было 1077 «Pz.I», 1092 «Pz.II», 143 «Pz.35 (t)», 238 «Pz.38 (t)», 381 «Pz.III», 290 «Pz.IV» и 244 вооруженных только макетами орудий и пулеметами командирских танков. Французская армия имела 1207 легких танков «R-35», 695 легких танков «Н-35» и «Н-39», примерно по 200 танкеток «АМС-35» и «AMR-35», 90 легких «FCM-36», 210 средних «D1» и «D2», 243 средних «Сомуа S-35», 314 тяжелых «В1» различных модификаций. Если вывести эти танки толпой в чистое поле, то теоретически французские машины расстреляют своих немецких оппонентов без особых затруднений. Однако, как мы знаем, в реальности этого не произошло.

Разница между немецкими и французскими вооруженными силами была не в качестве техники, а в организационных структурах, эту технику объединявших. В середине 30-х в Германии был разработан принципиально новый организационно-штатный механизм для использования танков, который стал своего рода «мечом-кладенцом» вермахта в кампаниях 1939—1942 гг. Первый шаг к этому «мечу-кладенцу» был сделан 12 октября 1934 г., когда в Германии была завершена разработка схемы организации первой танковой дивизии. На этой схеме впервые появились элементы, ставшие характерными чертами дивизий, дошедших до Дюнкерка и Кавказа. Она должна была состоять из двух танковых полков, полка мотопехоты, батальона мотоциклистов, разведывательного батальона, батальона истребителей танков, артиллерийского полка, тыловых и вспомогательных частей. 18 января 1935 г. инспектор моторизованных войск генерал Лютц выпустил приказ на формирование трех танковых дивизий. Этот день можно условно считать датой рождения нового механизма ведения войны. Соединения нового типа должны были быть сформированы к 1 октября 1935 г. Они должны были комплектоваться жалкими «Pz.I» с двумя пулеметами, но на свет появилось сооружение, способное на нечто большее, чем просто взлом обороны противника. Вместо «Pz.I» могли быть хоть автомашины, зашитые фанерой под танки. Произвести танки и наполнить форму соответствующим содержанием было уже делом техники и времени. Главное — новаторская идея использования танковых войск — уже было в наличии.

В чем же была суть новшества? Создание организационной структуры, включающей танки, моторизованную пехоту, артиллерию, инженерные части и части связи, позволяло не только осуществлять прорыв обороны противника, но и развивать его вглубь, отрываясь от основной массы своих войск на десятки километров. Танковое соединение становилось в значительной мере автономным и самодостаточным. Это позволяло ему вести бой с резервами противника, захватывать важные пункты в тылу самостоятельно, не ожидая подхода пехотных дивизий и сопровождающих их полков артиллерии. Взорванный мост на своем пути танковая дивизия могла восстановить с помощью моторизованного понтонного батальона или даже сборного металлического моста. Саперные части дивизии могли снять минные поля, разрушить заграждения. Артиллерия позволяла на равных вести артиллерийскую дуэль с встретившимися на пути резервами противника. Наконец, пехота могла помочь удерживать захваченный в глубине обороны пункт, препятствуя отходу окружаемых корпусов и дивизий или подготавливая плацдарм для дальнейшего наступления. Танковые соединения теперь не просто должны были взломать фронт обороны противника быстрее, чем он подтянет достаточно резервов для «запечатывания» прорыва, они должны были сотрясти всю систему обороны, став средством проведения операции на окружение с решительными целями. Теперь классический «кессельшлахт» (буквально — «котельная битва», операция на окружение) станет визитной карточкой вермахта, повторяясь на разных театрах военных действий по схожей схеме.

Танки становились стратегическим средством борьбы. Теперь появилась возможность реализации на практике «философского камня» военного искусства, проведение молниеносной войны против сильного противника. Окружив и уничтожив с помощью нового инструмента крупную группировку противника, немцы тем

«Pz.II» — «правильные танки».

самым вынуждали его латать пробитый фронт, растягивать войска и расходовать резервы, чтобы оказаться жертвами новых «кессельшлахтов» и в конце концов пасть жертвой стратегии блицкрига.

В сентябре 1939 г. история дала уникальный шанс обкатать еще сырой механизм на заведомо слабом противнике — Польше. В 1939 г. организационная структура танковой дивизии вермахта еще окончательно не сложилась. Наиболее распространенной организацией была двухполковая танковая дивизия. Она состояла из танковой бригады (два танковых полка по два батальона каждый, около 300 танков, 3300 человек личного состава), моторизованной пехотной бригады (моторизованный пехотный полк, примерно 2000 человек), мотоциклетного батальона (850 человек). Общая численность личного состава дивизии была примерно 11 800 человек. Артиллерия дивизии состояла из шестнадцати 105-мм легких полевых гаубиц «leFH18», восьми 150-мм тяжелых полевых гаубиц «sFH18», четырех 105-мм пушек «K18», восьми 75-мм легких пехотных орудий, 48 противотанковых пушек. Такую организацию имели пять немецких танковых дивизий, с 1-й по 5-ю. Помимо этого, в вермахте была именная танковая дивизия «Кемпф» и 10-я танковая дивизия, имевшая один танковый полк двухбатальонного состава. Промежуточное положение между этими двумя полюсами занимала 1-я легкая дивизия, состоявшая из трех танковых батальонов. Наконец, последней формой организации танковых войск вермахта были так называемые легкие дивизии, имевшие всего один батальон танков. Соответственно боевая сила их была достаточно скромной, например, в 4-й легкой дивизии было 34 «Pz.I», 23 «Pz.II» и пять командирских танков. Первые бои показали недостатки организации танковых дивизий, например, беспомощность панцерваффе в самостоятельных действиях у Варшавы. По итогам кампании была начата реорганизация немецких танковых войск, продолжавшаяся с октября 1939 г. по май 1940 г. Организация была упорядочена, теперь не осталось никаких легких дивизий, а танковые войска вермахта были представлены десятью танковыми дивизиями. Шесть из них были четырехбатальонного состава (1—5-я и 10-я), три — трехбатальонного (6—8-я), одна — двухбатальонного (9-я). После разгрома Франции последовала новая реорганизация, в результате которой немецкие танковые войска приобрели тот вид, в котором они осуществляли блицкриг против СССР.

Число танковых дивизий вермахта в результате этой, самой важной, реорганизации было удвоено. Удвоение числа дивизий происходило путем дробления существующих дивизий и создания на базе высвобождающихся танковых полков новых дивизий. Теперь во всех танковых дивизиях вермахта был один танковый полк двух- или трехбатальонного состава вместо двух.

В значительной степени это была замена количества качеством, то есть уменьшение общего числа батальонов в дивизии компенсировалось количественным и качественным наращиванием ударных возможностей танковых рот батальонов перевооружением на «Pz.III» вместо «Pz.II». Фактор латания тришкиного кафтана, разумеется, тоже присутствовал. Оптимальной структурой был бы все же трехбатальонный танковый полк. Так что идеальная танковая дивизия была в вермахте в июне 1941 г. единственной. Это была 3-я танковая дивизия XXIV моторизованного корпуса 2-й танковой группы Г. Гудериана. Ее танковый полк состоял из трех батальонов и насчитывал 58 танков «Pz.II», 29 танков «Pz.III» с 37-мм пушками, 81 танк «Pz.III» с 50-мм пушками, 32 танка «Pz.IV» и 15 командирских машин. Командовал дивизией Вальтер Модель, впоследствии ставший одним из видных немецких полководцев Второй мировой войны, прославившийся обороной ржевского выступа и восстановлением фронта группы армий «Центр» после катастрофы «Багратиона» в 1944 г. Дивизии, вооруженные танками чехословацкого производства «35 (t)» и «38 (t)», остались трехбатальонными, но это уже была не оптимизация, а компенсация невысоких характеристик техники ее числом.

Рация на танке

Одной из попыток объяснить эффективность панцерваффе является, например, пропаганда мифа о радиофикации боевых машин. Якобы немецкие танки были поголовно радиофицированы и поэтому могли эффективнее вести танковый бой. Реально радиостанции в том понимании, которое вкладывают в этот термин сторонники данной версии, то есть приемопередатчики, были у командиров подразделений от взвода и выше. По штату февраля 1941 г. в легкой танковой роте танкового батальона немецкой танковой дивизии приемопередатчики «Fu.5» устанавливались на трех «Pz.II» и пяти «Pz.III», а на двух «Pz.II» и двенадцати «Pz.III» ставились только приемники «Fu.2». В роте средних танков приемопередатчики имели пять «Pz.IV» и три «Pz.II», а два «Pz.II» и девять «Pz.IV» — только приемники[1]. На «Pz.I» приемопередатчики «Fu.5» вообще не ставились, за исключением специальных командирских «klPz.Bef.Wg.I». Радиофикация танковых войск РККА в 1941 г. была не такой уж плохой. Например, в 19-й танковой дивизии 22-го механизированного корпуса, столкнувшейся с немецкими танками 24 июня 1941 г. под Войницей, было 47 танков «Т-26» однобашенных радийных, 75 «Т-26» однобашенных линейных, 6 танков «БТ-7» линейных, 6 «БТ-7» радийных, 14 танков «БТ-5» линейных, 3 «БТ-5» радийных, 5 «БТ-2» пулеметных (без радиостанций)[2]. Если мы возьмем брутто-цифры по всем западным округам, то на 22 июня в них числилось 1993 танка «Т-26» однобашенных линейных, 1528 «Т-26» однобашенных радийных, 1499 танков «БТ-7» линейных, 1212 «БТ-7» радийных[3]. Да, у немцев было больше радиостанций, но доля танков с приемопередатчиками была выше в механизированных корпусах РККА. Разницы в радиофикации, переходящей из количества в качество, не наблюдается.

---

[1] *Jentz T.* Panzertruppen. The complete guide to the creation and combat employment of Germany's tank force. 1939—1942. Schiffer Military History. 1996. P. 274.

[2] ЦАМО. Ф. 3018. Оп. 1. Д. 11. Л. 189. Данные на 10 июня 1941 г

[3] Боевой и численный состав ВС СССР в период Великой Отечественной войны. Статистический сборник № 1. М.: Институт военной истории МО РФ, 1994. С. 133.

«Спящие» аэродромы

Одним из важных компонентов блицкрига было завоевание господства в воздухе. Достигалось оно, в частности, ударами по аэродромам. Усилиями публицистов создан «светлый» образ раннего утра 22 июня 1941 г. как побудки идиотов: налетают немцы, и аэродром превращается в море огня. Выскочившим в исподнем летчикам остается только грустно смотреть на свои уничтоженные машины. Однако этот образ совершенно не соответствует действительному положению дел.

В общем случае к первому налету немецких бомбардировщиков уже никто не спал. Как правило, немцам противостояло дежурное звено истребителей, которое поднималось в воздух по сигналу поста ВНОС (воздушного наблюдения, оповещения и связи). Посты ВНОС по звуку и визуально обнаруживали перелет границы и докладывали по инстанциям. Дежурное звено проводило первый бой той или иной степени успешности. Часто в самоубийственной атаке. Старший лейтенант с чисто русским именем Иван Иванович Иванов на «И-153» в лобовой атаке таранил «Хе-111», шедший на его аэродром в первые минуты войны. Врезавшаяся в разбитое остекление носовой части «111-го» «чайка» с полным баком была оверкилем для всего экипажа немецкого самолета. Оба самолета, охваченные пламенем, рухнули на землю. И.И. Иванов был пилотом дежурного звена 46-го истребительного авиаполка 14-й авиадивизии Киевского особого округа. 122-й истребительный авиаполк 11-й авиадивизии Западного округа успел поднять в воздух до появления бомбардировщиков 53 «ишака» и «чайки». Лишь 15 самолетов, в основном неисправных, не смогли взлететь и были уничтожены. Советские летчики заявили о сбитии 4 «Do-17» из состава 2-й бомбардировочной эскадры.

Конечно, боевая готовность являлась необходимым, но не достаточным условием успешности отражения налета. Вспоминает командир 87-го истребительного авиаполка майор И.С. Сульдин: «22 июня около 4 часов 30 минут из штаба авиадивизии в полк поступила телеграмма следующего содержания: «По имеющимся данным, немецкая авиация бомбит пограничные города Перемышль, Рава-Русская и другие. Полк привести в боевую готовность». Остававшийся за командира полка командир эскадрильи старший лейтенант П.А. Михайлюк поднял личный состав по тревоге. Летчики, инженеры, техники, младшие авиаспециалисты заняли свои места у истребителей в соответствии с боевым расписанием, а летчики-приемщики из 36-й авиадивизии — у принятых ими 10 самолетов и, в свою очередь, тоже запустили моторы. Казалось, боеготовность полная. Но была допущена серьезная промашка, за которую основательно поплатились многие. Примерно в 4 часа 50 минут с восточной стороны аэродрома показался плохо видимый в лучах восходящего солнца двухмоторный бомбардировщик. Все сочли, что для проверки готовности полка к действиям по тревоге прилетел на «СБ» командир авиадивизии. Но то был немецкий бомбардировщик «Ю-88». На бреющем полете он атаковал выстроенные в линию самолеты. Увидев зловещие кресты на бомбардировщике, находившиеся на аэродроме командиры и бойцы открыли по нему огонь из винтовок. Но было уже поздно. Немецкий самолет сбросил прицельно мелкие осколочные бомбы, обстрелял из пулеметов личный состав: из 10 выстроенных в линию самолетов 7 сгорели, были убиты два находившихся в кабинах летчика и ранены два младших авиаспециалиста...»[1]. 7 уничтоженных самолетов — это 7 из 10 «И-16», предназначавшихся для передачи в 36-ю истребительную авиадивизию. В дальнейшем в 87-м истребительном авиаполку, оправившись от первого удара, организовали постоянное дежурство в воздухе. Уже в 5 часов 30 минут патрульное звено старшего лейтенанта В.Я. Дмитриева перехватило на подходе к аэродрому три бомбардировщика «Ju.88».

В буквальном смысле «спящие» аэродромы, конечно, были, но они составляли меньшинство. В 66-м штурмовом авиаполку 15-й авиадивизии 6-й армии пилоты сочли воскресную тревогу учебной, прибыли на аэродром с опозданием. Результатом была одномоментная потеря 34 машин, более чем половины из 63 самолетов авиаполка. Пилоты 17-го истребительного авиаполка 14-й авиадивизии 5-й армии на выходные обычно уезжали к семьям в Ковель. Суббота 21 июня не стала исключением. Когда аэродром полка оказался под ударом немецких бомбардировщиков, организованного сопротивления они не встретили: «Противодействовать ударам бомбардировщиков мы не могли: летный состав находился в Ковеле у своих близких»[2].

Однако одной из характерных черт воздействия немецкой авиации на советские аэродромы была последовательность, упорство в достижении поставленной задачи. Советские аэродромы методично обрабатывались в течение всего дня 22 июня 1941 г., немецкие летчики сумели организовать безостановочный конвейер ударов. И этот расчет оказался правильным, плана

[1] *Скрипко Н.С.* По целям ближним и дальним. М.: Воениздат, 1981. С. 124—125.
[2] *Архипенко Ф.Ф.* Записки летчика-истребителя. М.: НПП «Дельта», 1999. С. 25.

рассредоточения у ВВС РККА попросту не было. Не было и технической возможности сменить вскрытую немецкой разведкой систему базирования советских ВВС. Дело в том, что весной 1941 г. на аэродромах военно-воздушных сил Красной Армии было развернуто строительство бетонных взлетно-посадочных полос. Вследствие этого значительная часть аэродромов по состоянию на 22 июня 1941 г. для производства полетов была непригодна. Большинство летных частей запасных аэродромов не имели и оставались на ранее занимаемых площадках. Об опасности такого подхода предупреждали военные теоретики еще до войны: «Необходимо отметить при этом, что аэродромы, занимаемые авиацией в мирное время, противнику будут известны. Они должны быть покинуты, как только обозначится возможность неприятельского налета на них...»[1]. Даже перебазирование не всегда спасало. Например, относительно безболезненно переживший первый удар 122-й истребительный авиаполк перелетел на аэродром Лида, но вскоре и по этой авиабазе немецкие бомбардировщики нанесли удар. Много стоявших на земле самолетов загорелось. Поэтому уничтожение значительной части самолетного парка на аэродромах было просто делом времени. Если не удавалось добиться решительного результата в первом налете, успех немецким летчикам приносил второй, третий, а иногда и десятый авиаудар.

Необходимо также заметить, что массированное воздействие на советские аэродромы было для люфтваффе весьма дорогостоящей акцией. Если бомбардировка войск, железнодорожных узлов позволяла попросту избежать встреч с истребителями противника,

---

[1] *Лапчинский А.* Действия авиации в начальном периоде войны. Война и революция. № 5. 1936. С. 56.

то удары по аэродромам были походом в пасть льва, неизбежно приводившим к воздушным боям. Даже в официальной истории 55-й бомбардировочной эскадры в списке потерь в первый день войны с СССР значатся аж 13 самолетов. Семь экипажей погибли или пропали без вести[1]. Большинство «Хейнкелей» эскадры были сбиты истребителями в ходе атаки аэродрома Млинов, став жертвой «И-16» и «И-153» 14-й авиадивизии 5-й армии (той самой дивизии, в которой воевал И.И. Иванов). Еще большие потери понесла 51-я бомбардировочная эскадра «Эдельвейс». Журнал боевых действий эскадры рисует далеко не радужную картину завершения самого длинного дня 1941 г.: «После посадки последнего самолета в 20.23 во дворце Полянка около Кросно коммодор подполковник Шульцхейн подвел итоги дня: 60 человек (15 экипажей!) летного персонала погибли или пропали без вести, в третьей группе оказались сбиты или получили повреждения более 50% машин»[2].

Удары по аэродромам в первый день войны были для люфтваффе очень сложной, потребовавшей огромных усилий и стоившей значительных (в сравнении с последующими днями) потерь акцией. При этом, несмотря на большие потери, советские ВВС (особенно на юго-западном направлении) сохранили боеспособность и в дальнейшем сыграли важную роль в Приграничном сражении. Господство в воздухе ударами по аэродромам достигнуто не было, если его понимать не как жалобы сухопутных войск на воздействие авиации противника, а как воспрещение действий ВВС противника при полной свободе действий собственной авиа-

---

[1] *Dierich W.* Kampgeschwader 55 Greif. Stutgart: Motorbuch-Verlag, 1973. S. 416—417.

[2] Авиация и время. № 5. 1996. С. 43.

ции. Жалобы на действия ВВС РККА можно легко найти в немецких источниках, причем в максимально жесткой форме.

Например, в ходе боев на Украине в июне 1941 г. 11-я танковая дивизия вышла к городку Острог. Против прорвавшейся танковой дивизии была брошена авиация. В донесении штаба ВВС Юго-Западного фронта говорилось: «В течение всего дня 28 июня 1941 г. ВВС ЮЗФ главным образом действовали по механизированным частям противника, сосредоточенным в районе Острог, Мизочь, Варковичи. Несмотря на то что в этом районе находились крупные мотомехчасти противника, они были искусно замаскированы, и, для того чтобы их вскрыть, летному составу пришлось летать на бреющем полете. Всего произведено в этот район более 400 самолето-вылетов. Потери: 5 самолетов в воздушном бою. Авиация противника в течение всего дня в указанном районе действовала неинтенсивно. Ввиду того, что мехчасти противника были сосредоточены на небольшом участке, они понесли большие потери»[1]. 400 самолето-вылетов по довольно ограниченному пространству на линии Острог—Мизочь—Варковичи (всего около 40 км) произвели на личный состав 11-й танковой дивизии неизгладимое впечатление: «Начавшийся среди ночи дождь давал надежду на то, что на сегодняшний день ожидается уменьшение воздушной деятельности русских. Не тут-то было. На рассвете дождь закончился, и сразу же появились советские самолеты, которые непрерывно атаковали части 11-й танковой дивизии, державшей в течение всего дня путь на Острог. [...] Чтобы избежать длительного обстрела с воздуха, танковые экипажи пытались защитить себя

---

[1] Лето 1941 г. Украина. Киев, 1991. С. 149 со ссылкой на ЦАМО СССР. Ф. 229. Оп. 161. Д. 150. Л. 3.

таким образом: рыли канавы, по которым потом проезжали их хорошо закамуфлированные танки. [...] Неоспоримо было то, что советский противник, по меньшей мере здесь, имел **абсолютное господство в воздухе** (выделено мной. — *А.И.*)»[1].

Лекарство от блицкрига

К августу 1941 г. лязгающее слово «блицкриг» означало только смерть и разрушение. Оно устойчиво ассоциировалось с массами танков, появлявшихся словно из-под земли и врывавшихся на улицы городов в глубоком тылу сражающихся войск, с заунывным воем пикирующего бомбардировщика «Ю-87» и юркими мотоциклистами, несущимися по пыльным дорогам. Европа столкнулась со всесокрушающей военной машиной, которую с 1939 до 1941 г. никому не удавалось остановить. Устояли перед ударами немцев только отделенные от континента «рвом с морской водой» англичане.

Неудачи первых недель войны, без сомнения, оказали шоковое впечатление на руководство страны. Всего за три месяца до этого, 5 мая 1941 г., И.В. Сталин с гордостью говорил на выступлении перед выпускниками военных училищ: «Раньше существовало 120 дивизий в Красной Армии. Теперь у нас в составе армии 300 дивизий. Из общего числа дивизий — третья часть механизированные дивизии». К августу от «механизированных дивизий» остались одни лохмотья. Созданная в 30-х годах современная, по тем меркам, Красная Армия терпела поражение за поражением. Серебристые «летающие крейсеры» советской империи, «ДБ-3» бесследно исчезали целыми эскадрильями. А брони-

---

[1] Schrodek Ihr Glaube galt dem Vaterland. Geschichte des Panzer-Regiments 15 (11.Panzer-Division). Munchen: Schild Verlag, 1976. S. 133.

ции» оставляла желать лучшего. Но возможности вы-
рать в тех условиях не было. Или биться в составе
рганизованной вооруженной силы, связанной еди-
ым планом и худо-бедно снабжающейся с заводов
ружием и транспортом, или через несколько месяцев
ротивостоять вооруженным пулеметами и миномета-
и карателям с охотничьими ружьями в руках.

В каких же условиях предстояло вступить в бой
тенцам «перманентной мобилизации»? Июль 1941 г.
тал для немецкой стороны периодом смены опера-
ивных и стратегических задач, заложенных в первона-
альный план кампании — «Барбароссу». Причиной,
ынудившей пойти на весьма значительные изменения
формы операции, был целый ряд удачных ходов, сде-
ланных советской стороной. Во-первых, это сравнительно успешные контрудары по вырвавшимся вперед
танковым дивизиям групп Гота и Гудериана в ходе
Смоленского сражения. Наносили их армии внутренних округов, выдвинутые на рубеж Западной Двины и
Днепра вместо исчезнувших в белостокском и минском «котлах» армий Западного фронта. Подошедшие
немецкие пехотные дивизии 9-й и 4-й полевых армий
изменили баланс сил в Смоленском сражении в пользу
группы армий «Центр», образовалось несколько больших и малых «котлов» окружений. В частности, были
окружены 16-я и 19-я армии в районе Смоленска. Но
так или иначе директива № 33 за подписью Гитлера от
19 июля предписывала группе армий «Центр» осуществлять наступление на Москву «силами пехотных соединений». Вместо глубоких прорывов танковых клиньев теперь предполагалось двигаться к столице СССР
темпом пеших маршей пехоты. Во-вторых, советским
командованием были грамотно использованы возможности Припятской области. Опираясь тылами на непроходимые леса и болота этой области, а западным

рованные кулаки вермахта, казалось, неуязвимые, двигались дальше и дальше на восток. Вооруженные опытом Вердена и Марны, немецкие пехотинцы взламыва-
ли с трудом подготовленные линии обороны, бетонные
коробки ДОТов и минные поля.

В поисках противоядия Сталин, Жуков, Шапошников обратились к уникальному и прошедшему не заме-
ченным для Европы опыту Гражданской войны 1918—
1920 гг. Читатель спросит: «Какое отношение рейды
Первой конной и бои бронепоездов имеют к отражению танковых клиньев?» Танки, «штуки» и мотоциклисты были лишь инструментом. Со стратегической точки зрения блицкриг, «молниеносная война», представлял собой поиск решения стратегических задач на
уровне стрелочек на карте, планов операций. Не имея
возможности вести длительную войну на истощение,
немцы постоянно искали возможность быстрого сокрушения противника. В гитлеровской Германии эта
идея выкристаллизовалась в концепцию уничтожения
армии противника быстрее, чем жертва сможет поставить под ружье всех, кто способен держать в руках оружие. Польша в сентябре 1939 г. перестала существовать, несмотря на то что в ней оставалось еще более
миллиона человек призывного возраста. Францией в
1940 г. также не были исчерпаны людские резервы к
моменту капитуляции. Обе страны не смогли создать
устойчивого фронта из новых дивизий взамен раз-
громленных у границ. Те люди, которые могли сражаться в составе этих новых дивизий, позднее стали
бойцами движения «Сопротивления» и гибли под гусеницами немецких танков в Варшавском восстании.

По такой же модели предполагалось развитие событий в СССР. Разработчик «Барбароссы» Ф. Пау-
люс считал, что в Советском Союзе «большие людские
резервы из-за недостатка в командных кадрах и мате-

риального снабжения не смогут быть полностью использованы». В случае войны, по мнению Верховного командования сухопутных войск, Советский Союз мог в принципе отмобилизовать 11—12 млн. человек, однако нехватка командных кадров и техники не позволит ему сделать это. Реальной считалась мобилизация 6,2 млн. человек. Предполагалось, что СССР выставит 107 дивизий первой волны, 77 второй и 25 третьей, то есть всего 209 дивизий. План «Барбаросса» предполагал разбить эти дивизии каскадом следовавших одна за другой операций на окружение.

Однако опыт Гражданской войны позволил советскому руководству опрокинуть эти расчеты. 1918—1920 гг. мало что дали с тактической точки зрения, но оказались совершенно бесценными с точки зрения стратегии. В условиях хаоса, разрухи и совершенно деградировавшей к моменту безвременной кончины Российской империи транспортной системы в стране работала промышленность и существовала пятимиллионная армия, удерживавшая фронт колоссальной протяженности. В Красную Армию призывали военнообязанных контролируемых большевиками областей, наспех обучали, вооружали и вполне успешно противостояли созданными таким образом соединениями офицерским частям Белой армии. Это дало новый толчок для анализа опыта России и других стран — участниц Первой мировой войны и создания советской военной школой теории «перманентной мобилизации». Согласно этой теории, формирование новых дивизий не заканчивается по завершении развертывания кадровой армии, а является непрерывным процессом. Одни дивизии окружаются, уничтожаются, просто несут потери, а другие тем временем формируются, обучаются и едут на замену первых.

Напрямую в довоенные планы Красной Армии тео-

рия «перманентной мобилизации» не з... Напротив, ее хотели избежать, и в февра... мобилизационном плане вообще не пр... лось формирования новых соединений ... боевых действий. Однако после осознани... Приграничного сражения в СССР вспомн... гии Гражданской и запустили конвейер со... дивизий и армий. По приказу Ставки ВГ... 1941 г. началось формирование 15 стре... зий за счет пограничников, по постанов... дарственного комитета обороны от 8 ию... еще 56 стрелковых, 10 кавалерийских и 25 ... родного ополчения. Вместо 4887 тыс. чел... билизационному плану февраля 1941 г. бы... военнообязанные 14 возрастов, общая числ... торых составила около 10 млн. человек. Тем ... в первые пять недель войны были перекрыт... ты, на которых разработчики «Барбароссы» ... ли прогнозы о сроках и возможностях провед... ротечной кампании против СССР. Расчеты, к... предусматривали формирования второлине... визий в вермахте.

Конечно, свежеиспеченные соединения РК... далеки от идеала. Им не хватало артиллери... тов, средств связи. Командиры не успевали узн... их подчиненных, часть из которых до этого во... служила в армии. Командующий Юго-Запад... правлением С.М. Буденный в разговоре с нача... Генерального штаба Красной Армии Б.М. Шапо... вым сказал: «Опыт с новой 223 сд показал, что... формирования, не будучи достаточно сколоче... не выдерживают первых ударов противника и ра... ются». Справедливости ради нужно сказать, что... бегались» было скорее исключением, чем пра... хотя боеспособность птенцов «перманентной мо...

флангом на Коростеньский укрепрайон, 5-я армия М.И. Потапова с середины июля нависла над нацеленной на Киев 6-й армии Рейхенау. Немцы не имели возможности раздавить и рассечь армию М.И. Потапова, как это случалось с другими объединениями РККА, для этого надо было углубляться в Припятскую область и вести тяжелые бои в труднопроходимой местности. Неудивительно, что 5-я армия стала постоянным действующим лицом директив Гитлера июля—августа 1941 г. Уже в директиве № 33 фюрер приказал уничтожить армию М.И. Потапова смежными ударами флангов групп армий «Центр» и «Юг», чем фактически были заложены основы грядущего поворота на юг танков Гудериана.

Помимо засевшей в природной крепости Припятской области 5-й армии Юго-Западного фронта, на Украине существовал советский «непотопляемый авианосец» — Крым. Налеты 21-го бомбардировочного авиаполка с аэродрома Саки на нефтепромыслы Плоешти, конечно, не успели нанести существенного ущерба кровеносной системе военной машины Третьего рейха. Объяснялось это довольно просто. Во-первых, значительные силы советской авиации дальнего действия были задействованы в ударах по механизированным корпусам немцев от Даугавпилса до Березины и Белой Церкви. Во-вторых, налеты днем без сопровождения истребителей приводили к большим потерям защищавших себя пулеметами винтовочного калибра бомбардировщиков «ДБ-3». Однако сама возможность создания на аэродромах Крыма крупной авиационной группировки, способной превратить нефтепромыслы в гигантский костер, нервировала германское руководство. Поэтому в директиве № 34 от 12 августа Гитлер приказал ликвидировать этот дамоклов меч раз и навсегда. Группе армий «Юг» предписывалось: «Овладеть Крымом, который, будучи авиабазой противника, представляет особенно большую угрозу румынским нефтяным промыслам».

Необходимость сокрушения 5-й армии, овладения Крымом и уничтожения промышленного района Донбасса неуклонно разворачивала немецкую машину против Украины, которая первоначально была второстепенным операционным направлением «Барбароссы». Оставался всего один шаг до поворота на юг Гудериана, который позднее назовут роковой ошибкой немецкого командования.

Но у поворота на юг были вполне простые и понятные объяснения. Если бы вместо поворота на Киев целью операций группы армий «Центр» избрали бы Москву, то соотношение сил отнюдь не гарантировало успеха. Наступлению 60 дивизий группы армий «Центр» противостояли бы 43 дивизии Западного фронта, 35 — Резервного, часть сил (до 20 соединений) Брянского фронта, до 20 соединений Московского военного округа. Кроме того, в резерве Ставки ВГК на московском направлении было еще 8 дивизий. Это дает нам внушительную цифру, 130 переформированных и заново созданных дивизий, способных вступить в бой за столицу. Поворот на юг означал не только и не столько ликвидацию фланговой угрозы группе армий «Центр». Он обещал высвобождение сил группы армий «Юг», которые в дальнейшем могли бы быть использованы для наступления на Москву.

У немцев уже был опыт оккупации Украины и использования ее ресурсов. В феврале 1918 г. по железным дорогам ставшего независимым осколка Российской империи беспрепятственно двигались поезда с германскими и австрийскими солдатами, введенные на территорию под предлогом защиты правительства Центральной рады от большевиков. Уже 2 марта 1918 г.

по Крещатику гремели кованые сапоги оккупантов и слышались отрывистые команды офицеров кайзеровской армии. Вскоре в Киеве было посажено марионеточное правительство во главе с гетманом Скоропадским, и немцы начали вывозить с территории Украины хлеб, угонять скот. По свидетельству тогдашнего начальника штаба германской армии Людендорфа, особенно ценным приобретением были крайне необходимые в войсках на Западном фронте лошади. Однако в целом эффект от захвата Украины оказался меньшим, чем рассчитывалось. Более того, переброшенные в августе 1918 г. на Западный фронт дивизии, участвовавшие в оккупации, показали низкую боеспособность вследствие разложения от пропаганды и взяток.

Опыт 1918 г. позволил руководству Третьего рейха в апреле 1941 г. оценивать будущее подлежащих оккупации территорий следующим образом: «Нашей политической линией относительно этой области стало бы поощрение стремлений к национальной независимости вплоть до потенциального создания собственной государственности — либо на Украине как таковой, либо в объединении с Донской областью и Кавказом. Это объединение составило бы Черноморский союз, которому надлежало бы постоянно угрожать Москве и прикрывать великогерманское жизненное пространство с востока. В экономическом плане эта область одновременно представляла бы собой мощную сырьевую и пищевую базу великогерманской империи». Перспектива создания национального государства толкнула в объятия фюрера украинских националистов, которые приняли самое активное участие в дестабилизации тыла советских войск в начальный период войны. Очевидная с самого начала сомнительность такого знакомства руководителей и рядовых бойцов ОУН тогда мало волновала, но уже в 1942 г. появился план «Ост», согласно которому предполагалось выселить жителей западных областей Украины в... Сибирь. Еще раньше, в июле 1941 г., Гитлер приказал выселить после захвата Крыма всех жителей полуострова и устроить там «немецкую Ривьеру». Позднее генеральный комиссар Крыма Фрауэнфельд предложил проект переселения в Крым населения Южного Тироля.

Лучше всего сложившуюся к началу сражения за Украину ситуацию обрисовал начальник немецкого Генерального штаба Франц Гальдер: «Общая обстановка все очевиднее и яснее показывает, что колосс Россия, который сознательно готовился к войне, несмотря на все затруднения, свойственные странам с тоталитарным режимом, был нами недооценен. Это утверждение можно распространить на все хозяйственные и организационные стороны, на средства сообщения и в особенности на чисто военные возможности русских. К началу войны мы имели против себя около 200 дивизий противника. Теперь мы насчитываем уже 360 дивизий. Эти дивизии, конечно, не так вооружены и не так укомплектованы, как наши, а их командование в тактическом отношении значительно слабее нашего, но, как бы там ни было, эти дивизии есть. И даже если мы разобьем дюжину таких дивизий, русские сформируют новую дюжину». Термин «насчитываем» здесь следует понимать как число известных немцам дивизий, больше половины из которых к тому времени могли уже представлять собой бледные тени или вовсе исчезнуть в пламени войны. «Перманентная мобилизация» оказалась весьма неприятным сюрпризом для немцев. Теперь для достижения успеха вермахту нужно было перемалывать советские дивизии быстрее, чем их формируют и восстанавливают. Эта задача усложнялась тем фактом, что сами немцы не предусматривали создания новых соединений в ходе кампании. Им предстояло снова и снова бросать в бой одни и те же дивизии, для которых очередные «котлы» оборачивались потерями, уменьшавшими их боевую силу. Задачей советской стороны было избегать крупных катастроф и постепенно накапливать резервы для перехвата стратегической инициативы. В немецкой стратегии было нащупано слабое звено, невнимание к второлинейным соединениям, формируемым уже после начала конфликта. Лекарство от блицкрига было найдено, но оставалось еще дождаться, когда оно подействует.

Подействовало оно только поздней осенью 1941 г. До 31 декабря был сформирован или переформирован 821 эквивалент дивизий (483 стрелковые дивизии, 73 танковые, 31 моторизованная, 101 кавалерийская и 266 танковых, стрелковых и лыжных бригад). Был организован непрерывный конвейер восстановления существующих и формирования новых соединений. Противопоставить стратегии «перманентной мобилизации» немцы ничего не смогли. Весь путь от границы до Ростова они проделали в практически неизменном составе соединений, которые в непрерывных боях теряли людей, технику, элементарно уставали. Не будем забывать, что пехотные дивизии проделали весь путь от берегов Буга и Прута до Харькова и Мариуполя пешком. Ожидать от них такого же упорства в обороне и наступлении, как в июне 1941 г., было невозможно. К этому добавилось воронкообразное расширение фронта от границы до меридиана Москвы и Ростова. Сложилось своего рода шаткое равновесие между боевыми возможностями «перманентно мобилизованных» соединений Красной Армии и растянутостью фронта, потерями, усталостью немецких войск. Результат был вполне предсказуемым: когда поступление свежих соединений превысило темпы их перемалывания немцами, Красная Армия в очередной раз попыталась перехватить инициативу и немецкий фронт посыпался, немецкие дивизии сначала под Ростовом и Тихвином, а потом по всему фронту побежали на запад, бросая оставшуюся без горючего технику.

* * *

Теория блицкрига, разработанная немецкими военными теоретиками в межвоенный период, предусматривала достижение целей войны за счет разгрома армии противника до того, как противник сможет ее восстановить мобилизацией и формированием новых соединений. Достигался этот эффект комплексом мероприятий как на политическом, так и на военном поприще. Германия старалась упредить противника в мобилизации и развертывании, а также максимально быстро уничтожить армии противника глубокими прорывами своих «мечей-кладенцов» — моторизованных корпусов. Однако, несмотря на целый ряд очевидно прогрессивных шагов, немецкое командование недооценило возможности крупной страны по мобилизации новых соединений и не приняло симметричных шагов в отношении вермахта. Это привело к тому, что темпы формирования новых дивизий и бригад РККА летом и осенью 1941 г. в конце концов превысили темпы уничтожения этих соединений в «котлах», оборонительных и наступательных боях. Это перевело конфликт из фазы блицкрига в фазу затяжной войны на истощение.

Глава 2

«Толстовцы» и «миллионеры»

Финская война — это одно из тех событий, которые порождают прямо противоположные мнения о себе в рядах историков и публицистов. Это своего рода «линия фронта» между людьми с разными политическими взглядами. Позицию одного лагеря вполне прозрачно отражает, например, А.И. Солженицын: «И потом все видели эту бездарную, позорную финскую кампанию, когда наша огромная страна тыкалась, тыкалась около этой самой «линии Маннергейма». Всем показали, что мы воевать... и противники наши видели, что мы воевать не готовы»[1]. Другая сторона опирается на высказывания, подобные: «Ни одна армия мира не прорывала еще такой, взятой в бетон и сталь, оснащенной по последнему слову военной техники линии обороны»[2]. То есть, с одной стороны, огромная армия, остановленная маленькой Финляндией, с другой — беспрецедентное в мировой истории сокрушение сильных укреплений в жестокую стужу. Обе стороны снимали фильмы, писали книги. В одних с каким-то мазохистским упоением показывали засыпанные снегом танки «БТ» с

---

[1] Александр Солженицын. Останкино, 15 мая 1995 г.
[2] *Молчанов А.* Штурм «линии Маннергейма», цит. по: Принимай нас, Суоми-красавица. Ч. I. СПб, 1999. С. 137.

распахнутыми люками и замерзшие трупы красноармейцев, в других с удивлением читаем рассказы про многоэтажные ДОТы с центральным отоплением и мощными орудиями.

Зима-холода

Одним из главных аргументов о сложности и специфичности условий Зимней войны являются холода. Во-первых, само по себе ведение боевых действий при низких температурах не исключается. Возьмем пример из практики потенциального противника Советской Армии в холодной войне. Существует американский устав Field Manual 31-71, Nothern Operations, подробно освещающий вопросы ведения боевых действий в северных областях земного шара. В FM 31-71 описываются ограничения, которые накладывают погодные условия на ведение боевых действий, даются рекомендации по наступлению и обороне в этих условиях. Одним словом, сами по себе холода не являются препятствием для успешных боевых действий. Но это даже неважно. Проблема в том, что в декабре 1939 г., когда, собственно, и проводился первый, неудачный штурм «линии Маннергейма», мороза минус сорок градусов по Цельсию просто не было. Это чистой воды миф. Причем узнать о реальных погодных условиях начального периода советско-финской войны не составляет труда. В описании боев на Карельском перешейке писателя Владимира Ставского у бойцов 252-го стрелкового полка 70-й стрелковой дивизии под ногами «хлюпал тающий снег»[1]. Хлюпанье снега в 40-градусный мороз представить себе сложно. Корабли Балтийского флота вплоть до конца декабря поддерживали

---

[1] *Ставский Вл.* Герой Советского Союза Николай Угрюмов // Бои на Карельском перешейке. Л.: Воениздат, 1941. С. 49, 52.

сухопутные войска, нередко подходя к самому берегу, то есть Финский залив еще не успел замерзнуть. Незамерзшая река Тайпаллен-Йоки на правом фланге советского наступления вынуждала советские дивизии переправляться с помощью понтонов и резиновых лодок. Лучше всего про погодные условия в декабре 1939 г. на Карельском перешейке написал Маннергейм: «Однако у противника было техническое преимущество, предоставленное ему погодой. Земля замерзла, а снегу почти не было. Озера и реки замерзли, и вскоре лед стал выдерживать любую технику. В особенности Карельский перешеек превратился для больших масс войск и механизированных частей в пригодную местность. Дороги окрепли, легко было прокладывать и новые. [...] Единственным преимуществом, которое время года подарило обороняющимся войскам, было то, что краткость зимнего дня ограничивала деятельность авиации противника»[1]. Расссуждение об ужасающих морозах как причине провала первой попытки разгромить финнов оказываются ничем не обоснованными. Сегодня есть достаточно подробные и развернутые данные по погодным условиям, в которых воевала Красная Армия в Финляндии. Финский генерал-лейтенант X. Энквист, командующий II армейским корпусом, вел дневник, в котором аккуратно записывал дневную температуру каждый день с первого до последнего дня войны. 30 ноября было плюс 3. До 20 декабря 1939 г. на Карельском перешейке температура колебалась от +2 до – 7. Далее до Нового года температура не опускалась ниже – 23. Морозы до – 40 начались во второй половине января, когда на фронте было затишье. Причем мешали эти морозы не только наступающим, но и обороняющимся. Маннергейм пишет: «Вскоре нача-

_____

[1] *Маннергейм К.-Г.* Мемуары. М.: Вагриус, 2000. С. 268.

лись исключительно жестокие морозы, поставив как нападающую, так и обороняющуюся стороны перед самыми тяжелыми испытаниями»[1].

Полутораметровый снег

Помимо морозов, распространенным образом Зимней войны стал глубокий снег. Если открыть все тот же FM 31-71, раздел, посвященный действию танков, главку 3-9. Effects of Deep Snow (Влияние глубокого снега), то мы увидим, что трагедии из снега глубиной в полтора метра не делается. Написано, что тяжелые гусеничные машины могут преодолевать сухой снежный покров глубиной до 2 (!!!) метров. Так и написано: «Сухой снег глубиной от 1 до 2 метров (от 3 до 6 футов)». Далее в Field Manual описывается процедура пробивания прохода для автотранспорта с помощью тяжелой гусеничной техники, утрамбовывания снега. Но это даже неважно. В первых боях на Карельском перешейке снег советским войскам совершенно не мешал. Маннергейм написал в своих мемуарах: «К сожалению, снежный покров продолжал оставаться слишком тонким, чтобы затруднять маневрирование противнику»[2]. Если не устраивает качественная оценка, данная Маннергеймом, то можно привести и точные цифры. Их можно без труда найти в документах российских архивов. Например, в оперсводках советских дивизий в конце писали толщину снежного покрова. В оперсводке 123 сд № 257 от 15 декабря 1939 г. указано: «Глубина снежного покрова 10—15 см»[3]. Напомню, что 15 декабря — это разгар первых, неуспешных боев на «линии Маннергейма». В этот день 123-я стрелковая дивизия, свод-

---

[1] *Маннергейм К.-Г.* Указ. соч. С. 270.
[2] *Маннергейм К.-Г.* Указ. соч. С. 268.
[3] РГВА. Ф. 34980. Оп. 10. Д. 2048. Л. 4.

Брошенные танки «БТ-5» 34-й танковой бригады.

ку которой я привел, вела разведку боем, с тем чтобы 17-го начать наступление. Задачей дивизии был захват высоты 65,5, ставшей одной из легенд советско-финской войны. Штурм 17 декабря был неудачным. Однако вплоть до оперативной паузы, до января 1940 года, двухметрового снега не появилось. В оперсводке № 17 от 6 января 1940 г. начальник штаба 123-й стрелковой дивизии Сафонов указывает: «Глубина снежного покрова 25—35 см». Напротив, в февральский успешный штурм высоты 65,5 оперативные сводки той же дивизии определяют снежный покров как «глубокий».

Если трезво оценить обстановку декабря 1939 г., то можно сделать вывод, что время начала сухопутной операции против Финляндии было выбрано идеально. Советское командование вполне обоснованно посчитало, что в декабре почва будет схвачена морозами, а многочисленные финские озера, реки, болота покроются льдом. Но при этом снега будет еще немного — просто не успеет выпасть в достаточном количестве. Таким образом, это должно было позволить широко применить многочисленную советскую боевую технику: танки, артиллерию, а также обеспечить бесперебойное снабжение войск силами штатного автотранспорта. «Полуторки» и «ЗИСы» никак нельзя было назвать машинами повышенной проходимости, и нормально передвигаться они могли только по схваченной морозом почве. Любой, кто бывал на Карельском перешейке летом, дополнит этот список еще одним фактором — комарами. Жестокие насекомые, которые летом могли доставить солдатам немало неприятных минут, в декабре 1939 г. по понятным причинам отсутствовали.

Неприступные укрепления

Хорошим тоном для сторонников теории о сильной РККА, взломавшей неприступную линию обороны, всегда было цитирование генерала Баду, строившего «линию Маннергейма». Он писал: «Нигде в мире природные условия не были так благоприятны для постройки укрепленных линий, как в Карелии. На этом узком месте между двумя водными пространствами — Ладожским озером и Финским заливом — имеются непроходимые леса и громадные скалы. Из дерева и гранита, а где нужно — и из бетона построена знаменитая «линия Маннергейма». Величайшую крепость «линии Маннергейма» придают сделанные в граните противотанковые препятствия. Даже двадцатипятитонные танки не могут их преодолеть. В граните финны при помощи взрывов оборудовали пулеметные и орудийные гнезда, которым не страшны самые сильные бомбы. Там, где нехватало гранита, финны не пожалели бетона»[1]. Вообще, читая эти строки, человек, представляющий себе

---

[1] Бои в Финляндии. Воспоминания участников. Часть I. М.: Воениздат, 1941. С. 14.

реальную «линию Маннергейма», страшно удивится. В описании Баду перед глазами встают какие-то мрачные гранитные утесы с вырубленными в них на головокружительной высоте огневыми точками, над которыми кружат стервятники в ожидании гор трупов штурмующих. Описание Баду подходит на самом деле скорее к чешским укреплениям на границе с Германией. Карельский перешеек — местность сравнительно ровная, и вырубать в скалах нет никакой необходимости просто вследствие отсутствия самих скал. Но так или иначе образ неприступного замка был создан в массовом сознании и закрепился в нем довольно прочно.

В действительности «линия Маннергейма» была далека от лучших образцов европейской фортификации. Подавляющее большинство долговременных сооружений финнов были одноэтажными, частично заглубленными в землю железобетонными постройками в виде бункера, разделенного на несколько помещений внутренними перегородками с бронированными дверями. Три ДОТа «миллионного» типа имели два уровня, еще три ДОТа — три уровня. Подчеркну, именно уровня. То есть их боевые казематы и укрытия размещались на разных уровнях относительно поверхности, слегка заглубленные в землю казематы с амбразурами и полностью заглубленные соединяющие их галереи с казармами. Сооружений с тем, что можно назвать этажами, было ничтожно мало. Друг под другом — такое размещение — небольшие казематы непосредственно над помещениями нижнего яруса были только в двух ДОТах (Sk-10 и Sj-5) и орудийном каземате в Патониеми. Это, мягко говоря, не впечатляет. Даже если не брать в расчет внушительные сооружения «линии Мажино», можно найти немало примеров куда более совершенных ДОТов. Например, в 62-м Брест-Литовском УРе «линии Молотова» двухэтажные пулеметные и артиллерийские полукапониры были обычным делом. На одном этаже располагались казематы, на другом, находящимся под землей, были склад и казарма. Не было на Карельском перешейке и обычных для укреплений Франции, Германии и Чехословакии подземных галерей, соединяющих ДОТы. Подземные узкоколейки «линии Мажино», чешской «Ханички» остались для финнов несбыточной мечтой. «Миллионеры» оставались слегка заглубленными изолированными бетонными коробками. Вдоль главной полосы обороны «линии Маннергейма» были установлены около 136 км противотанковых препятствий и около 330 км проволочных заграждений. Живучесть надолб была рассчитана на танки типа «рено», стоявшие на вооружении Финляндии, и не отвечала современным требованиям[1]. Вопреки утверждениям Баду, финские противотанковые надолбы показали в ходе войны свою низкую стойкость к ударам средних танков «Т-28».

Но дело было даже не в качестве сооружений «линии Маннергейма». Любая оборонительная линия характеризуется количеством долговременных огневых сооружений (ДОС) на километр. Всего на «линии Маннергейма» было 214 долговременных сооружений на 140 км, из которых 134 — пулеметных или артиллерийских ДОС. Непосредственно на линии фронта в зоне боевого контакта в период с середины декабря 1939 г. по середину февраля 1940 г. находилось 55 ДОТов, 14 укрытий и 3 пехотные позиции, из них около половины были устаревшими сооружениями первого периода постройки. Для сравнения, «линия Мажино» имела около 5800 ДОС в 300 узлах обороны и протяженность 400 км (плотность 14 ДОС/км), «линия Зигфрида» — 16 000

[1] См. *Балашов Е.А., Степаков В.Н.* «Линия Маннергейма» и система долговременной фортификации на Карельском перешейке. СПб: Нордмедиздат, 2000.

ДОТ-«миллионник». Советские солдаты осматривают остатки ДОТа «Миллионер» в районе высоты 65,5.

фортификационных сооружений (послабее французских) на фронте 500 км (плотность — 32 сооружения на км). «Линия Молотова» на участке Юго-Западного фронта, три наиболее боеготовых УРа (Владимир-Волынский, Струмиловский, Рава-Русский) — 276 боеготовых ДОС (и еще 627 бетонных коробок в стадии строительства) на фронте 195 км (средняя плотность — 1,4 ДОС/км). После завершения строительства плотность достигла бы 4,6 ДОС/км. Ближайший к «линии Маннергейма» советский Карельский УР (часть «линии Сталина») — 196 ДОС на участке 80 км (средняя плотность 2,5 ДОС/км). Из них около 20 ДОТов — артиллерийские. Летичевский УР (часть «линии Сталина» на Украине) — 363 ДОС на фронте 125 км (средняя плотность 2,9 ДОС/км). А «линия Маннергейма» — это 214 ДОС (из них — только 8 артиллерийских) на фронте 140 км (средняя плотность 1,5 ДОС/км, на отдельных участках — до 3—6 ДОС/км). То есть только 4% ДОС были артиллерийскими, в то время как даже на «линии Сталина» артиллерийскими были 10% ДОС. Вооружались ДОС «линии Сталина» 76,2-мм дивизионными пушками, способными поразить любой танк тех лет. Их было мало, но аналогичных сооружений у финнов не было вовсе. В полосе главного удара советских войск артиллерийские ДОТы на «линии Маннергейма» просто отсутствовали, они были на второстепенном направлении и вооружались старыми 57-мм пушками. В укреплениях у шоссе на Выборг, которые были ареной ожесточенных боев в декабре 1939 г., а потом в феврале 1940 г., орудий, способных поразить советские танки, просто не было. Только в феврале ДОТы-«миллионники» получили... противотанковые ружья «бойс». Если сравнить эти «могучие» сооружения с фортом Эбен-Эмаэль в Бельгии, то становится просто смешно. Эбен-Эмаэль вооружался 60-мм противотанковыми пушками в бетонных казематах, помимо них, бетоном были защищены 75-мм пушки и 81-мм минометы. Так что «линия Маннергейма» — это отнюдь не шедевр фортификационной архитектуры.

Даже лучшие, наиболее совершенные сооружения постройки конца 30-х годов были далеки от идеала. Некоторые из них даже не имели отопления. ДОТ-«миллионник», входивший в укрепленный узел у высоты 65,5 на шоссе Бобошино—Выборг, специального отопления не имел, хотя это был один из лучших ДОС «линии Маннергейма». Отопление было только у его однотипного соседа, Sj4 «Поппиус» на высоте 65,5. В бетонных коробках в общем случае жили только их гарнизоны. Пехотные дивизии и батальоны финнов находились в тех же условиях, что и советские войска. Они были так называемым «пехотным прикрытием» укрепленных районов, занимавшим обычные окопы. Младший сержант Мартти Салмиен из 14-го пехотного полка в своем дневнике, опубликованном в 1999 г., пишет: «21.12.39 часть нашей роты, находящаяся в резерве, укрепляла бревнами вкопанные в землю палатки. Мой взвод клал поверх двух **палаток** толстые бревна крест-накрест». Или запись от 25 января 1940 г.: «Утром была температура 38,4. Мог бы пойти в госпиталь, но остался в своей **палатке**» (выделено мной — *А. И.*). Помимо палаток, были самостоятельно построенные во время боевых действий блиндажи. Когда Мартти сунулся во время обстрела в ДОТ, его с руганью выгнал под угрозой пистолета старший сержант пулеметной роты.

Но завидовать пулеметным командам ДОТов не стоит. На чертеже представлен план типичного ДОТа «линии Маннергейма». Это план сооружения Su2, расположенный у Вейсяйнена, укрепузел Суурниеми постройки 1938 г. Обратите внимание, что казарма и казематы располагались на одном уровне, на первом и единственном этаже представленного бункера. Обращенная к противнику глухая стена этого ДОТа, предназначенного для ведения фланкирующего огня из боковых амбразур, являлась одновременно и стеной казармы. Поэтому авиаудары по «линии Маннергейма», постоянные артобстрелы приводили к тому, что от разрыва снарядов и бомб на куполе у солдат гарнизона лопались барабанные перепонки, из ушей и носа начинала течь кровь, люди сходили с ума.

Казематы «Ле Бурже»

Когда у нас цитируют пресловутого инженера Баду, то забывают, что он принимал участие в строительстве линии и не стал бы критиковать свое детище. Думаю, стоит послушать мнение самого Маннергейма, его оценку системы укреплений, оставшихся в истории под его именем. «Укрепсооружения, построенные на нашей территории, также не могли служить фактором, выравнивающим соотношение сил. По конструкции они были весьма скромными и, за небольшим исключением, располагались только на Карельском перешейке. Вдоль оборонительной линии протяженностью около 140 километров стояло всего 66 бетонных ДОТов. 44 огневые точки были построены в двадцатые годы и уже устарели, многие из них отличались неудачной конструкцией, их размещение оставляло желать лучшего. Остальные ДОТы были современными, но слишком слабыми для огня тяжелой артиллерии. Построенные недавно заграждения из колючей проволоки и противотанковые препятствия не вполне отвечали своей функции. Время не позволило эшелонировать оборону в глубину, и ее передний край, как правило, являлся одновременно и главной линией обороны»[1]. Читатель спросит: «Как может устареть ДОТ за 10—15 лет? Уж не являются ли слова Маннергейма вариацией рассказов про легкие и устаревшие советские танки?» Нет, финский полководец не лукавил. Большинство старых сооружений линии имели амбразуры фронтального огня, что в конце 30-х уже было серьезным недостатком — амбразуры таких ДОТов могли быть расстреляны прямой наводкой выстрелами в амбразуру. Именно так произошло с казематом фронтального огня ДОТа «Поппиус» на высоте 65,5. Пулемет в этом каземате был выявлен и расстрелян уже в ходе декабрьского штурма. Более новые сооружения, чертеж одного из которых я поместил в книге, были обращены к противнику глухой стеной, а амбразуры располагались на боковых или даже задних гранях бетонной коробки. Называлась такая конструкция каземат «Ле Бурже», по имени разработавшего его французского инженера, и получила распространение

---

[1] *Маннергейм К.-Г. Указ. соч. С. 263.*

уже в ходе Первой мировой войны. ДОТы, стреляющие вбок, составляли взаимосвязанную цепочку. Пулеметы соседних сооружений простреливали пространство перед фронтом друг друга, а противник был лишен возможности выстрелом с прямой наводки из полевой или зенитной пушки в амбразуру уничтожить ДОТ с нескольких попыток. Кроме того, амбразуры фланкирующего огня прикрывались стенками, продолжавшими лобовую (см. рисунок сооружения Su2 выше) и служившими дополнительной защитой амбразуры ДОТа от фронтального огня наступающего. Эти же стенки закрывали от наступающего вспышки выстрелов пулеметов. Финны не только строили новые сооружения такого типа, но и модернизировали существующие. Некоторые ДОТы в районе Хоттинена, например Sk5, Sk6, были переделаны в казематы фланкирующего огня, фронтальная амбразура при этом замуровывалась. Но переместить старый ДОТ на местности для эффективного применения фланкирующего каземата было уже затруднительно. Кроме того, сооружения первого периода постройки (1920—1924 гг.), так называемая «линия Энкеля», отличались невысоким качеством бетона, практически полным отсутствием гибкой стальной арматуры и большим объемом наполнителя — песка, гравия и камней. Жесткая экономия средств свела на нет требуемые прочностные характеристики укреплений. Такие укрепления разрушались даже от прямого попадания одного тяжелого снаряда.

Одним словом, «линия Маннергейма» сама по себе никак не тянула на непреодолимое препятствие на пути войск, наступавших на Карельском перешейке. Для оснащенной вполне современным по тем временам оружием Красной Армии эти укрепления были теоретически вполне по силам.

АНТИСУВОРОВ

Что мы знали о «линии Маннергейма»?

Реальной проблемой, с которой пришлось столкнуться советским войскам, был недостаток разведывательных данных о финских укреплениях. Маршал Б.М. Шапошников начал свою речь на совещании 14—17 апреля 1940 г. словами: «Имелись, как говорил командующий Ленинградским военным округом, отрывочные агентурные данные о бетонных полосах укреплений на Карельском перешейке, это были лишь общие данные, но той глубины обороны, которая здесь была обрисована командующим Ленинградским военным округом, мы не знали. Для нас такая глубина обороны явилась известной неожиданностью»[1].

Основной сложностью было отсутствие достоверных сведений о сооружениях поздней постройки, возведенных в 1938—1939 гг. Некоторые из них, кстати, остались недостроенными к началу конфликта. Именно в этот период строительства на «линии Маннергейма» появились впоследствии печально известные «миллионники».

Первым соединением Красной Армии, словно в стену уткнувшимся в неизвестные сооружения, стала 24-я стрелковая дивизия. Она уже в первую неделю войны вышла к небольшому селению Вейсянен и столкнулась с свежепостроенным узлом обороны. Что было дальше, описывает известный современный российский историк Павел Аптекарь, работавший в РГВА с журналами боевых действий дивизий, участвовавших в Зимней войне: «6 декабря 7-й полк (24-й стрелковой дивизии. — *А.И.*) вышел к Вейсянненскому укрепленному району — одному из крупнейших узлов обороны «линии Маннергейма», где и был остановлен сильным огнем.

---

[1] Зимняя война 1939—1940 гг. Книга вторая. И.В. Сталин и финская кампания (Стенограмма ЦК ВКП(б)). М.: Наука, 1998. С. 180.

274-й стрелковый полк достиг правого берега р. Косенйоки, которую ему не удалось форсировать ни с ходу, ни впоследствии после длительной артподготовки». Если мы откроем «Альбом укреплений Карельского перешейка», составленный по данным советской разведки в 1937 г., в районе Вейсяйнена не обозначено ни одного укрепления, только огневые точки у железной дороги. В том бою у Вейсяйнена погиб командир 24-й стрелковой дивизии П.Е. Вещев. Посмертно ему было присвоено звание Героя Советского Союза. Он стал одной из первых жертв отсутствия достоверной развединформации об узлах обороны «линии Маннергейма».

В дальнейшем потери от появлявшихся, как айсберг перед «Титаником», ДОТов только множились. 17 декабря 1939 г., после неудачной попытки прорыва обороны финнов в полосе 123-й стрелковой дивизии, на командный пункт действовавшего на этом направлении 19-го стрелкового корпуса прибыл Мерецков. Он опросил целую группу командиров до младших офицеров включительно. Вот что вспоминает один из самых выдающихся советских танкистов, В.С. Архипов (он и с танками финскими воевал, и с «королевскими тиграми» на Сандомирском плацдарме сражался, и «Маус» захватывал):

«Мерецков захотел услышать и наше мнение.

— Командир 1-й роты присутствует? — спросил он.

— Капитан Архипов! — представился я. [...] Я рассказал командующему, на каком основании мы предполагаем, что высота 65,5 — узел оборонительных сооружений. [...]

— Бумагу, карандаш! — приказал командующий адъютанту и обернулся опять ко мне:

— Начертите схему ДОТа, как вы его представляете. [...]

После этого Мерецков обратился к Алябушеву и потребовал во что бы то ни стало заблокировать ДОТы танками.

— Если это действительно ДОТы», — добавил он»[1]. Характерная фраза — «если это действительно ДОТы». Даже 17 декабря, в разгар боев, Мерецков еще сомневался в том, что перед Красной Армией находятся долговременные укрепления. Между тем перед ним были самые сильные сооружения «линии Маннергейма» — ДОТы «Поппиус» и «Миллионер».

Соотношение сил

Еще один фактор неудачи, о котором обычно совершенно забывают, — это соотношение сил сторон в начальном периоде войны. Красную Армию обычно считают по определению превосходящей противника численно, и рассказы о «людских волнах», штурмующих ДОТы, в значительной степени являются преувеличением. Начальник Генштаба Красной Армии Б.М. Шапошников, отметив промахи разведки, обратился к подсчетам соотношения сил:

«Разведка давала, что финская армия в военное время будет иметь до 10 пехотных дивизий и десятка полтора отдельных батальонов. В действительности финнами было развернуто гораздо больше. Если верить всем финским нумерациям частей — а верить особенно всем нельзя, потому что в ходе войны финское командование меняло номера частей, — финнами было развернуто до 16 пехотных дивизий и несколько отдельных батальонов.

Мы начали войну с 21 стрелковой дивизией. Таким образом, решительного превосходства — превосходства в силе — у нас не было, что касается техники, то у

---

[1] *Архипов В.С.* Время танковых атак. С. 16.

финнов ее было мало. А как говорит тот же Клаузевиц: «Число предрешает победу». Поэтому, товарищи, здесь докладывалось уже, что по указанию товарища Сталина мы начали увеличивать число дивизий на фронте и готовить силы для решительной победы. В этом отношении, начав войну с 21 дивизией, мы довели силы на фронте до 45 дивизий и окончили войну с 58 дивизиями, сосредоточенными на фронте»[1].

Расчеты Б.М. Шапошникова, конечно, несколько преувеличивают силы финнов. Сейчас у нас уже достаточно данных, чтобы подсчитать реальное соотношение сил сторон. В декабре 1939 г. на три финские дивизии в долговременных укреплениях на Карельском перешейке посылают всего пять советских стрелковых дивизий 7-й армии. Позднее соотношение стало 6:9, но это все равно далеко от нормального соотношения между наступающим и обороняющимся на направлении главного удара, 1:3. Огромные силы советских войск, идущих на горстку финнов, в приложении к началу декабря 1939 г. не более чем миф. С финской стороны на Карельском перешейке было 6 пехотных дивизий (4-я, 5-я, 11-я пд II армейского корпуса, 8-я и 10-я пд III армейского корпуса, 6-я пд в резерве), 4 пехотные бригады, одна кавалерийская бригада и 10 батальонов (отдельных, егерских, подвижных, береговой обороны). Всего 80 расчетных батальонов. С советской стороны на Карельский перешеек наступали 9 стрелковых дивизий (24, 90, 138, 49, 150, 142, 43, 70, 100-я сд), 1 стрелково-пулеметная бригада (в составе 10-го танкового корпуса) и 6 танковых бригад. Итого 84 расчетных стрелковых батальона. Если сравнивать численность личного состава, то картина будет та же самая.

---

[1] Зимняя война 1939—1940 гг. Книга вторая. И.В. Сталин и финская кампания (Стенограмма ЦК ВКП(б)). М.: Наука, 1998. С. 180.

Численность финских войск на Карельском перешейке составляла 130 тыс. человек, советских 169 тыс. Соотношение 1:1,3. Понятно, что в танках и артиллерии СССР имел подавляющее преимущество, но бой пехоты еще никто не отменял. И против 80 финских батальонов, опирающихся на долговременные сооружения, было 84 стрелковых батальона РККА. При этом нужно учесть и тот факт, что из перечисленных советских дивизий не все вступили в бой сразу. 100-я стрелковая дивизия начала боевые действия 21 декабря, 138-я стрелковая дивизия — 11 декабря 1939 г. Одним словом, силы сторон на Карельском перешейке были практически равными, разница была в том, что финны сидели в бетонных коробках, а у РККА была масса танков с противопульным бронированием.

Если мы возьмем второстепенное по отношению к Карельскому перешейку направление, полосу наступления 8-й советской армии, то увидим аналогичную картину. В промежутке между Ладожским и Онежским озерами с советской стороны первоначально наступали 56, 139, 155, 18 и 168-я стрелковые дивизии. Это 43 расчетных батальона. Оборонялись с финской стороны две пехотные дивизии (12-я и 13-я) и 7 отдельных батальонов. Итого 25 расчетных батальонов. К соотношению 1:3 и близко не лежит. Такое же соотношение было и между вооруженными силами Финляндии и выделенными для проведения операции советскими войсками в целом. У финнов было 170 расчетных батальонов в составе 9 пехотных дивизий, 4 пехотных бригад, 1 кавалерийской бригады, 35 отдельных батальонов, 38 запасных батальонов. Противостояли им соответственно 185 расчетных батальонов РККА в составе 20 стрелковых дивизий, одной стрелково-пулеметной бригады.

«Миллионеры»

Начавшееся в середине декабря общее наступление 7-й армии также столкнулось с рядом неприятных сюрпризов. Командующий армией К.А. Мерецков подтянул артиллерию и начал пробиваться вдоль дороги на Выборг, предполагая взломать укрепления финнов, раз не получилось проскочить в «окно» «линии Маннергейма». Но 123-я стрелковая дивизия, наступавшая слева от 24-й сд 17—18 декабря, как «Титаник» на айсберг, напоролась на два ДОТа-«миллионника», Sj5 и Sj4, построенные в 1938 и 1937 гг. соответственно. Словно Геркулесовы столпы, они стояли на высотах по обе стороны лощины, параллельно которой шла дорога на Выборг, и контролировали пространство между озером Суммаярви и незамерзающим болотом Мунасуо. Оба ДОТа были новейшей конструкции, с казематами фланкирующего огня, о которых я рассказывал выше. Sj4 «Поппиус» имел амбразуры фланкирующего огня в западном каземате. ДОТ Sj5 «Миллионер» был с амбразурами для фланкирующего огня в обоих казематах. Оба ДОТа простреливали фланговым огнем всю лощину, прикрывая пулеметами фронт друг друга. Наступающих по лощине пехотинцев встречал свинцовый шквал, несшийся непонятно откуда. Помимо каземата «Ле Бурже», Sj4 имел каземат фронтального огня, контролировавший дорогу Бобошино — Выборг. Из-за этого «Поппиус» сравнительно быстро вычислили. Напротив, Sj5 «Миллионер» был обнаружен командиром отделения Парминовым только в конце декабря, в ночном поиске-рейде за финскими окопами. И это неудивительно: со стороны наступающих советских войск каземат фланкирующего огня не был виден, глухая бетонная стена каземата была завалена камнями и снегом.

18 декабря внезапно проявившие себя «миллион-

ники» Sj4 и Sj5 произвели шоковое впечатление. По советским данным о ДОТах ранней постройки, укрепленный узел Суммаярви должен был состоять из 2—3 ДОТов фронтального огня (сооружения, построенные в 20-х годах и носившие в 1939 г. названия Sj2, Sj3, Sj7) и не требовал больших усилий для своего уничтожения. Но два прочных ДОТа фланкирующего огня оказались непосильной задачей для одной стрелковой дивизии, пусть и усиленной 91-м танковым батальоном 20-й тяжелой танковой бригады, оснащенной «Т-28». Танки прорывались вперед, но пулеметы Sj4 и Sj5 отсекали от них пехоту. Далее финские пехотинцы расстреливали лишенные поддержки пехоты танки из 37-мм «Бофорсов», забрасывали бутылками с зажигательной смесью.

Профессионально, без пропагандистских штампов и надрыва, в стиле А.И. Солженицына высказался о событиях декабря 1939 г. Филипп Федорович Алабушев, командир 123-й стрелковой дивизии, на совещании 14—17 апреля 1940 г.:

«Выводы из этого наступления были самые разнообразные. Прежде всего танкисты обрушились на пехоту, начали говорить: «Эх, если бы пехота хорошая, все было бы сделано». Даже говорили: «Танки и батальон хорошей пехоты — можно было бы сделать все». Дело же обстояло, оказывается, не так — пехота у нас хорошая и может наступать, если это наступление подготовить.

Я считаю, что это были в корне неправильные и вредные рассуждения и они ни к чему не приводили и никого ни к чему не обязывали. Повторное наступление 28 декабря не дало положительных результатов, потому что опять не подготовились и не разобрались как следует, что находится перед фронтом дивизии, а просто обсуждали, кто виноват — пехота или танкисты. Танкисты говорят — пехота, пехотинцы говорят, что танкисты и т. д. И только после того, как с первого января приступили к выяснению, что же в конечном итоге находится перед фронтом дивизии, и когда начали по-деловому выявлять, то оказалось, что перед фронтом дивизии были три железобетонных узла сопротивления противника»[1]. То есть ничего не получалось, пока не выявили свежепостроенный «миллионник» с фланкирующими капонирами.

То же самое говорил К.А. Мерецков на том же самом апрельском совещании 1940 г.: «Как мы наступали на УР? Неправильно говорят, что мы пробовали УР брать с ходу, это неверно. Атака укрепленного района была подготовлена в соответствии с нашими уставными нормами [...]. Артиллерийский огонь был дан такой мощный, что противник из траншеи бежал, но наступление все же было отбито. Почему? Потому, что не сделали главного: не был разрушен бетон. Защитники обороны оставались в бетоне и пулеметным огнем отрезали пехоту, наступающую за танками. Мы видели героизм танкистов, прорвавшихся через УР, но благодаря тому, что бетон не был разрушен, разрыва между танками и пехотой мы ликвидировать не могли»[2]. Кирилл Афанасьевич знал, что говорил. 18 декабря 123-я стрелковая дивизия Алабушева силами одного батальона 245-го сп и двух батальонов 272-го сп овладели западным и южным скатами высоты 65,5. Казалось, еще чуть-чуть и оборона будет прорвана. Но тут ожил Sj5 «Миллионер» на соседней высоте, и надежды на прорыв развеялись. Частям 123-й сд пришлось отступить, одна рота 245-го сп осталась заблокированной на скло-

---

[1] Зимняя война 1939—1940 гг. Книга вторая. И.В. Сталин и финская кампания (Стенограмма ЦК ВКП(б)). М.: Наука, 1998. С. 46.
[2] Там же. С. 144.

не, и ее остатки пробились к своим только 22 декабря. Проблема была в том, что шквал артиллерийского огня, смертельный для обычных пулеметных гнезд, был повернутым глухой стеной к наступающим ДОТам-«миллионникам» как слону дробина. Далее в своем выступлении Мерецков объяснил, как вскрыли систему обороны финнов: «Потребовалась длительная разведка боем отдельными мелкими партиями и постоянное наблюдение, чтобы выявить бетонные сооружения, а как только их выявили, то артиллерия их быстро разбила» (там же. С. 146). До этого считали, что ДОТ-«миллионник» «Поппиус» на высоте 65,5 — это древоземляное сооружение. Фронтальную амбразуру этого ДОТа, кстати говоря, успешно «заклепали» 45-мм снарядами еще 20 декабря 1939 г. Проблемы создавали фланкирующие казематы, привести пулеметы которых к молчанию удалось, только разрушив один за другим и «Поппиус», и «Миллионер». Финны в 1937 г., когда строился «Поппиус», еще колебались относительно того, строить им ДОТы с фланкирующими казематами или с казематами фронтального огня. Опыт войны, в частности история «Поппиуса», показал, что ДОТы фронтального огня быстро обнаруживаются и уничтожаются. Все ДОТы «линии Салпа», строившейся в 1940—1941 гг., были с казематами фланкирующего огня.

По той же модели протекали действия 138-й стрелковой дивизии, штурмовавшей в декабре 1939 г. узел укреплений Сумма-Ляхде вместе с танками «Т-28» 91-го танкового полка 20-й танковой бригады. Под Сумма-Ляхде (Хоттинен) не помогли прорваться даже новейшие монстры — «КВ», «СМК» и «Т-100», поддерживавшие вместе с «Т-28» атаку пехоты 138-й сд. Четырехпулеметный «миллионник» фланкирующего огня Sk11 «Пелтола» этого узла обороны, конструктивно родной брат ДОТа-«миллионера» Sj5 у высоты 65,5, отсек от танков пехоту. Еще один ДОТ, Sk-18, к счастью для наших войск, остался недостроен на момент начала боевых действий. В Сумма-Ляхде «геркулесов столп» был один, но усиленный модернизированными сооружениями старой постройки. Например, Sk5, Sk6 с пристроенными к старой конструкции фланкирующим казематом системы «ле Бурже».

Прошедшие всю полосу оборону танки без отсеченной ДОТами пехоты были обречены. Двухбашенный гигант «СМК» подорвался и остался в глубине финской обороны. Танки «Т-28» 91-го танкового батальона капитана Янова расстреляли из противотанковых пушек, забросали бутылками с горючей смесью. Попытки пробиться через шквал огня «миллионников» у Суммы и высоты 65,5 продолжались до 24 декабря, а потом на фронте наступило затишье до февраля 1940 г. Затишье, правда, условное. Велась разведка полосы обороны, подтягивались войска. Скажем, старые однопулеметные ДОТы Sk3 и Sk4 укрепузла Сумма-Ляхде были разрушены артиллерийским огнем 13 и 27 января соответственно.

Штурм

После того как стало ясно, что ни окон, ни дверей в «линии Маннергейма» нет, перед Красной Армией прочные долговременные укрепления и финны поставили под ружье всех, кого только можно было поставить, было решено штурмовать линию по всем правилам. Войска на Карельском перешейке были значительно усилены. Из войск правого крыла 7-й армии была вновь сформирована новая армия, 13-я, на Карельский перешеек прибывали новые стрелковые дивизии. Согласно директиве № 6176 Ставки ГВС от 16 января 1940 г., состав войск на Карельском перешейке должен был быть следующим:

«2. 7-й армии иметь двенадцать стр. дивизий — 24, 90, 70, 123, 100, 43, 138, 80, 50, 113, 51 и 84-ю.

3. 13-й армии иметь 49, 150, 4, 142, 136, 17, 7, 62 и 97-ю стр. дивизии — всего девять дивизий.

4. В резерве Сев.-Зап. фронта — 8-ю и 95-ю стр. дивизии.

5. В составе резервной группы Ставки иметь 86, 173 и 9-ю стр. дивизии — всего три дивизии.

6. Артиллерии РГК иметь: в 7-й армии — семь полков, два дивизиона БМ; в 13-й армии — шесть полков, два дивизиона БМ и три корпусных полка»[1].

Соотношение сил по сравнению с декабрем 1939 г. 12 февраля 1940 г. стало больше соответствовать классическому соотношению 1:3. Численность личного состава советских войск составила теперь 460 тыс. человек против 150 тыс. человек финских. Советские войска на, как тогда его называли в телеграфном стиле, Карперешейке теперь насчитывали 26 дивизий, одну стрелково-пулеметную и 7 танковых бригад. С финской стороны им противостояли 7 пехотных дивизий, 1 пехотная бригада, 1 кавалерийская бригада, 10 отдельных пехотных, егерских, подвижных полков. Соотношение сил по батальонам на Карельском перешейке теперь было совсем иным, чем в декабре 1939 г., на 80 финских батальонов наступали 239 советских, что практически точно соответствовало соотношению 1:3. У советских войск теперь было превосходство в артиллерии калибром 122 мм и более в 10 раз. Вместо двух дивизионов большой мощности в войсках 7-й и 13-й армий было четыре. Теперь было чем крушить бетонные коробки.

В феврале, когда были накоплены силы, обеспечи-

---

[1] РГВА. Ф. 37977. Оп. 1. Д. 233. Л. 138, 139. Приводится по: Тайны и уроки финской войны. СПб: Полигон, 2000. С. 47.

вающие нормативы на наступление против УРов, оборона была взломана, несмотря на глубокий снег. ДЗОТы разрушали 152-мм артиллерией, ДОТы — 203 и 280-мм. Сначала осколочно-фугасными снарядами разбивали подушку ДОТа, обнажая бетон. Далее дело завершали бетонобойные снаряды. Старались обходится дешевыми гаубицами-пушками калибром 152 мм «МЛ-20», в сложных случаях крушили бетонные коробки 203-мм гаубицами обр. 1931 г. «Б-4», которые финны прозвали «сталинские кувалды», а наши войска называли «карельский скульптор». Такое название орудие получило за то, что своими 100-килограммовыми снарядами превращало ДОТы в причудливые сооружения из перекрученной арматуры и кусков бетона, которые солдаты в шутку прозвали «карельскими монументами». Правда, для изготовления такого убедительного аргумента для пехоты требовалось от 8 до 140 снарядов. Боевую ценность ДОТ, как правило, терял еще на ранних стадиях изготовления «скульптуры». Но только вид «карельского монумента» убеждал пехотинцев, что можно двигаться вперед, не опасаясь убийственного пулеметного огня. У 123-й стрелковой дивизии, штурмовавшей Суммаярви, в феврале 1940 г. было восемнадцать 203-мм гаубиц «Б-4» и шесть 280-мм мортир «Бр-2». Они израсходовали за время огневой подготовки наступления в первой декаде февраля 4419 снарядов, добившись 247 прямых попаданий. ДОТ «Поппиус», остановивший дивизию в декабре 1939 г., был разрушен 53 прямыми попаданиями.

Там, где не хватало «сталинских кувалд» и сестер «Б-4» — 280-мм мортир «Бр-5», в ход шла взрывчатка тоннами. Второй «геркулесов столп» укрепузла Суммаярви «миллионный» ДОТ Sj5 (который наши называли ДОТ № 0011) взорвали, уложив на него гору ящиков с взрывчаткой. Сначала артиллерийская подготовка нанесла потери пехоте, заполнявшей траншеи вокруг ДОТа, после ввода в бой 272-го стрелкового полка с западной стороны высоты удалось выбить финскую пехоту из траншеи и блокировать западный каземат, затем удалось подобраться к ДОТу саперам блокировочных групп младших лейтенантов Маркова и Емельянова. Взрыв на крыше западного каземата заставил гарнизон ДОТа покинуть сооружение. Далее «миллионник» был добит двумя тоннами тротила, уложенными под стены. Другой «миллионник», Le6, методично расстреляли артиллерией, постоянно долбя снарядами в одну и ту же точку. «Когда я позже был в разрушенных укреплениях врага, то видел страшную силу нашей боевой техники. Бетонный потолок толщиной в 1,5 метра обрушился вместе с семиметровым слоем земли над ним. Погнулись стальные стены, а в соседнем ДОТе № 167 стальной лист прогнулся и закрыл амбразуры. Теперь было понятно, почему замолчал и этот ДОТ»[1]. Еще один «миллионер», Sk11 в районе Сумма-Яхде был расстрелян с прямой наводки 12 февраля 1940 г. Некоторые ДОТы были просто брошены финнами при отходе. Например, ДОТы укрепузла Суурниеми, остановившие в декабре 24-ю стрелковую дивизию у Вейсяйнена, были взорваны отходящими финскими частями.

Вполне заурядными средствами, без применения бластеров и ядерных зарядов расправились и с другими инженерными сооружениями «линии Маннергейма». Надолбы оказались во многих местах попросту слабыми, сдвигались 30-тонными «Т-28», более того, саперы зачастую просто подрывали надолбы заряда-

---

[1] Воспоминания капитана Феденко. Бои в Финляндии. Т. 2. Воениздат НКО СССР, 1941 г.

ми взрывчатки, пробивая проходы для легких танков. В 13-й легкотанковой бригаде полковника В.И. Баранова практиковалась стрельба по надолбам бронебойным 45-мм снарядом, разрушавшим каменный надолб полностью, и «БТ» бригады в боевых условиях расчищали себе путь самостоятельно. На руку наступавшим советским войскам сыграл и хороший обзор линий противотанковых надолбов с дальних артиллерийских позиций, в особенности на открытых и ровных участках местности. Именно так было в районе узла обороны «Sj» (Сумма-ярви, высота 65,5 с ДОТами «Миллионер» и «Поппиус»), где и был 11 февраля 1940 г. осуществлен прорыв главной оборонительной полосы. Проходы в минных полях и проволочных заграждениях также пробивались артиллерией и минометами.

Заметим, что в феврале 1940 г. были более суровые погодные условия, чем во время первой попытки прорвать линию финских укреплений в декабре. 12 февраля был мороз минус 8 градусов, далее температура неуклонно понижалась, достигнув к 20 февраля минус 20 градусов, а ночью столбик термометра опускался до минус 30 градусов. Дополнялась низкая температура сильным ветром, в некоторые дни метелью. В журнале боевых действий 123-й стрелковой дивизии о погоде в день прорыва «линии Маннергейма» написано: «Стоял сильный мороз, глубокий снег, был солнечный день»[1]. Вообще при описании февральских боев в журнале боевых действий 123-й стрелковой дивизии, который автор смотрел в РГВА, постоянно идут фразы, начинающиеся словами «несмотря на глубокий снег...».

---

[1] РГВА. Ф. 34980. Оп. 10. Д. 2095. Л. 23.

Грубая сила

Советские войска взломали «линию Маннергейма», применив грубую силу. Бетонные коробки поддаются артиллерии, огнеметам, взрывчатке, тяжелым авиабомбам. Пользуясь возникшей в январе оперативной паузой, расположение ДОТов выявили, а затем постепенно расстреливали их из тяжелых орудий. Поскольку финская армия была сравнительно слаба и артиллерийского противодействия практически не было, это возможно было делать практически безнаказанно. Фактически была воспроизведена технология создания лунного пейзажа периода Первой мировой войны.

Если у армии не было хотя бы грубой силы, укрепления становились непреодолимыми. Этот факт был хорошо продемонстрирован самими финнами, когда они вышли к советскому Карельскому УРу. Тяжелой артиллерии у финнов не было, и все сложилось симметрично декабрю 1939 г. Обойти Карельский УР летом невозможно, зимой — берега вокруг крутые, высокие и политые водой. Далеко обходить — отрываться от коммуникаций. Попытка штурма 29 октября 1941 г. привела к громадным потерям, а для финнов потери в несколько сот человек были очень ощутимыми. Маркку Палахарийю писал, что русские оборонялись очень жестко и наносили громадные потери своей артиллерией в момент любого движения на фронте. При этом заметим, что Карельский УР не был каким-то чудом техники, был построен в 1929—1933 гг., достраивался в 1933—1935 гг. и 1936—1937 гг. Модернизировался в 1933, 1934, 1938 гг. Только в отношении артиллерийского вооружения он был совершеннее «линии Маннергейма», его составляли трехдюймовки на станках Дурляхера обр. 1904 г. Новейшие капонирные 76,2-мм «Л-17» поставить не успели. К 1 сентября УР был дополнен капонирными и башенными установками с 45-мм пушками обр. 1932 г. Всего было дополнительно установлено 46 пушек. Эти силы и остановили финнов в 1941-м, и УР являлся ядром обороны Ленинграда с севера до 1944 г.

Альтернативой грубой силе были штурмовые группы, широко использовавшиеся немцами и получившие ограниченное применение в Красной Армии в феврале 1940 г. Казематы «ле Бурже» были защищены от выстрелов в амбразуру, но их достоинство было их недостатком. Глухая стена, обращенная к противнику, позволяла подбираться к ДОТу группкам пехотинцев. Прикрывшись дымом, огнем артиллерии, перескакивая из воронки в воронку, бойцы штурмовой группы могли преодолеть завесу пулеметного огня соседних ДОТов и выйти к своей жертве с зарядами взрывчатки. Если же саперы и пехотинцы выходили на короткую дистанцию к бетонной коробке, то она была обречена. В нашем случае захват или уничтожение ДОТа заканчивался подвозом на него тонны взрывчатки. В немецком варианте часто просто подрывался куб вентиляции, внутрь заливался бензин. Когда ДОТ наполнялся бензиновыми парами, внутрь кидалась граната. Огненный вихрь выжигал внутренности ДОТа вместе с гарнизоном. Наши бойцы на «линии Маннергейма» иногда кидали в вентиляционные шахты ДОТов гранаты, но видимого результата это не давало, и предпочитали действовать испытанным методом, подрывом всего сооружения.

Почему не обошли? В связи с имеющей широкое хождение легендой об обходе «линии Мажино» возникает вполне законный вопрос: «Почему Красная Армия не попыталась обойти «линию Маннергейма»?» Пыталась, и именно в ходе попыток это сделать развернулись самые жестокие и кровавые баталии Зимней войны. Это были окружения нескольких соединений 8-й и

9-й советских армий севернее «линии Маннергейма», между Ладожским и Онежским озерами и в Карелии. Но бетон марки 600 к этим событиям имеет весьма отдаленное отношение, заметных глазу бетонных оборонительных сооружений у финнов на этом направлении не было. Только древоземляные укрепления. Проблемой было ограниченное число дорог на севере этой местности. Штатный автотранспорт, тракторы, артиллерия стрелковых дивизий, предназначенных для ведения боя в обычных условиях, танки, автомобили механизированных соединений привязывали Красную Армию к дорогам. Кроме того, устав Красной Армии тех лет гласил: «Наступление в снежную зиму обычно ведется вдоль дорог». Поэтому наши войска растягивались в длинные колонны вдоль дорог. Финны на лыжах имели возможность действовать в лесу вне дорог и обходили колонны советских стрелковых дивизий и обрезали им коммуникации. После этого начинались проблемы, усугублявшиеся наступившими в конце декабря и в январе холодами.

«Толстовцы»

Наибольшую известность получило окружение 44-й стрелковой дивизии, командира которой, Виноградова, расстреляли. Вот что говорил о поражении 44-й стрелковой дивизии Б.М. Шапошников на уже неоднократно упоминавшемся совещании 14—17 апреля 1940 г.: «С отходом 163-й стрелковой дивизии перед противником осталась одна 44-я дивизия. Надо было принимать решение — отводить 44-ю дивизию или нет. Противник, обходя с юга, начал дробить и окружать по частям силы 44-й дивизии. Если здесь вспомним об окружении 54-й дивизии, то получается интересная картина. С одной стороны — противник, который старается раздробить дивизию на мелкие части и окружить их. Такой способ действия является правильным — необходимо всегда противника дробить на части, а потом отдельные очажки ликвидировать. С другой стороны сидят «толстовцы», которые вместо того, чтобы своевременно чистить завал из 10 деревьев, сидят и ждут, когда навалят 20. Разведки нет, фланги и тыл не охраняются. Несмотря на то что все наши уставы говорят об охране флангов, несмотря на то что Ставка 12 декабря специальным указанием о новых тактических приемах, которые нужно применять в финляндской войне, указывала, что смотрите за флангами и тылом, ничего не было сделано. Окруженные войска как «зачарованные» сидели в лесу»[1]. Войска не строили деревянных фортов-блокгаузов, командование не предпринимало мер по расчистке завалов. Результат нетрудно предугадать. Финны блокировали 44-ю стрелковую дивизию, начали громить ее по частям. Части войск дивизии удалось вырваться из окружения, бросив технику. Цитирую статью Павла Аптекаря: «По данным штаба дивизии, за период с 1 по 7 января потери соединения составили 1001 человек убитым, 1430 ранеными, 2243 пропавшими без вести. Потери вооружения и техники в процентном отношении были более значительны: 4340 винтовок, 1235 револьверов и пистолетов, почти 350 пулеметов, 30 45-мм, 40 76-мм пушек, 17 122-мм гаубиц, 14 минометов и 37 танков». Страницы западных газет вскоре были заполнены кадрами разбитой и брошенной техники, замерзших трупов, угрюмыми лицами пленных. Позднее корреспондентам западных газет даже продемонстрировали захваченную в расположении 44-й стрелковой дивизии диковинку — динамореактивную пушку Курчевского на автомобильном шасси.

---

[1] Зимняя война 1939—1940 гг. Книга вторая. И.В. Сталин и финская кампания (Стенограмма ЦК ВКП(б)). М.: Наука, 1998. С. 183.

Торжествующие финские военачальники в те дни не скупились на остроты. Э. Валениус, командовавший войсками в Лапландии, в интервью газете «LExelssior» на вопрос о том, кто активнее других поставляет боевую технику Финляндии, ответил: «Русские, конечно!» Оценивали РККА именно по кадрам в прессе с пленными, горками замерзших трупов на фоне занесенной снегом техники. В своем выступлении по радио 20 января 1940 г. Черчилль заявил, что Финляндия «открыла всему миру слабость Красной Армии». И скажем прямо, 20 января 1940 г. у Уинстона Черчилля были основания так считать благодаря «зачарованным» А.И. Виноградову и О.Н. Волкову, командиру и начальнику штаба 44-й стрелковой дивизии.

Между Ладогой и Онегой

За разгромом 44-й стрелковой дивизии последовали трагические события, происходившие на «обходном маршруте», между Ладожским и Онежским озерами. Кто бывал в тех местах, тот знает, что там за местность. Это принципиально отличные от равнинного Карельского перешейка условия. Дороги зажаты между каменными холмами-скалами высотой 30—50 м, иногда с отвесными склонами. Все покрыто лесом, вдоль дорог поля. Вот в таких условиях и двигались вперед длинные колонны людей и техники в декабре 1939 г. Фактически 163-я и 18-я стрелковые дивизии и 34-я танковая бригада вытянулись в длинную, уязвимую для фланговых атак «кишку» от Леметти до Уома. Исследователи финской войны обычно проскакивают события середины декабря и переходят к окружению советских войск и «трагедии окруженных». При этом мило забывается финский «скелетик в шкафу», провальные атаки 12—13 декабря. Окружить советские соединения удалось далеко не сразу. Подвижность финских войск обычно преувеличивается в наших и западных источниках. 12-я и 13-я пехотные дивизии финнов страдали от некомплекта лыж и саней. По данным на 6 декабря, в 12-й дивизии 5445 лыж, не хватало 5600. В 13-й дивизии ситуация была еще хуже, имелось в наличии всего 2336 комплектов лыж, не хватало 10 766. Поэтому, как и советские войска, 13-я пд наступала вдоль дороги. Проблемой был и недостаток противотанкового оружия. 12 декабря наступавший вдоль дороги II батальон 38-го полка финнов из-за этого не добился успеха, атакуя части 97-го сп 18-й сд, поддержанные танками 34-й танковой бригады. II батальон 36-го полка вышел на пустую дорогу Леметти—Уома, III батальон того же полка вышел на ответвление этой дороги и столкнулся с теми же частями, что сражался II/38. Вышедший на дорогу Леметти—Уома ближе к Уома I батальон 37-го полка финнов сразу же подвергся атакам советских войск численностью до батальона. Резерв группы атакующих финнов, называвшейся «Лучник», II батальон 39-го полка, к месту битвы еще не прибыл. Фактически он был отрезан пробкой на дороге, образовавшейся сражавшимися с двумя батальонами финнов частями 97-го полка 18-й стрелковой дивизии и 34-й танковой бригады. Давление на занимавших дорогу финнов усилилось, и вечером 13 декабря финские части получили приказ отходить. Как сказал финский историк Ервинен в своей книге «Финская и советская тактика в Зимней войне», вышедшей в 1948 г., о боях 12—15 декабря, «IV корпус захотел откусить от яблока слишком большой кусок, который к тому же оказался слишком твердым для его мягких зубов». Но мы всего этого не знали, как в первую чеченскую, «независимые СМИ» не показывали ошибок и провалов той стороны, в стане которой они находились.

Только 26 декабря финнам удалось создать два минированных завала на дороге Лаваярви—Леметти в районе Уома и к 28 декабря полностью прервать сообщение по этой трассе. Когда были перерезаны коммуникации, у командования 18-й стрелковой дивизии и 34-й легкотанковой бригады был выбор между пассивным ожиданием подхода своих, попыткой соединения с остальными окруженными частями и самостоятельным прорывом на восток, к главным силам 8-й армии. Был выбран путь наименьшего сопротивления, пассивное ожидание. Хотя практика боев 12—13 декабря показывала, что бить пытающихся окружить финнов можно и нужно. Но, к сожалению, даже организация процесса ожидания манны небесной оставляла желать лучшего. Красноречивее всего обстановку рисуют документы. В докладе штаба 15-й армии сказано: «...Оборона Леметти-южное организовывалась стихийно, части и подразделения, прибывшие в Леметти, строили оборону там, где они остановились, для непосредственной охраны себя. Это привело к тому, что район обороны был растянут вдоль дороги на 2 км, а ширину имел всего лишь 400—800 м. Такая ширина обороны поставила гарнизон в исключительно тяжелое положение, так как противник простреливал его действительным огнем из всех видов оружия. Допущенная ошибка в организации обороны обусловила то, что высота «А», представлявшая большую тактическую ценность, не была занята, а командная высота над районом Леметти-южное «Б» занималась недостаточными силами (60 чел. с одним пулеметом) и поэтому при первой же атаке противника была оставлена. Противник, заняв высоты, получил полную возможность в упор расстреливать людей, боевые и транспортные машины, наблюдать за поведением и действиями гарнизона... Большинство танков 34-й лтбр и 201-й хтб не были расставлены как огневые точки, а находились непосредственно на дороге... Количество огнеприпасов точно установить не представляется возможным, но нужно сказать, что их было достаточно, к моменту выхода из окружения... оставалось до 12 тыс. снарядов и 40—45 тысяч патронов. К 5 января танки имели до двух заправок горючего. Это позволяло поставить их на более удобные позиции для обороны, чего сделано не было...»[1]. Финны, напротив, не сидели без дела, и в начале января им удалось рассечь гарнизон в Леметти на две части, которые в советских сводках назывались южной и северной.

Далее, 16—19 января, финны уплотнили кольцо окружения, дошли до города Питкяранта, главной базы сосредоточения и снабжения войск 8-й армии, сам город им, правда, взять не удалось. Но что делать дальше? 6 января опьяненные успехом окружения 44-й стрелковой дивизии под Суомоссалми финны раскидали с самолетов листовки с призывами к красноармейцам сдаться. Но сдаваться окруженные гарнизоны не стали. Финны оказались в сложной ситуации. С одной стороны, им требовалось высвободить войска для защиты Карельского перешейка, с другой — окруженные дивизии и бригада сковывали IV армейский корпус Ю. Хеглунда. Расчленить оборону сидевшей на берегу Ладожского озера 168-й стрелковой дивизии финнам не удалось, все их атаки были отбиты, и дивизия продержалась в осаде до конца боевых действий благодаря худо-бедно действовавшей по льду Ладожского озера линии снабжения. Но и окруженные 18-я стрелковая дивизия и 34-я танковая бригада оказались крепким орешком. Советские окруженцы в Карелии были головной болью едва ли не до конца войны. Маннергейм

---

[1] РГВА. Ф. 34980. Оп. 8. Д. 39. Л. 153—154. Цитируется по: *Аптекарь П.* Трагедия окруженных.

писал: «С тем чтобы высвободить войска для выполнения важнейших задач на других фронтах, я отдал командиру IV армейского корпуса приказ ускорить боевые действия и направить все силы на уничтожение противника в мешках. Несмотря на голод и холод, русские и на этот раз оборонялись на удивление стойко. Все их попытки вырваться из окружения были отбиты. Последний мешок 18-й дивизии перестал существовать только в конце февраля»[1]. Обычно на этом месте в статьях и книгах про финскую войну начинают рассказывать про тяготы и лишения окруженцев. Не буду повторять эти многократно сказанные слова. Подумайте о другом: финны сражались с голодными, замерзшими, рассеченными на небольшие гарнизоны людьми ДВА МЕСЯЦА. Не ждали, пока они сами погибнут от голода и холода, а активно пытались их уничтожить, чтобы высвободить войска для обороны «линии Маннергейма». При том, что организация обороны гарнизонов оставляла желать лучшего. Но даже того, что осталось, иной раз хватало для сдерживания ударов финнов. Вспоминает И.М. Макарчук, 34-я легкотанковая бригада: «Нашу группу спасало то, что мы имели много огневых средств. У нас было две установки спаренных (имеются в виду, наверное, двуспаренные, то есть счетверенные, установки зенитных «максимов». — А.И.) зенитных пулеметов на полуторках, два броневика, шесть противотанковых пушек, одна батарея крупного калибра. Свой район круговой обороны мы оборудовали сплошной траншеей, по которой могли ходить пулеметные установки и броневики, запаслись горючим, слив его с неподвижных танков. На попытки финнов наступать мы давали массу огня, и они откатывались. Обычно при отражении яростных атак геройски действ-

---

[1] *Маннергейм К.-Г. Указ. соч. С. 302.*

вовали наши пулеметчики. При появлении противника взвод лейтенанта Плотникова стремился по окружной траншее выехать в зону наступления и огнем спаренных пулеметов сметал не только финнов, но и кустарники, в которых они укрывались» (альманах «Цитадель», № 3, 1998 г.). Финны предпринимали до 12 атак в сутки. Потом финны рассказывали про сильные укрепления окруженных в motti, хотя, как мы видели по советским документам выше, это совсем не так. Курдюмов В.Н. (командарм 2-го ранга, командующий 15-й армией) говорил в своем выступлении на совещании 14—17 апреля 1940 г.: «Особенно тяжелое положение было в гарнизоне Леметти (южное). Этот гарнизон, численность которого определялась, по разным данным, в 3000—3200 человек, был расположен в районе площадью 600—800 м на 1500 м. Причем за длительный срок блокады (более двух месяцев) в этом гарнизоне не были отрыты даже окопы полного профиля. Все господствующие высоты в районе Леметти (южное) были отданы почти без боя противнику. В гарнизоне царило полнейшее безначалие». И вот это финны называли неприступными крепостями, с которыми пришлось сражаться два месяца.

Нельзя сказать, что окруженцам не сбрасывались грузы с самолетов, но наиболее эффективным было снабжение таким путем «котла» большой площади 168-й сд, для снабжения разбитых на мелкие гарнизоны войск 18-й сд и 34-й тбр требовалась ювелирная точность. Вот где сыграла свою роль пассивность командиров, не пожелавших захватить господствующие высоты и организовать оборону в опорном пункте достаточной площади, чтобы он не простреливался финнами и представлял собой удобную цель для сброса мешков с продовольствием.

Финская армия не была оснащена в достаточном

количестве артиллерией, и поэтому справиться с окруженцами оказалось на самом деле нетривиальной задачей. Но промедление в сложной ситуации, как справедливо заметил вождь мирового пролетариата, смерти подобно. Пассивная стратегия на начальных стадиях окружения обернулась лишь ухудшением ситуации. Окруженные подверглись атакам финнов, трескучий мороз и слабая организация лагеря привели к обморожениям. К концу января 18-я стрелковая дивизия и 34-я танковая бригада оказались уже неспособны к самостоятельному передвижению в прорыве кольца. Окруженные гарнизоны оказались скованы ранеными, обмороженными бойцами и командирами. Чудес на свете не бывает. При такой стратегии поведения и уровне организации обороны в окружении части были обречены. Не трескучий мороз мешал организовать прорыв или, на худой конец, устойчивую оборону в окружении на начальных стадиях катастрофы. Не хватало знаний, опыта, воли командиров. Пассивность окруженных, нежелание действовать наступательно, отсутствие попыток разрывать кольцо окружения на ранних стадиях его образования было характерно для окружений, которые устраивали финны Красной Армии. Финны, в свою очередь, дробили окруженных на мелкие гарнизоны, постепенно их уничтожая. Героизм защитников уже не мог переломить ситуацию. Непрерывные атаки на гарнизоны дорого стоили финнам. Если в составе 2-го батальона 36-го пехотного полка 26 декабря 1939 г. насчитывалось 759 человек, то 1 февраля 1940 г. в нем осталось 459 человек. Батальоны 39-го полка 26 декабря 1939 г. насчитывали 718, 710 и 731 человек соответственно, 1 февраля их численность составила 526, 476 и 426 человек. Но атаки финских батальонов, голод и мороз все же делали свое дело. Так, 2 февраля финнам удалось уничтожить гарнизон Леметти-северное. Погибли в бою или попали в плен более 700 человек, трофеями 4-го армейского корпуса стали 32 танка (большей частью неисправных), 7 орудий и минометов, большое количество стрелкового вооружения и 30 грузовых машин. Следующей жертвой 18 февраля 1940 г. стал гарнизон «КП четырех полков», попытавшийся под нажимом финнов прорваться в Леметти-южное. Эта группа была практически полностью уничтожена, только 30 человек вышли в расположение блокированной, но снабжавшейся по льду Ладожского озера 168-й стрелковой дивизии. Удары по гарнизонам продолжались с неумолимостью падения ножа гильотины. 23 февраля 1940 г. уничтожен гарнизон у озера Сариярви. Спасшихся не было, после войны на месте боя нашли 131 труп и две братские могилы. Финские трофеи составили 6 полковых и 6 противотанковых пушек, 4 миномета, 4 танка, около 60 пулеметов. В конце февраля, бросив раненых и обмороженных, попытались прорваться остатки гарнизона Леметти-южное. Из двух колонн одна опять растянулась и была уничтожена финнами, вторая была выведена полковником Алексеевым. К своим пробились 1237 человек, 900 из которых были ранены или обморожены. В итоге из 18 тысяч человек, находившихся в подразделениях 18-й стрелковой дивизии и 34-й танковой бригады к началу войны, примерно 2,5 тысячи оказались вне кольца, примерно 1300 человек прорвались из окружения. Остальные погибли или попали в плен.

Справедливости ради нужно отметить две вещи. Во-первых, окружения были в действительно сложных природных условиях. Попытки финнов предпринять контрнаступление и кого-нибудь окружить на равнинном Карперешейке провалились. Во-вторых, окруженные гарнизоны мужественно сражались, отбивая удары финнов. Тем самым в какой-то мере задачу свою войска 8-й, 15-й и 9-й армий, конечно, выполнили, задержали часть сил финнов. Дивизии и полки, которые могли быть переброшены на Карельский перешеек, были скованы жестокими боями сначала с наступающими дивизиями, а потом с окруженцами. Вот что написал К.-Г. Маннергейм в декабре 1939 г.: «Все свидетельствовало о том, что на главный оборонительный рубеж Карельского перешейка вскоре будет предпринято генеральное наступление. Поэтому я решил усилить войска этого фронта всеми имеющимися в моем распоряжении резервами в надежде, что слабая оборона восточного фронта все же выдержит. Однако неожиданно быстрое продвижение противника на том участке не позволило осуществить эти планы. Мне вместо этого пришлось направить большую часть скромных резервов на восток, в район Толвоярви, Кухмо и Суомуссалми»[1]. Маннергейму пришлось раздергать для действий в районе наступления 8-й и 9-й советских армий севернее Ладожского озера свой резерв, дислоцировавшийся в районе Выборга, 6-ю пехотную дивизию. Финские части высвободить до начала марта не удалось, более того, они оказались измотанными тяжелыми двухмесячными боями. 13-я пехотная дивизия финнов потеряла 1171 человека убитыми, 3155 ранеными и 158 пропавшими без вести. Приданные подразделения (64-й пехотный полк, егерские батальоны итп) потеряли 924 убитыми, 2460 ранеными и 102 пропавшими без вести. 12-я пд IV корпуса с частями усиления потеряла 1458 человек убитыми, 3860 ранеными, 220 пропавшими без вести. Но цена, которую заплатила РККА, потеряв в шесть раз больше солдат и офицеров, была явно непропорциональна результату. И ляпы командиров окруженных соединений никакому вразумительному объяснению не поддаются. При более эффективном руко-

---

[1] *Маннергейм К.-Г.* Указ. соч. С. 307.

водстве можно было не только сковать, но и сильно потрепать части IV финского корпуса при умеренных собственных потерях.

Февраль 1940 г.

Было бы ошибкой считать, что РККА быстро перековалась к февралю. Проблемы в Карелии преследовали Красную Армию и в феврале. Карелия и Лапландия оставались по-прежнему крепким орешком, задач своих в этих регионах РККА по-прежнему не выполняла. Созданные по примеру финнов лыжные батальоны воевали не слишком успешно. 30 января 3-й и 17-й лыжные и 11-й инженерный батальоны под руководством майора Кутузова попробовали деблокировать 54-ю стрелковую дивизию, но из-за ошибок в управлении и потери связи между отдельными частями потерпела поражение 4—5 февраля. 11 февраля еще одну попытку прорыва блокады 54-я стрелковой дивизии предприняла «лыжная бригада» в составе 9-го, 13-го и 34-го лыжных батальонов. Она была разгромлена 13—14 февраля в боях с финскими лыжными отрядами. Потери батальонов, участвовавших в этих двух операциях, составили 1274 человека убитыми, 903 ранеными, 583 пропавшими без вести и 323 обмороженными[1].

Именно действия Красной Армии в Карелии и севернее Ладожского озера заставляют усомниться в тезисе о непробиваемой «линии Маннергейма» как первопричине неудач. Невыполнимая задача — это, наверное, что-то делать, когда тебя пытаются окружить, а не сидеть «толстовцами» в финских motti. Красная Армия выполнила вполне посильную для армии рубежа 30-х и 40-х годов задачу, взлом линии долговременных укреплений слабого в артилерийском и авиационном

---

[1] Аптекарь П. со ссылкой на РГВА. Л. 115. Д. 429. Л. 182.

отношении противника, который к тому же не имел возможности наносить контрудары танковыми соединениями по причине отсутствия таковых как класса. Но когда Красной Армии поставили действительно неразрешимую задачу — наступать в суровую зиму в сложных природных условиях, то не только не было сделано невозможное, но и плохо выполнялись вполне посильные задачи. Была продемонстрирована вялость, пассивность действий. Проявленное впоследствии упорство в боях в окружении не компенсировало промахов начального периода сражения. Но что хуже всего, действия «толстовцев» увидели и оценили соответствующим образом на Западе.

Наступление в лесу

Невыполнимые в теории задачи в истории войн, как ни странно, оказывались невыполнимыми и на практике. Чудеса, они обычно в рождественских сказках случаются. Действия в лесистой местности мало кому приносили успех. Зимой — весной 1942 г. в лесах на Волховском фронте наступала 2-я ударная армия. Наступление было неуспешным, впоследствии армия была окружена. Осенью попытка была повторена 8-й армией в Синявинской операции. Неудачно наступал в долине реки Лучесы 3-й механизированный корпус М.Е. Катукова в ходе операции «Марс» в ноябре—декабре 1942 г. Наступлению мешали непроходимые леса и болота. Морозы схватили болота, но долина Лучесы оказалась засыпана глубоким снегом. Спорить с природой трудно, есть местность, в которой проводить масштабные наступательные операции сложно и в общем случае нецелесообразно. Но тем не менее по разным причинам решения вести наступление в таких районах принимались в разное время и в разных странах. Есть такой пример и в истории войны на Западном фронте.

Это так называемое сражение в Хуртгенском лесу, начавшееся 19 сентября 1944 г., когда в лес вошли 3-я танковая и 9-я пехотная дивизия США. Хуртгенский лес представлял собой большой лесной массив на границе Франции и Германии. Американские войска вскоре познали прелести сражения в глухом, темном лесу с высоченными деревьями, нашпигованном минами и жалящими в упор «88 Флак», без артиллерийской и авиационной поддержки. В сентябрьских боях 3-я танковая и 9-я пехотная дивизии потеряли до 80% личного состава своих боевых подразделений, не достигнув никаких результатов. 2 ноября 1944 г. в мясорубку была брошена 28-я пехотная дивизия, сформированная из Пенсильванской национальной гвардии. Дивизия понесла тяжелые потери. К 13 ноября все офицеры пехотных рот были убиты или ранены. Но генерал Бредли упорствовал в захвате Хуртгенского леса. В бой вступила еще одна дивизия, 4-я пехотная. Это также не принесло желаемых результатов. С 7 ноября по 3 декабря 1944 г. 4-я дивизия потеряла свыше 7 тысяч человек. Один из командиров рот этой дивизии, лейтенант Вильсон докладывал, что он потерял за время сражений в лесу 167% списочного состава: «Мы начали с полнокровной ротой из 162 бойцов, а потеряли 287 человек». Когда закончилась 4-я пехотная дивизия, наступила очередь 8-й пд. К декабрю потери американских войск в этом районе достигли 24 тысяч человек. В декабре 1944 г. 28-я пд была выведена из Хуртгенского леса на отдых в… Арденны, где вскоре началось немецкое наступление. И мрачный солдатский юмор назвал эмблему 28-й пехотной дивизии Keystone (Пенсильванию иногда называли «Штатом краеугольного камня»), в виде красной трапеции меньшим основанием вниз, «ведром с кровью». Наступать в глухих лесах не получалось ни у кого, и было бы странно, если бы РККА стала исключением.

* * *

Что же показала Зимняя война в реальности? Можно сказать, что неверны оба крайних мнения, а истина лежит посередине. Было бы глупо занимать страусиную позицию и не замечать очевидных недостатков, выявленных финской кампанией. Безынициативность командиров и солдат, «толстовство» — все это было. Маннергейм писал: «Русский пехотинец храбр, упорен и довольствуется малым, но безынициативен». Про командный состав РККА у К.-Г. Маннергейма сложилось такое мнение: «Командование не поощряло самостоятельное маневрирование войсковых подразделений, оно упрямо, хоть тресни, держалось за первоначальные планы. Русские строили свое военное искусство на использовании техники, и управление войсками было негибким, бесцеремонным и расточительным. Отсутствие воображения особенно проявлялось в тех случаях, когда изменение обстановки требовало принятия быстрых решений». Немцы тоже сделали свои выводы из финского опыта: «Опыт русско-финской войны показал, что артиллерийская поддержка как при наступлении, так и в обороне вследствие недостаточно организованного взаимодействия с другими родами войск была недостаточно эффективной» (отдельные данные о Красной Армии от 11.06.41, цитируются по: Сборник военно-исторических материалов ВОВ. Выпуск № 18. С. 135). Было бы ошибкой считать, что «толстовство» и шаблонно мыслящие командиры куда-то улетучились из РККА. Были такие и в 1941 г. Вот что произошло в июле 1941 г. со 199-й сд у Ново-Мирополя: «После занятия района обороны командование дивизии не произвело разведку сил противника, не приняло мер к взрыву моста через р. Случь на дальнем участке обороны, что дало возможность противнику перебросить танки и мотомехпехоту. В связи с тем что командование не установило связи штаба дивизии с полками, 6 июля 617-й и 584-й стрелковые полки действовали без всякого руководства со стороны командования дивизии. Во время паники, создавшейся в подразделениях при наступлении противника, командование не сумело предотвратить начавшееся бегство. Управление штаба дивизии разбежалось. Командир дивизии Алексеев, зам. командира по политчасти Коржев и нач. штаба дивизии Герман оставили полки и с остатками штаба бежали в тыл». Не все дивизии и командиры были такими, но подобные случаи, словно скопированные с действий командования 44-й сд в финскую, тоже были. Остались они и позднее, в 1942-м, 1943-м. Нельзя сказать, что это было главной причиной поражений 1941 г., но свою негативную роль подобные случаи сыграли. Отворачиваться от этих фактов просто бессмысленно. Все равно что выкинуть из условия задачи одно из начальных условий, а потом долго думать, почему ответ в конце задачника не совпадает с тем, что мы насчитали.

Но не правы и скандальные журналисты, которые в январе 1940 г. смаковали кадры из Суомоссалми и Сальми, так же как сегодня смакуют «подвиги» маньяков («Убийца жарил и ел печень своих жертв» аршинными буквами на две полосы). Это была традиционная погоня за сенсациями. Общей истерии поддавались даже такие люди, как Черчилль. Хотя была выслушана только одна сторона, а про то, что финны возились с отрезанными и получавшими хилое снабжение по воздуху частями 168, 18-й сд и 34-й тбр в течение двух месяцев, как-то забывалось. В жестокий мороз, интенсивно опыляемые с воздуха листовками «Где политрук — там смерть!», советские солдаты и командиры стояли до последнего. И жирная точка в этой истории была поставлена все же по инициативе советских войск, попытавшихся прорваться к своим из Леметти-южное. Остановка на «линии Маннергейма» была вызвана необходимостью накопить силы и штурмовать ее по всем правилам. Вначале ее недооценили и хотели проскочить в нескольких местах. Ни о какой операции в стиле Польши 1939 г. речи не было. После накопления сил линия была взломана с хорошим темпом. 122-я стрелковая дивизия в Приполярье, в тех же условиях что и неуспешная 44-я стрелковая дивизия, действовала вполне удовлетворительно. 168-я стрелковая дивизия сумела избежать окружения под Суомоссалми в отличие от посланной ей на выручку 44-й стрелковой дивизии Виноградова. Как говорили на совещании 14—17 апреля 1940 г., при хорошем командире и дивизия действовала успешно, плохой командир, напротив, приводил дивизию к гибели. На мой взгляд, вполне взвешенную и разумную позицию представляет Лиддел Гарт: «Первое русское наступление завершилось неожиданной остановкой. Под влиянием этих событий усилилась общая тенденция к недооценке военной мощи Советского Союза. Эту точку зрения выразил в своем выступлении по радио 20 января 1940 г. Черчилль, заявив, что Финляндия «открыла всему миру слабость Красной Армии». Это ошибочное мнение до некоторой степени разделял и Гитлер, что привело к серьезнейшим последствиям в дальнейшем. Однако беспристрастный анализ военных действий дает возможность установить истинные причины неудачи русских в первоначальный период. Условия местности во всех отношениях затрудняли продвижение наступавших войск. Многочисленные естественные препятствия ограничивали возможные направления наступления. На карте участок между Ладожским озером и Северным Ледовитым океаном казался довольно широким, но фактически он представлял собой густую сеть озер и лесов, что создавало идеальные условия для ведения упорной обороны»[1].

Никогда не нужно бросаться из крайности в крайность. Финская война выявила как недостатки в подготовке командного состава, так и возможности РККА в качестве достаточно современной для 1940 г. армии, оснащенной массой артиллерии, танков, авиации, способной преодолевать укрепленные полосы и развивать успех ударом танков и пехоты. Финская показала миру как «толстовцев», так и разрушителей «миллионеров». Мир многогранен и плохо поддается втискиванию в шаблоны.

---

[1] *Лиддел Гарт Б.Г.* Вторая мировая война. М.: АСТ; СПб: Terra Fantastica, 1999. С. 67.

Глава 3

Но разведка доложила точно...

После того как на экраны вышел такой замечательный фильм, как «17 мгновений весны», доверие к разведчикам в советском обществе было безмерным. Получила широкое распространение версия о том, что разведка доложила едва ли не на следующий день после утверждения. Разведчики смущенно улыбались, говорили что да, действительно докладывали, а И.В. Сталин не верил. Странный такой был человек во главе советского государства.

Военные разведчики докладывали?

Рассмотрим один из примеров таких утверждений: «Материал об основных положениях плана «Барбаросса», утвержденного Гитлером 18 декабря 1940 г., уже через неделю был передан военной разведкой в Москву»[1]. Есть и более сильные утверждения. Например, П.И. Ивашутин считает, что «основное содержание плана «Барбаросса» было известно через 11 дней после утверждения его Гитлером»[2]. Действительности это ни-

_____

[1] *Розанов Г.Л.* Сталин — Гитлер: Документальный очерк советско-германских дипломатических отношений, 1939—1941 гг. М., 1991. С. 187.
[2] Военно-исторический журнал. 1991. № 6. С. 10.

как не соответствует. 29 декабря 1940 г. советский военный атташе в Берлине генерал-майор В.И. Тупиков доложил в Москву о том, что «Гитлер отдал приказ о подготовке к войне с СССР. Война будет объявлена в марте 1941 г. Дано задание о проверке и уточнении этих сведений». В ответ на такое оглушительное заявление Москва запросила «более внятного освещения вопроса». 4 января 1941 г. из Берлина пришло донесение с подтверждением достоверности этой информации, основанной «не на слухах, а на специальном приказе Гитлера, который является сугубо секретным и о котором известно очень немногим лицам». Однако главная проблема заключалась в том, что источник сам не видел этого документа. Уточняющее сообщение содержало следующие сведения: «Подготовка наступления против СССР началась много раньше, но одно время была несколько приостановлена, так как немцы просчитались с сопротивлением Англии. Немцы рассчитывают весной Англию поставить на колени и освободить себе руки на востоке». Отметим, что в уточняющем сообщении уже отсутствует точная дата нападения на СССР, замененная на абстрактное «весна 1941 г.». Сам по себе этот факт получения информации о некоем решении Гитлера относительно СССР является крупной удачей советской разведки. Но картину безнадежно портят неточности в процитированном сообщении. 18 декабря Гитлер не отдавал приказа о подготовке войны с СССР, это событие произошло на полгода раньше, в июне—июле 1940 г. В декабре 1940 г. был уже подписан стратегический план войны с СССР, нападение перешло из области политического замысла в плоскость практической реализации. Но куда хуже было другое: нападение на СССР безусловно привязывалось к выводу из войны Англии. Это уже выглядит как дезинформация. В директиве № 21 «Барбаросса» был указан примерный срок завершения военных приготовлений — 15 мая 1941 г. и подчеркивалось, что СССР должен быть разгромлен «еще до того, как будет закончена война против Англии»[1].

Однако апологеты версии о том, что «доложили, но Сталин не верил», упорствовали в своих заблуждениях. Бывший руководитель военной разведки СССР в 1963— 1986 гг. Петр Иванович Ивашутин утверждал в «Военно-историческом журнале», что советской разведке «удалось раскрыть замысел германского командования» и «своевременно вскрыть политические и стратегические замыслы Германии»[2]. Обоснованием этой версии служит доклад начальника Разведуправления от 20 марта 1941 г. «Высказывания, оргмероприятия и варианты боевых действий германской армии против СССР», где сказано, что «из наиболее вероятных военных действий, намечаемых против СССР, заслуживают внимания следующие: Вариант № 3, по данным... на февраль 1941 г. «...для наступления на СССР, написано в сообщении, создаются три армейские группы: 1-я группа под командованием генерал-фельдмаршала Бока наносит удар в направлении Петрограда; 2-я группа под командованием генерал-фельдмаршала Рундштедта — в направлении Москвы, и 3-я группа под командованием генерал-фельдмаршала Лееба — в направлении Киева. Начало наступления на СССР — ориентировочно 20 мая»[3].

---

[1] 1941 год. В 2 кн. Кн. 2. М.: Международный фонд «Демократия», 1998. С. 452.

[2] *Ивашутин П.И.* Докладывала точно. Военно-исторический журнал. 1990. № 5. С. 56; Великая Отечественная война 1941—1945 гг. Кн. 1. С. 89.

[3] 1941 год. В 2 кн. Кн. 2. М.: Международный фонд «Демократия», 1998. С. 779.

АНТИСУВОРОВ

При этом игнорировались выводы, сделанные в том же самом документе:

«1. На основании всех приведенных выше высказываний и возможных вариантов действий весной этого года считаю, что наиболее возможным сроком начала действий против СССР будет являться момент после победы над Англией или после заключения с ней почетного для Германии мира.

2. Слухи и документы, говорящие о неизбежности весной этого года войны против СССР, необходимо расценивать как дезинформацию, исходящую от английской и даже, может быть, германской разведки»[1].

Вывод в документе на самом деле был сделан совершенно верный, войны весной 1941 г. действительно не было. Это просто подборка разведданных и их анализ. Уже в начале документа составители отмечали: «Большинство агентурных данных, касающихся возможностей войны с СССР весной 1941 г., исходит от англо-американских источников, задачей которых на сегодняшний день, несомненно, является стремление ухудшить отношения между СССР и Германией. Вместе с тем, исходя из природы возникновения и развития фашизма, а также его задач, — осуществление заветных планов Гитлера, так полно и «красочно» изложенных в его книге «Моя борьба», краткое изложение всех имеющихся агентурных данных за период июль 1940 г. — март 1941 г. заслуживают в некоторой своей части серьезного внимания»[2].

---

[1] 1941 год. В 2 кн. Кн. 2. М.: Международный фонд «Демократия», 1998. С. 780.
[2] Там же. С. 776.

Как ни дурацки это звучит, но никаких причин, помимо «Моей борьбы», в СССР не рассматривали. Реальный вариант, удар по СССР с целью принудить к капитуляции Англию, не рассматривался вовсе. Имея такое шаткое обоснование, как «Майн кампф», разведчики и аналитики при недостатке информации делали выводы, не отражавшие реальности, но вполне объяснимые.

Перемещения войск

Советская разведка смогла обнаружить уже первые перемещения немецких войск, проводившиеся в рамках подготовки к «Барбароссе». По данным разведчиков, в феврале—марте 1941 г. на восток прибыло 6 пехотных и 3 танковые дивизии. Сегодня у нас есть возможность сравнить эти данные с реальным перемещением немецких войск. С 20 февраля по 15 марта 1941 г. на восток было передислоцировано 7 пехотных дивизий, ошибка была скорее в плюс, чем в минус. 6 апреля 1941 г. было отмечено перемещение 3 пехотных и 2 моторизованных германских дивизий. В действительности с 16 марта по 10 апреля на восток были передислоцированы 18 пехотных и 1 танковая дивизии, что увеличило общее число германских войск до 52 дивизий.

Разведуправление вновь верно отмечало перегруппировку германских войск в конце апреля — начале мая 1941 г., но неверно оценивало ее направленность. Как отмечалось в спецсообщении Разведуправления от 5 мая, «сущность перегруппировок немецких войск, производившихся во второй половине апреля, после успешного завершения Балканской кампании и до настоящего времени сводится:

1. К усилению группировки против СССР на протяжении всей западной и юго-западной границы, включая Румынию, а также в Финляндии.

2. К дальнейшему развитию операций против Англии через Ближний Восток (Турция и Ирак), Испанию и Северную Африку.

3. К усилению немецких войск в Скандинавии, где они могут быть использованы с территории Норвегии против Англии, Швеции и СССР...»[1].

По итогам перемещения немецких войск в конце апреля и в начале мая Разведуправление делало следующий вывод:

«1. За два месяца количество немецких дивизий в приграничной зоне против СССР увеличилось на 37 дивизий (с 70 до 107). Из них число танковых дивизий возросло с 6 до 12 дивизий. С румынской и венгерской армиями это составит около 130 дивизий.

2. Необходимо считаться с дальнейшим усилением немецкого сосредоточения против СССР за счет освободившихся войск в Югославии с их группировкой в районе Протектората и на территории Румынии.

3. Вероятно дальнейшее усиление немецких войск на территории Норвегии, северонорвежская группировка которых в перспективе может быть использована против СССР через Финляндию и морем.

4. Наличные силы немецких войск для действий на Ближнем Востоке к данному времени выражаются в 40 дивизиях, из которых 25 в Греции и 15 в Болгарии.

---

[1] *Мельтюхов М.И.* Упущенный шанс Сталина. Советский Союз и борьба за Европу: 1939—1941 (Документы, факты, суждения). М.: Вече, 2000. С. 305—306.

В этих же целях сосредоточено до двух парашютных дивизий с вероятным их использованием в Ираке»[1].

Обоснование возможности нападения на СССР только известным трудом А. Гитлера «Майн кампф» сделало свое дело. Констатация факта сосредоточения германских войск на востоке сопровождается ожиданием действий Германии на Ближнем Востоке, а не нападением на СССР.

В первой половине 1941 г. немцами производились перемещения войск, которые можно было расценить двояко: и как подготовку к нападению, и как подготовку к сдерживающим действиям на случай вмешательства СССР в войну при начале «Зеелеве». То есть выдвижение войск к советским границам само по себе еще не свидетельствовало о возможном нападении. Ф.И. Голиков 31 мая честно доложил Сталину, что силы немцев распределены так:

«против Англии (на всех фронтах) 122—126 дивизий,
     против СССР — 120—122 дивизии,
     резервов — 44—48 дивизий».

Цитирую «Спецсообщение разведуправления Генштаба Красной Армии о группировке немецких войск на 1 июня 1941 г.». Хорошо видно, что количество дивизий, выделенных для действий на западе, даже слегка больше выделенных против СССР. То есть ситуация на 1 июня была неопределенная, яркой направленности против СССР не имеющая.

_____

[1] 1941 год. В 2 кн. Кн. 2. М.: Международный фонд «Демократия», 1998. С. 171—173.

О такой-то матери

Существует довольно пикантная резолюция, которую наложил Сталин на документ разведки. Позволю себе привести этот документ полностью:

> «СООБЩЕНИЕ НКГБ СССР И.В. СТАЛИНУ
> И В.М. МОЛОТОВУ
>
> № 2279/м
> 17 июня 1941 г.
> **Сов. секретно**
> Направляем агентурное сообщение, полученное НКГБ СССР из Берлина.
>
> Народный комиссар
> Государственной безопасности СССР
> **В. Меркулов**
> Сообщение из Берлина

Источник, работающий в штабе германской авиации, сообщает:

1. Все военные мероприятия Германии по подготовке вооруженного выступления против СССР полностью закончены, и удар можно ожидать в любое время.

2. В кругах штаба авиации сообщение ТАСС от 6 июня воспринято весьма иронически. Подчеркивают, что это заявление никакого значения иметь не может.

3. Объектами налетов германской авиации в первую очередь явятся электростанция «Свирь-3», московские заводы, производящие отдельные части к самолетам (электрооборудование, шарикоподшипники, покрышки), а также авторемонтные мастерские.

4. В военных действиях на стороне Германии активное участие примет Венгрия. Часть германских самолетов, главным образом истребителей, находится уже на венгерских аэродромах.

5. Важные немецкие авиаремонтные мастерские расположены: в Кенигсберге, Гдыне, Грауденце, Бреславле, Мариенбурге. Авиамоторные мастерские Милича в Польше, в Варшаве Очачи и особо важные в Хейлигенкейле.

Источник, работающий в министерстве хозяйства Германии, сообщает, что произведено назначение начальников военно-хозяйственных управлений «будущих округов» оккупированной территории СССР, а именно: для Кавказа — назначен АМОНН, один из руководящих работников национал-социалистической партии в Дюссельдорфе, для Киева — БУРАНДТ — бывший сотрудник министерства хозяйства, до последнего времени работавший в хозяйственном управлении во Франции, для Москвы — БУРГЕР, руководитель хозяйственной палаты в Штутгарте. Все эти лица зачислены на военную службу и выехали в Дрезден, являющийся сборным пунктом.

Для общего руководства хозяйственным управлением «оккупированных территорий СССР» назначен ШЛОТЕРЕР — начальник иностранного отдела министерства хозяйства, находящийся пока в Берлине.

В министерстве хозяйства рассказывают, что на собрании хозяйственников, предназначенных для «оккупированной» территории СССР, выступал также Розенберг, который заявил, что «понятие Советский Союз должно быть стерто с географической карты».

Верно:

Начальник 1-го Управления НКГБ Союза ССР Фитин[1]. Имеется резолюция: «Т [овари]щу Меркулову. Может послать ваш «источник» из штаба герм [анской] авиации к еб-ной матери. Это не «источник», а дезинформатор. И. Ст [алин]»[2].

Относится фраза о «матери», как мы видим, только к одному абзацу: «В кругах штаба авиации сообщение ТАСС от 6 июня воспринято весьма иронически. Подчеркивают,что это заявление никакого значения иметь не может». Нетрудно предположить, что Сталин мог резко высказаться о столь неприятной для него ин-

---

[1] АП РФ. Ф. 3. Оп. 50. Д. 415. Л. 50—52.

[2] «Подлинник» (1941 год. В 2 кн. Кн. 2. М.: Международный фонд «Демократия», 1998. С. 382—383.

формации о сообщении ТАСС. Но принципиального значения для оценки развединформации это не дает. Ее просто было мало для выводов в нужное время.

Почему Сталин не верил Зорге?

При обсуждении сообщений из Токио от Зорге почему-то отбираются только подтвердившиеся или почти подтвердившиеся. Забывается при этом, что от Зорге, помимо сообщений, достоверность которых была позднее подтверждена фактами, следовали и такие заявления:

«Расшифрованная телеграмма. Вх. № 15135 начальнику разведуправления Генштаба Красной Армии. Токио, 11 августа 1941 года.

Прошу Вас быть тщательно бдительными потому, что японцы начнут войну без каких-либо объявлений в период между первой и последней неделей августа месяца»[1].

Как нетрудно догадаться, войны между СССР и Японией в августе 1941 г. не состоялось.

* * *

Вопреки утверждениям П.И. Ивашутина, доклады разведки о плане «Барбаросса», планах немцев в целом и перемещениях немецких войск не носили характера однозначно трактуемых сведений о нападении на СССР. На фоне полнейшего молчания на дипломатическом фронте (отсутствие каких-либо внятных претензий к СССР) оснований считать данные о планах Гитлера напасть на СССР достаточно достоверными для принятия необратимых решений не было. Поэтому необходимые, но необратимые в тех условиях ходы советским руководством сделаны не были. У Сталина просто не было сведений, которым можно было бы на 100% доверять.

---

[1] № 71. ИНСОН. ЦАМО РФ. А. 23. Оп. 24127. Д. 2. Л. 616.

Глава 4

Автоматчики

Штамп

Образ немецкого солдата в мышиного цвета униформе с закатанными рукавами и вооруженного автоматом с коробчатым магазином стал одним из штампов советского, да и постсоветского кинематографа. В таком виде эсэсовцы шли в бой, резвились на берегах рек и даже управляли обозными телегами. Противопоставлялся этому образу обычно советский солдат в мешковатой выгоревшей униформе и с винтовкой Мосина с трехгранным штыком. Тем самым делалась попытка объяснить неудачи начального периода войны на тактическом уровне. Зрителю и читателю подсказывали: поголовно вооруженный пистолетами-пулеметами вермахт имел неоспоримое преимущество перед стреляющими из винтовок одиночными в низком темпе красноармейцами.

Разумеется, этот литературный и кинематографический образ имел вполне осязаемые прототипы в литературе военного времени. Позволю себе процитировать настоящий шедевр военной литературы той эпохи: «Автоматчики — это отборные фашистские головорезы, имеющие опыт многих боев, прошедшие специальную выучку для лучшего использования своего оружия, люди, купленные фашистами наградами и талонами

Крушение мифа. Немецкие мотоциклисты на марше зимой 1941—1942 гг. Все вооружены 7,92-мм карабинами «98К».

Гитлера на право получения после войны 100 гектаров земли на захваченной у нас территории»[1]. Сообщив о моральном облике владельцев казенных автоматов, автор брошюры пытается изложить тактические аспек-

---

[1] *Лизюков А.И.* Что надо знать воину Красной Армии о боевых приемах немцев. М.: Воениздат НКО СССР, 1942. С. 5.

ты ведения ими боевых действий: «Так, во встречном бою, т. е. тогда, когда части вступают в бой друг с другом с марша (с похода), автоматчики целыми партиями (взводами, ротами) выбрасываются вперед навстречу нашим войскам и, используя всю мощь своего огня, стремятся развернуть против себя все наши силы, с тем чтобы главные силы немецких колонн, прикрывшись огнем автоматчиков, поддерживаемых артиллерией, могли обойти фланги наших войск и даже выйти в тыл»[1]. Таким образом, предполагается, что вооруженные пистолетами-пулеметами немецкие солдаты и унтер-офицеры действуют крупными массами, численностью до роты включительно. Вообще нужно сказать, что А.И. Лизюков еще с 1930-х гг. был танкистом и ценность сообщаемых им сведений о тактике пехотных подразделений немцев представляется сомнительной. Скорее его имя было просто использовано в брошюре, написанной людьми с очень богатой фантазией, поскольку в дальнейшем в ней встречаются настоящие шедевры как по яркости художественного образа, так и по идиотизму написанного: «Охота на автоматчиков» производится точно так же, как охота на тетерева или глухаря. Есть такие птицы — тетерева и глухари, которые отличаются от всех других птиц тем, что весной, а иногда и осенью они токуют (поют). Охотникам известно, что тетерев и глухарь очень осторожные птицы и охотника они к себе в нормальных условиях не подпустят близко»[2]. Далее идет душераздирающее описание охоты на «токующего» очередями из пистолета-пулемета автоматчика.

---

[1] *Лизюков А.И.* Указ. соч. С. 6.
[2] *Лизюков А.И.* Указ. соч. С. 8.

Канонический текст легенды

Помимо полукарикатурных образов, созданных пропагандистскими брошюрками и кинематографом, существует кочующая по страницам мемуаров и исторических исследований легенда о незаслуженно забытых пистолетах-пулеметах. Согласно этой легенде недальновидные руководители советского государства считали пистолет-пулемет «полицейским» оружием и недооценили его роль в будущей войне. Только в ходе неудачной тактически финской войны по опыту использования противником пистолетов-пулеметов пришли к выводу о необходимости этого вида оружия. Эта версия была прямым текстом озвучена бывшим народным комиссаром вооружения Б.Л. Ванниковым в его мемуарах «Записки наркома». В них он написал буквально следующее: «В 1939 г. по инициативе наркомата обороны в правительстве обсуждался вопрос о прекращении производства пистолета-пулемета Дегтярева («ППД») и аннулировании соответствующих заказов оружейным заводам. Это предложение военные мотивировали тем, что, по их определению, пистолет-пулемет был оружием малоэффективным, мог иметь крайне ограниченную область применения и вообще годился не для армии, а скорее «для американских гангстеров при ограблении банков». Конечно, в то время еще никто не знал, что именно автоматический пистолет-пулемет станет в годы Второй мировой войны не только самым эффективным, но и самым массовым стрелковым оружием, оттеснив на второй план винтовку. Однако и тогда нельзя было столь опрометчиво отказываться от него, так как уже имелись совершенно определенные признаки того, что он способен сыграть важную роль в усилении мощи нашей армии и укреплении обороно-способности страны»[1].

Так ли все было плохо? Для начала разберемся с состоянием дел у противника. В реальности образ немецкого пехотинца в начальном периоде войны с СССР был несколько более тусклым, чем его рисуют кинофильмы студии им. Довженко. В составе немецкого пехотного отделения из десяти человек было 9 рядовых и один унтер-офицер. Вооружены они были 7 карабинами «98К», двумя пистолетами («вальтер П-38» или «Р-08 парабеллум»), одним пистолетом-пулеметом «МП-40» (у командира отделения) и одним пулеметом «МГ-34». Пехотный взвод из четырех отделений вооружался 12 пистолетами, 5 пистолетами-пулеметами (по одному у каждого командира отделения и один в звене управления), 33 винтовками и 4 ручными пулеметами. Стрелковое оружие пехотной роты составляли 132 винтовки, 47 пистолетов, 16 пистолетов-пулеметов и 12 ручных пулеметов. Штатная численность пистолетов-пулеметов в немецкой пехотной дивизии в целом составляла 767 единиц, даже меньше, чем в советской стрелковой дивизии штата № 4/400 апреля 1941 г., предполагавшего 1204 пистолета-пулемета. Реальная укомплектованность советских стрелковых дивизий была, конечно, меньше, но в целом дивизии приграничных армий имели по нескольку сотен пистолетов-пулеметов «ППД». Но это даже неважно. Никаких тактических подразделений, которые можно квалифицировать как автоматчиков, в организационной структуре пехотной, танковой и моторизованной дивизии вермахта просто нет. Хорошо известные по фильмам пистолеты-пулеметы «МП-40» фрагментарно вкраплены

---

[1] *Ванников Б.Л.* Записки наркома. Знамя. 1988, № 1. С. 133.

в пехотные подразделения. Больше двух человек с «МП-40» в кино- и фотохронике войны увидеть проблематично. Рядом на марше или в бою могут оказаться командир взвода и командир одного из отделений. В дальнейшем ситуация никак не изменилась, никаких поголовно вооруженных «МП-40» батальонов и рот не появилось. В танковых и моторизованных дивизиях позднее было введено два пулемета на отделение, число пистолетов-пулеметов оставалось неизменным. Мотоциклетные подразделения по сути своей являлись посаженной на мотоциклы пехотой, с сохранением вооружения и организационной структуры взвода/роты мотопехотных подразделений. Разница была только в том, что вместо грузовиков для перевозки личного состава мотоциклетных батальонов использовались мотоциклы. Таким образом, пресловутые «автоматчики» как специальные тактические группы, поголовно вооруженные однотипным оружием, есть не более чем впечатление от действий немцев. В реальности немецкое пехотное отделение строилось вокруг пулемета, и это могло теоретически создать впечатление его насыщенности автоматическим оружием.

На самом деле позиция немецкой военной мысли в отношении пистолетов-пулеметов была вполне прозрачно определена до войны и озвучена в отечественной печати. Это статья в журнале «Техника и вооружение», № 10 за 1937 г. Автор статьи, напечатанной изначально в апрельском номере журнала «Wehrtechnische Monatshefte» за 1936 г., признавал несомненные достоинства нового вида оружия, но вместе с тем довольно прохладно отзывался о перспективах его использования: **«Следует согласиться с тем, что пистолет-пулемет может дать хорошие результаты в бою на ближних дистанциях, но он все же остается оружием специального назначения, так как его примене-**

ние ограниченно. Подобным же специальным оружием является взводный или окопный гранатомет, который дает благодаря небольшим снарядам действие, равноценное действию ручной гранаты, и может быть использован также лишь на очень близких дистанциях»[1].

Брандт и Чако

Надо сказать, что Б.Л. Ванников тоже пытается сослаться на немецкий опыт: «Германский специалист В. Брандт считал необходимым вооружить ими треть солдат пехоты, конницы, инженерных и мотоциклетных частей. Последующие войны показали, что такое соотношение было наиболее правильным»[2]. Однако Ванников не вспоминает о весьма важных вещах. Указанный им специалист В. Брандт выдвигал свой тезис на основе войны в Южной Америке, проходившей в весьма специфических условиях. Брандт наблюдал войну в Чако (между Боливией и Парагваем), где впервые после боев 1918 г. применялся в широком масштабе пистолет-пулемет. По итогам его поездки в Южную Америку в журнале «Милитер-Вохенблатт» были помещены пространные отчеты немецкого инженера об этой войне. Немец участвовал в боливийско-парагвайском конфликте не в качестве стороннего наблюдателя. Он вел эту войну до конца 1934 г. сначала в качестве капитана, а затем майора в боливийской армии. Война в Чако велась преимущественно отдельными боями в лесистых районах — первобытном лесу и колючем кустарнике. Именно поэтому война оказалась состоящей из боев на самые ближние дистанции. В такой ситуации, разумеется, оправдалось применение пистолета-пу-

---

[1] Техника и вооружение. № 10. 1937. С. 15.
[2] *Ванников Б.Л.* Записки наркома. Знамя. 1988. № 2. С. 134.

лемета, ибо многие атаки были приостановлены огнем автоматического оружия и преимущественно огнем из пистолетов-пулеметов.

Война двух «банановых республик» протекала в условиях, принципиально отличающихся от европейского театра военных действий. Но В. Брандт не только описал боевые действия той войны, но также сделал выводы, которые могут быть применимы для европейских условий. Он написал: «Постепенно пистолет-пулемет получает все более широкое распространение. В австрийской армии уже каждому стрелковому отделению, кроме нового пулемета «солотурн», придан еще и пистолет-пулемет. Пистолет-пулемет позволяет окончательно разрешить вопрос «последних 200 м» в том направлении, что всякая атака может быть приостановлена на дистанции последних 200 м, если оборона располагает к этому моменту еще достаточным количеством готовых к действию пистолетов-пулеметов. Именно на ближайших расстояниях удобный в обслуживании пистолет-пулемет превосходит ручной пулемет, почему он может быть также использован в рукопашном бою. Стрелок, вооруженный пистолетом-пулеметом, может иметь при себе от 500 до 800 патронов, вследствие чего он не зависит от подносчиков патронов ни при атаке, ни при обороне». Далее был выдвинут тезис, на который сослался Ванников: иметь на вооружении современной пехоты, конницы, инженерных и мотоциклетных частей до 30% людей, вооруженных пистолетом-пулеметом вместо винтовки, а в прочих родах оружия — до 10%.

Так как В. Брандт предлагал вооружить пистолетами-пулеметами значительную часть стрелков — до 30%, то необходимо разобраться, какие задачи стояли в 30—40-х гг. перед пехотинцем. На «обезлюдевшем» поле боя в Европе, где местность преимущественно равнинная, пехотинец, вооруженный винтовкой или карабином, должен стрелять по солдатам противника на дальних подступах или же остающимся видимыми только незначительное время в бою накоротке. При этом дистанция стрельбы может быть намного больше, чем 200 м или десятки метров в полурукопашных боях в девственных лесах Южной Америки. Поэтому с Брандтом полемизировали сами немцы. Их аргументом было: «Пистолет-пулемет непригоден для огневого боя на дистанциях, превышающих 200 м. Вооруженные этим оружием должны, следовательно, оставаться в бездействии на этих дистанциях, в то время как самозарядная винтовка может работать превосходно. На последних, самых трудных 200 м, т. е. в ближайшем бою, пистолет-пулемет, безусловно, прекрасное оружие, которое при автоматической стрельбе может сделать 32 выстрела в $3^1/_2$ секунды. Но значительные трудности при приближении к противнику начинаются обычно уже раньше, начиная с 300 м или даже с 400 м, а на таких дистанциях пистолет-пулемет недействителен»[1]. В общем, герру Брандту указали, что он погорячился. Вермахт не пытался вооружить 30% бойцов пистолетами-пулеметами.

На соснах в гамаках

У нас, согласно саге о великих и ужасных «автоматчиках», очередной толчок развитию пистолетов-пулеметов дала финская война. Проходила она в не менее специфических условиях, чем боливийско-парагвайский конфликт. Вместо лесов и кустарников Чако бои проходили в глухих лесах Карелии.

По мнению литературного записчика мемуаров Ван-

---

[1] Техника и вооружение. № 10. 1937. С. 15.

никова, выглядело это так: «...когда финская реакция спровоцировала войну, части Красной Армии встретились в лесистых районах с противником, имевшим на вооружении пистолет-пулемет «суоми», очень схожий с отвергнутым у нас «ППД». Оказалось, что финское командование снабдило этим оружием целые подразделения и отдельных солдат, действовавших самостоятельно. Автоматчики, названные потом «кукушками», маскируясь белыми халатами и располагаясь в гамаках, подвешенных между заснеженными соснами, встречали вступающих в лес красноармейцев лавиной огня, а сами оставались трудноуязвимыми, так как наши бойцы, вооруженные винтовками и ручными пулеметами и лишенные прикрытия, оказывались в худшем положении. Большое значение имел, конечно, фактор неожиданности при таких обстрелах, но и преимущества пистолета-пулемета стали более чем очевидными. Тут-то и произошел весьма резкий поворот во взглядах наших военных относительно этого оружия. Более того, кое-кто попытался прикрыть свои промахи, вызвавшие напряженное положение на ряде участков фронта, как раз отсутствием автоматов»[1]. Раскачивающиеся в гамаках между соснами на 30-градусном морозе финны — это, наверное, сильное зрелище. Жалко, сами финские солдаты не догадывались о том, какие мощные тактические приемы они могли использовать. Справедливости ради стоит отметить, что профессионализм публицистов еще ниже, и в публицистической литературе мы можем встретить, например, такие пассажи: «Финны были вооружены автоматами «суоми», тогда как конструирование советских автоматов, как и миноискателей, началось уже в ходе военных действий. К концу кампании в войска поступил писто-

---

[1] *Ванников Б.Л.* Указ. соч. С. 134—135.

лет-пулемет Г.С. Шпагина («ППШ»)»[1]. Как нетрудно догадаться, это выдумки чистой воды, пистолет-пулемет Дегтярева к началу войны с Финляндией уже существовал, а вот «ППШ» появился на год позже.

На самом деле все было гораздо проще. Наступления дивизий Красной Армии на Карельском перешейке останавливали скрытые за толстым слоем железобетона ДОТов «линии Маннергейма» 7,62-мм пулеметы «максим», выпускавшие порой вслепую по площадям десятки тысяч патронов. Никакого засилья пистолетов-пулеметов «суоми» в финской армии просто не было. Штатная организация финского пехотного полка (2954 человека) предусматривала 2325 винтовок, 36 станковых пулеметов, 72 ручных пулемета и 72 пистолета-пулемета. Пистолеты-пулеметы составляли 3% (прописью: три процента) от числа винтовок. Чуть больше пистолетов-пулеметов было в так называемых sissi-батальонах. Смысловое значение этого термина — партизанский батальон, или, если осовременить, батальон специального назначения. Предназначались они для самостоятельных действий с охватами и обходами по лесам наступающих дивизий Красной Армии. Вместо двух пистолетов-пулеметов в пехотном взводе регулярной армии взводы sissi-батальонов получали четыре пистолета-пулемета «суоми». Делалось это вследствие того, что в батальоне отсутствовала рота станковых пулеметов, что потребовало компенсации — уменьшения количества автоматического оружия на взводном уровне. В остальном организация партизанских батальонов совпадала с обычными. Все рассказы о ротах или батальонах финнов, поголовно вооруженных автоматами «суоми», — это чистейшей воды вымысел. В лучшем случае порожденный расширившимися от

---

[1] *Соколов Б.В.* Правда о Великой Отечественной войне. С. 27.

страха глазами. В некоторой степени такое явление может быть объяснено совершенно ужасающим положением с ручными пулеметами. Финский ручной пулемет системы Лахти-Салоранта был откровенно плох. Мало того, что емкость магазина пулемета составляла всего 20 патронов, надежность оружия была крайне низкой. В этих условиях пистолет-пулемет «суоми» с дисковым магазином большой емкости был настоящим спасением, особенно в бою на короткой дистанции. Советские пехотные полки были оснащены автоматическим оружием гораздо лучше. Вместо 72 пистолетов-пулеметов и 72 ручных пулеметов у финнов в советском стрелковом полку было 142 ручных пулемета. Это позволяло создавать плотный фронт огня как в наступлении, так и в обороне на всех реальных дистанциях боя.

Если в советское и позднесоветское время щемящие душу рассказы типа «Ванников открывает глаза Сталину на проблему пистолетов-пулеметов» еще могли вызвать какие-то эмоции, то в наши дни, после открытия архивов, они выглядят малоубедительно. По документам Российского государственного архива экономики (РГАЭ), а точнее, фонда 79 301 (наркомат вооружений), опись 1, дело 3219, л. 71 («Отчет о ходе производства автоматического стрелкового оружия на предприятиях наркомата» за 1939 г.), причины снятия с производства «ППД» описаны следующим образом: «21 февраля 1939 г. пистолеты-пулеметы «ППД» производством прекратить вплоть до устранения отмеченных недостатков и упрощения конструкции». Для такого решения оснований было более чем достаточно. Цена плановой закупки «ППД-34» в 1936 г. составляла аж 1350 рублей. Для сравнения, 7,62-мм винтовка обр. 1891/1930 гг. в том же году заказывалась армией по цене 90 рублей, револьвер Нагана — 50 рублей, а ручной пулемет Дегтярева «ДП-27» — 787 рублей. Пистолет-пулемет Дегтярева в свете всего этого представлялся роскошью с весьма сомнительными тактическими возможностями.

Однако отказа от пистолетов-пулеметов как вида оружия не наблюдается, и далее в вышеуказанном деле (л. 78) написано: «Разработку нового типа автоматического оружия под пистолетный патрон продолжить для возможной замены устаревшей конструкции «ППД». Задолго до финской войны оружие оценивается как перспективное и имеющее право на существование: «Поскольку пистолеты-пулеметы состоят на вооружении Красной Армии и... являются весьма желательными для современного ближнего боя... обязать управление устранить отмеченные в их конструкции недостатки в кратчайшие сроки...»[1]. Результат работ над «новым типом оружия под пистолетный патрон» хорошо известен. Это пистолет-пулемет конструкции Г.С. Шпагина («ППШ»), который был представлен на заводские испытания 20 августа 1940 г. Помимо Г.С. Шпагина, опытный пистолет-пулемет представил Б.Г. Шпитальный. 4 октября 1940 г. СНК СССР принял постановление об изготовлении серии пистолетов-пулеметов Шпагина и Шпитального для всесторонних испытаний. По итогам этих испытаний 21 декабря 1940 г. образец, разработанный Г.С. Шпагиным, принимается на вооружение под обозначением «ППШ-41».

История «ППД» закончилась именно в этот момент, а не вследствие метаний относительно целесообразности его производства. Достаточно интересно в связи с этим посмотреть на статистику производства «ППД» и «ППШ».

Выпуск «ППД» по годам составил:

---

[1] Там же. Л. 81.

1934 г. — 44 шт.
1935 г. — 23 шт.
1937 г. — 1291 шт.
1938 г. — 1115 шт.
1939 г. — 1700 шт.
1940 г. — 81 118 шт.
1941 г. — 5868 шт.

Наконец, вместе «ППШ» и «ППД» в 1941 г. — 98 644 шт.
Действительно, имеет место замирание производства в 1939 г., но затем это отставание с лихвой перекрывается в 1940 г. и сходит на нет в 1941 г. в связи поступлением на вооружение «ППШ-41».

Надо сказать, что при описании перипетий принятия и снятия с вооружения пистолета-пулемета авторы-оружейники вынуждены обращаться к такому могучему источнику, как воспоминания... авиаконструктора. Причем не кто-нибудь, а автор наиболее информативной советской книги о стрелковом оружии, Давид Наумович Болотин. Цитирую: «Эту инертность, проявленную в те годы некоторыми руководящими работниками наркомата обороны по отношению к пистолетам-пулеметам, описывает в книге «Цель жизни» авиаконструктор Яковлев. Он приводит выдержку своей беседы с И.В. Сталиным, который, критикуя некоторых авиаторов за допущенные просчеты и отсутствие инициативы, заявил: «Знаете ли вы, что не кто иной, как руководители нашего военного ведомства, были против введения в армии автоматов и упорно держались за винтовку образца 1891 г.? Вы не верите, улыбаетесь, а это факт, и мне пришлось перед войной упорно воевать с маршалом Куликом по этому вопросу». В результате снятия с вооружения «ППД» Советская Армия не только была оставлена без этого важного вида оружия, но и лишалась возможности ознакомления с ним, изучения его тактических возможностей и свойств»[1]. Число открывавших глаза Сталину и воевавших с косностью взглядов на страницах мемуаров возрастает в разы. Но это сейчас даже неважно.

Реальный конкурент

Авиаконструктору А.С. Яковлеву вполне простительно не знать действительного положения дел, но побудительные мотивы Д.Н. Болотина при использовании этой цитаты совершенно непонятны. О какой винтовке образца 1891 г. может идти речь, когда в реальности в предвоенные годы в СССР предпринимались поистине титанические усилия по вооружению пехотинцев самозарядным и автоматическим индивидуальным стрелковым оружием? Еще с 20-х гг. непрерывно шли работы по созданию самозарядной (автоматической) винтовки под 7,62-мм патрон обр. 1908 г., являвшийся основным боеприпасом русской армии.

Первые конкурсные испытания автоматических винтовок состоялись уже в январе 1926 г. Лучшими были признаны винтовки Федорова, Дегтярева и Токарева, но они еще не удовлетворяли военных по надежности работы и простоте конструкции. Далее конкурсы следовали один за другим: июнь 1928 г., март 1930 г. По итогам последнего было даже принято решение о производстве опытной партии винтовок Дегтярева. Однако в 1931 г. появилась винтовка С.Г. Симонова, показавшая наилучшие результаты на испытаниях в 1935—1936 гг. По их итогам в 1936 г. винтовка Симонова была принята на вооружение под названием «АВС-36». Цена плановой закупки автоматической винтовки Си-

---

[1] *Болотин Д.Н.* Советское стрелковое оружие. М.: Воениздат, 1983. С. 113.

Эсэсовец с автоматом «ППШ» — вторым по распространенности пистолетом-пулеметом в войсках СС, Южный фас Курского выступа, июль 1943 г.

монова в 1937 г. была 1393 рубля. Именно эта винтовка была любимым дитятей военного ведомства, а не пистолет-пулемет, обладавший ничтожной дальностью стрельбы при такой же стоимости в звонкой монете. Лучше всего об этом свидетельствует статистика производства винтовок Симонова и пистолетов-пулеметов Дегтярева. Всего с 1934 г. по 1939 г. пистолетов-пулеметов «ППД» было произведено чуть более 4100 штук. Динамика производства см. выше. В то же время в 1934 г. было произведено 106 автоматических винтовок Симонова, в 1935 г. — 286, а после принятия на вооружение «АВС-36» посыпались с конвейера в количестве десятков тысяч штук. В 1937 г. было выпущено 10 280 винтовок «АВС-36», в 1938 г. — 24 401.

Однако полностью новое оружие командование Красной Армии не устраивало, и 22 мая 1938 г. был объявлен очередной конкурс на разработку самозарядной винтовки. Конкурсные испытания представленных образцов проходили с 25 августа по 3 сентября 1938 г. Победителем испытаний стала винтовка Ф.В. Токарева, которая после устранения выявленных недостатков была предъявлена на окончательные испытания 20 ноября 1938 г., заняла на них первое место и 26 февраля 1939 г. была принята на вооружение Красной Армии под названием 7,62-мм самозарядная винтовка системы Токарева обр. 1938 г. («СВТ-38»). Что характерно, именно в феврале 1939 г. было прекращено производство «ППД». Пожалуй, между этими двумя событиями — принятием на вооружение новой самозарядной винтовки и снятием с производства пистолета-пулемета — прослеживается вполне очевидная связь. Причем связь не только тактическая, но и экономическая. Цена «СВТ» массовой серии была 880 рублей — намного меньше, чем пистолета-пулемета Дегтярева.

2 июня 1939 г. Комитет обороны принимает постановление о развертывании производства винтовок Токарева. В 1939 г. по плану должны были изготовить 50 тыс. штук, в 1940 г. — 600 тыс. штук, в 1941 г. — 1,8 млн. штук и в 1942 г. — 2 млн. штук. По итогам использования в финской войне винтовка была доработана и получила наименование «СВТ-40». С 1 июля началось производство «СВТ-40» с одновременным свертыванием производства 7,62-мм винтовок обр. 1891/30 гг.

Группа бойцов на инструктаже перед боем, Юго-Западный фронт, 1941 г. У многих просматриваются самозарядные винтовки «СВТ», например у двух бойцов на переднем плане.

Здесь необходимо обратить внимание на следующее. Никто не предлагал вооружать всех поголовно сложным и дорогим оружием. Отнюдь не все солдаты стрелкового или танкового соединения непосредственно участвуют в бою. Ведут огонь по противнику только бойцы передовых подразделений — стрелковых рот и батальонов. Помимо этого, в любой дивизии есть многочисленные тыловые подразделения, артиллерийские части и части связи. Самозарядная винтовка в СССР разрабатывалась и позиционировалась как оружие частей дивизии, вступающих в непосредственное огневое столкновение с противником. Соответственно обычные 7,62-мм винтовки Мосина обр. 1891/30 гг. были оружием бойцов вспомогательных подразделений, а также связистов, артиллеристов, водителей, — одним словом, всех тех, кто по роду своей деятельности редко был вынужден использовать личное стрелковое оружие, занимаясь обслуживанием артиллерийских систем, зенитных средств, транспорта (автомашин и тракторов) и оборудования связи. Поскольку винтовок обр. 1891/30 гг. было накоплено уже довольно много, сочли целесообразным свернуть их выпуск.

Штат 1941 г.

К 1941 г. перевооружение армии новым оружием набирает обороты, позволявшее действительно массово вооружать ими армию. Отделение дивизии штата № 4/400 состояло из 11 человек. Командир отделения вооружался самозарядной винтовкой («СВТ»), ручной пулемет обслуживал пулеметчик с пистолетом или револьвером в качестве личного оружия и помощник пулеметчика с самозарядной винтовкой, два бойца в отделении вооружались пистолетами-пулеметами «ППД-40», остальные бойцы в отделении вооружались поровну обычными и самозарядными винтовками. Стрелковая рота советской стрелковой дивизии вооружалась 2 станковыми пулеметами, 27 пистолетами-пулеметами, 104 самозарядными винтовками, 2 снайперскими винтовками, 9 карабинами, 11 винтовками и 22 пистолетами или револьверами. Всего в советской стрелковой дивизии по штату № 4/400 должно было быть 1204 пистолета-пулемета. Разумеется, одними из первых в очереди на оснащение самозарядными винтовками были подвижные соединения. Например, по довоенному штату 1941 г. в танковой дивизии РККА должно было быть 3651 7,62-мм винтовка обр. 1891/30 гг., 1270 7,62-мм карабинов обр. 1938 г., 45 снайперских винтовок, 972 7,62-мм самозарядных винтовки («СВТ-40», 531 пистолет-пулемет («ППД») и 2934 пистолета и револьвера. Хорошо видно, что так же, как и в стрелковой дивизии, основную роль играют самозарядные винтовки, а пистолеты-пулеметы на вторых ролях. Так же, как у про-

Советский танковый десант, 1942 г., район Харькова.
Все бойцы вооружены пистолетами-пулеметами «ППШ».

тивников, они по одному или два на десяток бойцов вкраплены в штат. Без создания взводов, рот или даже батальонов, вооруженных этим видом оружия.

К началу Великой Отечественной войны по итогам проводившихся с середины 20-х гг. изысканий Красная Армия пришла с поставленной на поток самозарядной винтовкой для бойцов передовых подразделений. Пистолет-пулемет при этом вполне устойчиво занял нишу вспомогательного оружия. По крайней мере теоретически (по штату) Красная Армия получила перспективную и эффективную организацию и вооружение пехоты.

На дороге к «штурмгеверу»

По мысли авторов саги об «автоматчиках» немцы должны были все предвоенные годы не поднимая глаз трудиться над созданием чудо-автомата для своих «отборных головорезов». Однако в реальности с 1920-х гг. работы шли совсем в другом направлении. Получив опыт использования пистолетов-пулеметов в последний год Первой мировой войны, немецкие оружейники озадачились проблемой создания оружия, сочетающего свойства винтовки и автомата под пистолетный патрон. Путь к новому оружию пехотинца лежал через создание нового патрона. Уже в 1927 г. фирма «Рейнметалл-Борзиг» разработала промежуточный патрон 8×42,5 и оружие под этот патрон — «гевер-28» массой 4,5 кг с 20-зарядным магазином. В 1934—1935 гг. промежуточный патрон 7,75×40 выдала на гора фирма «Фольмер» (будущий разработчик «МП-38» и «МП-40»). Под новый патрон Фольмером был представлен карабин «М35» массой 4,2 кг. Дальше патроны посыпались как из рога изобилия — 8,15×46 фирмы RWS, 7,5×40 совместной разработки Вальтера и DWM. Завершился процесс после появления патрона 7,92×33 фирмы «Польте», под который в конце концов было создано «оружие пехоты для стрельбы на 800 м» (как формулировалось изначально задание). Разработка оружия под промежуточный патрон завершилась к 1942 г., когда была выпущена первая партия штурмовых винтовок, получивших вскоре название «штурмгевер-43».

Воспетый кинематографом пистолет-пулемет появился как узкоспециализированное оружие, не предназначенное для массового использования пехотинцами. В 1936 г. Управление вооружений выдало задание на разработку оружия для экипажей танков и БТР, предназначенного для самообороны в экстренных ситуациях и для стрельбы из амбразур боевых машин. Брошенную перчатку подняла фирма «Эрма», директор которой Бертольд Гайпель решил опереться на предыдущие разработки в области пистолетов-пулеметов. Результатом этих работ стал пистолет-пулемет «эрма-36», в

Идеальное оружие пехотинца Второй мировой — самозарядная винтовка. Сверху вниз: «СВТ-40», «гаранд М1», «G-41(W)».

котором были реализованы все характерные черты хорошо известного многим автомата. Впервые на пистолетах-пулеметах был использован складной приклад (без которого разворачиваться внутри танка было бы крайне затруднительно) и алюминиевый крюк под стволом для удержания оружия за край амбразуры танка или бронетранспортера. Модернизация оружия с учетом опыта войны в Испании привела к созданию «МП-38», который продолжал считаться оружием танкистов и максимум десантников. Автомат получился (для немецкой промышленности, разумеется) довольно простой и технологичный. Трудозатраты на «МП-38» составляли 18 человеко-часов, а себестоимость — всего 57 марок. Для сравнения: пистолет «вальтер П-38» требовал 13 человеко-часов при себестоимости 31 марка, а карабин «маузер 98к» — 22 человеко-часа и 70 марок. Еще более упрощенный пистолет-пулемет «МП-40» стоил всего 40 марок. Неудивительно, что этим оружием заинтересовалась армия, и пистолеты-пулеметы стали в

Настоящие немецкие «автоматчики» — солдаты вспомогательной организации Тодта, занимавшейся преимущественно строительными работами.

небольших количествах встраивать в организационную структуру пехотных и танковых соединений, вооружая ими командиров, вступающих в огневое соприкосновение с противником. Фактически унтер-офицерам и младшим офицерам просто давали нечто более мощное, чем пистолет. Одновременно возможности нового оружия оценивались вполне определенно (невысоко), и единственным местом, где можно было встретить «автоматчиков», была строительная организация Тодта. Работники кирки и лопаты на случай внезапного появления «казаков» получали дешевые «МП-40» вместо винтовок. Массовым оружием пехотинцев должны были стать (и стали в конце войны) «штурмгеверы», а до тех пор солдаты получали карабины «98К».

Поскольку война началась задолго до появления «штурмгеверов», немцы вынужденно пошли по тому же пути, что и СССР. Были разработаны, пошли в серию и включены в штаты пехотных и танковых соединений самозарядные винтовки под патрон 7,92×57 Маузер. Это были винтовки «G.41 (M)» и «G.41 (W)». Создавались они наспех, надежностью не отличались, но тем не менее были включены в штаты соединений. По штату в танковой дивизии 1943 г. должно было быть 240 самозарядных винтовок, 327 винтовок с оптическим прицелом (в том числе самозарядных), 9510 карабинов «98К» и 1141 пистолет-пулемет.

В эволюции стрелкового оружия Третьего рейха просматривается та же тенденция, что и в СССР, но с ориентацией на «промежуточный» патрон. Пехотинцу никто не хотел давать пистолет-пулемет, из которого невозможно прицельно стрелять дальше 100 метров. Бойцам первой линии в обеих странах хотели вручить дальнобойное, но автоматическое оружие.

За океаном

Единственной страной, которая смогла воплотить в жизнь идею массового дальнобойного оружия пехотинца первой линии, стали США. Отделенные от войны океаном они смогли относительно спокойно довести до ума индивидуальное оружие «G.I».

Как и в других странах, работы над новым оружием начались еще в 20-е гг. В США этим занимался конструктор, уже имевший опыт проектирования автоматических винтовок в ходе Первой мировой войны, Джон Гаранд. Он в 1920-х годах работал на американском правительственном арсенале в Спрингфилде, штат Массачусетс (Springfield Armory). Винтовка разрабатывалась под новый 7-мм патрон. Он, в отличие от немецких разработок, ни в коей мере не был промежуточным: длина гильзы составляла 64,52 мм. В 1930 г. самозарядная винтовка Гаранда получает патент, а в начале 1932 г. комиссия армии США рекомендует 7-мм винтовку Гаранда к принятию на вооружение. Но в период Великой депрессии менять оружие и патрон было сочтено непозволительной роскошью. Уже в том же 1932 г. начальник штаба армии США генерал Дуглас Мак-Артур заявляет, что переход на новый 7-мм патрон неприемлем и новые винтовки должны быть созданы под старый 7,62-мм патрон .30-06. Гаранд предвидел такой поворот событий и имел вариант своей винтовки и под .30-06. В результате различных доводок и испытаний в 1936 г. винтовка конструкции Гаранда принимается на вооружение армии США под обозначением «US rifle, .30 caliber, M1». Винтовка имела неотъемный магазин, заряжаемый из выбрасывающейся после последнего выстрела пачки. Как и в случае с советскими «АВС-36» и «СВТ-38», по мере поступления винтовки «М1» в войска начинается поток жалоб на ее ненадежность. Зачастую задержки начинались уже после 6—7 выстрелов, до израсходования одной пачки. К началу 1939 г. дело дошло до того, что Конгресс США назначил специальную комиссию по расследованию этих жалоб. Результатом работы комиссии стал приказ о доработке газоотводной системы винтовки «М1», служившей основной причиной всех проблем. Гаранд в том же 1939 г. представил улучшенную газоотводную систему. Винтовка с новой системой успешно прошла испытания, и с 1941 г. был начат выпуск винтовок «гаранд М1» уже в модифицированном виде, а винтовки более ранних выпусков переделывались под новый стандарт. Так армия США, чуть позже, чем РККА, получила на вооружение самозарядную винтовку. По штату пехотной дивизии 1940 г. полагалось 375 самозарядных винтовок, 6942 винтовки и... 35 (прописью: тридцать пять) пистолетов-пулеметов 45-го калибра (11,43 мм). Куда более распространенным оружием 45-го калибра в американской пехотной дивизии были пистолеты «М1911А1», их насчитывалось более 7 тыс. штук, даже больше, чем винтовок. Одним словом, и в США предпочитали «автоматчиков» на грядках не выращивать, сосредоточившись на самозарядных винтовках.

Реалии войны

С большим трудом выстроенная система вооружения пехоты РККА подверглась жестокому испытанию уже в первый год войны и пришла в конечном итоге совсем не к тому, что предполагали в 1930-х. Чтобы не быть голословным, попробую несколькими примерами показать эволюцию вооружения пехоты Красной Армии в ходе войны.

Для 1941 г. возьмем в качестве первого примера 3-й механизированный корпус, дислоцировавшийся в Прибалтике. Во 2-й танковой дивизии этого корпуса в июне 1941 г. было 5409 винтовок обр. 1891/30 гг., 45 снайперских винтовок, 976 самозарядных винтовок «СВТ» (даже на 4 больше, чем по штату). 5-я танковая дивизия того же корпуса вооружалась 5170 винтовками обр. 1891/30 гг., 45 снайперскими винтовками, 972 «СВТ», 507 «ППД»[1]. Аналогичную картину можно уви-

---

[1] *Коломиец М.* 1941: бои в Прибалтике. 22 июня — 10 июля. М.: Стратегия КМ, 2002. С. 12.

деть и в других округах. Например, в 19-й танковой дивизии 22-го механизированного корпуса Киевского особого военного округа на 10 июня 1941 г. числилось следующее вооружение. Наиболее массовым было оружие для кашеваров, водителей и расчетов коллективного оружия — в дивизии насчитывалось 1449 винтовок обр. 1891 г. и 3273 винтовки обр. 1891/30 гг. Снайперских винтовок было всего 26, карабинов обр. 1938 г. — 184, «ППД» — 148, а вот «СВТ» дивизия была укомплектована по штату — 972 единицы. Надо сказать, что в дивизиях, встретивших немецкое вторжение у границы, пистолетов-пулеметов было довольно много. Например, в 87-й, 124-й и 135-й стрелковых дивизиях 5-й армии Киевского особого военного округа «ППД» было соответственно 562, 265 и 422 штуки. Именно эти дивизии оказались на пути 1-й танковой группы Эвальда фон Клейста в первые дни войны. Герой боев июня 1941 г. за Рава-Русскую, 41-я стрелковая дивизия генерал-майора Г.Н. Микушева насчитывала 420 пистолетов-пулеметов «ППД» и 4128 самозарядных винтовок «СВТ». Цифры, вполне соразмеримые со штатом немецкой пехотной дивизии (767 «МП-40») по пистолетам-пулеметам. Одновременно наблюдается полное превосходство в индивидуальном полуавтоматическом оружии. Немцев в первые дни войны встретили растянутые по фронту, неотмобилизованные, но исключительно хорошо оснащенные автоматическим стрелковым оружием соединения. Новое оружие было сразу же замечено противником. Вот, например, первые впечатления от «восточного похода» солдат 16-й танковой дивизии, одного из основных участников Дубненских боев: «Вскоре 16-я танковая дивизия вошла непосредственно в район ведения боевых действий: противотанковые рвы и современно оборудованные блиндажи, искусно расположенные и умело замаскированные. Изуродованные трупы по обеим сторонам разбитой дороги. Трофейные 10-зарядные скорострельные винтовки вызывали удивление специалистов»[1]. «Русские самозарядные винтовки» охотно использовались немцами, как в частном порядке, так и после официального принятия на вооружение.

В силу неблагоприятного для Красной Армии развития событий качество вооружения советских войск неуклонно падало. Приходилось выгребать со складов наследие царя-батюшки, среди которого автоматических винтовок, аналогичных «СВТ» или «АВС», просто не было. Один из последних случаев массированного применения самозарядных винтовок относится к обороне Тулы осенью 1941. «СВТ» производились на Тульском оружейном заводе, в том числе в автоматическом варианте, и немедленно попадали в оборонявшие город войска. Один из немецких военнопленных, захваченных под Тулой, с округлившимися глазами рассказывал: «Мы не ожидали, что русские будут поголовно вооружены ручными пулеметами». Постепенно, однако, произведенные до войны «СВТ» были потеряны, а производство (до 1943 г.) велось в незначительных объемах. Если в 1941 г. была выпущена 1 031 861 винтовка «СВТ-40», то в 1942 г. — всего 264 148 штук. Все большую роль в силу своей низкой стоимости и простоты в производстве стали играть пистолеты-пулеметы «ППШ». Его цена в 1941 г. составляла 500 рублей, что уже было вполне сравнимо с ценой винтовки образца 1891/30 гг. в тот же период — 163 рубля. Это уже было заметно дешевле «СВТ». Одновременно «ППШ» был пригоден для массового выпуска на непрофильных предприятиях. «СВТ» состояла из 143 деталей, «ППШ» —

---

[1] *Werthen W.* Geschichte der 16. Panzer-Division 1939—1945. Verlag Hans-Henning Podzun. Bad Nauheim. 1958. S. 43.

из 87. К тому же значительная часть деталей самозарядной винтовки требовала сложной обработки на металлорежущих станках, в то время как на «ППШ» такие детали, как затворная коробка и ее крышка, изготавливались «по-автомобильному» — штамповкой из стального листа.

Но поначалу ситуация в войсках была даже хуже, чем летом 1941 г. В мае 1942 г. под Харьковом наследница вышеупомянутой 41-й стрелковой дивизии (вновь сформированное соединение вместо окруженного под Киевом в сентябре 1941 г.) была лишь бледной тенью дивизии Георгия Микушева образца июня 1941 г. Дивизия насчитывала 11 487 человек личного состава, вооруженных 6855 винтовками, 180 пистолетами-пулеметами, 76 ручными пулеметами. Станковых пулеметов в дивизии не было вовсе. Одним словом, жалкое зрелище.

Летом 1942 г. Красной Армией было предпринято наступление на Ржевский выступ. Перед началом боев за Ржев, 25 июля 1942 г. элитная 2-я гвардейская мотострелковая дивизия 30-й армии Калининского фронта насчитывала 8623 человека, вооруженных 5328 винтовками и 899 пистолетами-пулеметами. Ее сосед по 30-й армии, 78-я стрелковая дивизия насчитывала 5587 человек, 4407 винтовок и 386 «ППШ» и «ППД». К ноябрю 1942 г., к началу операции «Марс», среднее число пистолетов-пулеметов в стрелковых дивизиях Калининского фронта возросло до тысячи единиц. К поздней осени 1942 г. относится также введение в штат гвардейской стрелковой дивизии рот автоматчиков. По штату № 04/500 от 10 декабря 1942 г. в каждом стрелковом полку полагалось иметь две такие роты, по три взвода каждая.

К лету 1943 г. среднее число пистолетов-пулеметов в дивизиях Красной Армии возросло до 1500—2000 единиц и более. Например, 92-я гвардейская стрелковая дивизия при 9574 солдатах и офицерах вооружалась 5312 винтовками и 1852 пистолетами-пулеметами. Обычная, не гвардейская 375-я стрелковая дивизия на 8715 человек личного состава имела 5696 винтовок и 2123 пистолета-пулемета[1]. В качестве еще одного примера можно взять соединение, в котором воевал автор классических «солдатских мемуаров» «160 страниц из солдатского дневника» М.Г. Абдуллин. Интереснее всего посмотреть на состав вооружения его части после присвоения ему гвардейского звания. Летом 1943 г. дивизия М.Г. Абдуллина (66-я гвардейская) участвовала в сражении на Курской дуге. Штат гвардейского стрелкового полка предусматривал его численность в 2713 человек, вооруженных 1006 винтовками, 788 самозарядными винтовками и 344 пистолетами-пулеметами. На 10 июля, к моменту вступления в бой, 193-й гвардейский стрелковый полк дивизии, в котором воевал М.Г. Абдуллин, был укомплектован практически по штату, исключение составляли только самозарядные винтовки. Из 788 единиц по штату имелось меньше половины, 295 штук. Нехватку самозарядных винтовок восполняли автоматами «ППШ». Вместо 344 единиц по штату в 193-м гвардейском полку их было почти вдвое больше, 680 штук. Ручных пулеметов было 161, станковых 53. Основное стрелковое оружие пехотинцев двух мировых войн, винтовка, явно отставало от автоматического оружия, 7,62-мм винтовок в полку было 610 единиц из 1006 по штату. Нехватка этого вида оружия была пропорциональна некомплекту рядовых бойцов. Если офицеров в полку было даже больше штатного количества, 197 человек, то сержантов было 701 вместо 770, рядовых — 1321 вместо 1748 человек[2].

После боев под Курском дивизия М.Г. Абдуллина

---

[1] Военно-исторический архив. № 10 (34). 2002. С. 47.
[2] ЦАМО РФ. Ф. 1197. Оп. 1. Д. 55. Л. 2.

участвовала в форсировании Днепра. К реке соединение вышло уже основательно потрепанным и понесло потери в ходе самого форсирования. На 9 октября 1943 г. вместо 10 596 человек по штату в дивизии насчитывалось всего 3756 человек. В 193-м гвардейском стрелковом полку вместо 2713 человек по штату было всего 609. Полк превратился в батальон, но наполовину состоявший из офицеров и сержантов. Из 609 человек 141 были офицерами, 172 — сержантами и меньше половины, 296 человек, рядовыми. Вооружался этот офицерско-сержантский батальон преимущественно автоматическим оружием. Винтовок было всего 240, пистолетов-пулеметов «ППШ» — 259, самозарядных винтовок — 26, 7 ручных и 4 станковых пулемета.

Таким образом, в 1943 г. советский пехотинец приобрел тот вид, в котором вошел в историю на кадрах кинохроники и памятниках в городах и селах: плащ-палатка, каска обр. 1940 г. и «ППШ-41». Было ли это адекватной заменой модели 1941 г. — самозарядные винтовки плюс пистолеты-пулеметы? Пожалуй, ответ будет отрицательным. Значительная часть бойцов сознательно исключалась из боя на дальних дистанциях. В атаке они вели огонь больше для собственной психологической поддержки.

Жестокие реалии войны, когда в «котлах» перемалывались целые армии, а на обучение пополнения катастрофически не хватало времени, вынуждали советское руководство делать ставку на простое и дешевое оружие. Только США имели и технические и экономические возможности производства самозарядных винтовок. В ходе Второй мировой войны общий выпуск винтовки «гаранд М1» составил порядка 4 миллионов штук, ненамного меньше, чем выпуск пистолетов-пулеметов «ППШ» в СССР.

После войны

Нам хорошо известна линия развития отечественного стрелкового оружия и в какой-то мере — оружия вермахта. И в том, и в другом случае имело место создание так называемого «промежуточного патрона» и автомата под этот патрон. Однако в США и других странах образовавшегося с началом войны блока НАТО шли совсем другим путем. Вместо промежуточного был разработан новый... винтовочный патрон. Почему винтовочный? См. табл. 1.

Таблица 1

**Сравнительные характеристики
патронов пехотного оружия**

Патрон	Длина гильзы, мм	Вес пули, г	Начальная скорость пули, м/с	Дульная энергия, Дж
7,62×51 НАТО М80	51,05	9,65	854	3519
7,62×54R (тяжелая пуля)	53,6	11,98	804	3814
7,92×57 «маузер»	57	12,85	737	3490
7,62×39 обр. 1943 г.	38,65	7,97	710	2010

Хорошо видно, что патрон 7,62×51 НАТО по своим характеристикам гораздо ближе к винтовочным патронам (отечественным обр. 1908 г. и немецкому 7,92×57) и не имеет ничего общего с классикой «промежуточного» жанра — отечественным патроном обр. 1939 г., под который был разработан «АК-47». С применением новых порохов и технологий был создан довольно компактный, но все же чисто винтовочный патрон. Характерным образцом оружия под 7,62×51 является бельгийская

Бельгийская штурмовая винтовка «FN FAL» — идейный
и технический наследник советской самозарядки «СВТ-40».

автоматическая винтовка «FN FAL» (Fusil Automatique
Legere — «легкая автоматическая винтовка»). Она разрабатывалась в 1946—1948 гг. оружейной фирмой
«Fabrique Nationale Darmes de Guerre (FN)» и несет в
себе немало черт нашей «СВТ-40». Узлы запирания «FN
FAL» и «СВТ» практически идентичны. В 1952—1953 гг.
«FN FAL» приобрела свой окончательный вид после пе-
репроектирования под патрон 7,62×51. В 1956 г. винтовка была принята на вооружение бельгийской армии
и начала свое победное шествие по армиям разных
стран мира. Сегодня, спустя полвека после создания,
она состоит на вооружении 80 стран мира, в 12 странах «FN FAL» производят по лицензии. В США под новый патрон была разработана винтовка «М14», фактически являющаяся модернизированным вариантом
винтовки «гаранд М1». С винтовками «М14» солдаты
армии США вступили во Вьетнам, нам она хорошо зна-
кома по голливудским фильмам: именно с «М14» уп-
ражняются перед отправкой во Вьетнам Форрест Гамп
и герои «Цельнометаллической оболочки» Стэнли Куб-
рика. В ФРГ, несмотря на наследие проклятого прошлого в лице доставшихся от Третьего рейха патрона
Польте 7,92×33 и автоматов «SG-43» («штурмгевер»),

на фирме «Хеклер Кох» была разработана и принята на вооружение автоматическая винтовка под 7,62×51 НАТО — «G3». «Гевер драй» не имела ничего общего с «штурмгевером» панцергренадеров танковых дивизий вермахта и была куда ближе к «СВТ-40» и «гаранду M1». Устоявшейся практикой использования штурмовых винтовок так называемого первого послевоенного поколения под патрон 7,62×51 НАТО было их применение как самозарядных. Ведение автоматического огня допускалось только в крайних случаях. А во многих странах эти винтовки вообще не имели режима автоматического огня — для этого предназначались специальные модификации таких винтовок с утяжеленными стволами, сошками и, как правило, магазинами увеличенной емкости. Последние фактически являлись ручными пулеметами. Таким образом, после войны была реализована на новом техническом и технологическом уровне идея, которую не сумели воплотить в жизнь перед войной в СССР, — массовая автоматическая винтовка под винтовочный патрон.

* * *

Весьма часто мемуарная и историческая литература носит характер оправданий за что-либо сделанное или, напротив, не сделанное. Одним из самых распространенных приемов в оправдательных рассуждениях является «А я же предупреждал!», хотя в реальности ничего подобного по документам не прослеживается. Советская историческая наука, к сожалению, находилась под идеологическим прессингом, и главной ее задачей было доказать, что сложившаяся в ходе войны ситуация была оптимальным вариантом развития событий. Если положение дел на 1941 г. предавалось анафеме, то в отношении 1943—1945 гг. нужда выдавалась за добродетель. Один раз выдвинув тезис, что насыщение Красной Армии пистолетами-пулеметами есть единственно верный путь, историки и мемуаристы вынуждены были следующим шагом объяснять предвоенные изыски заблуждениями и волюнтаризмом, забывая о колоссальной работе по созданию и постановке на поток самозарядных винтовок Токарева и Симонова. Самозарядные винтовки были наилучшим вооружением пехотинца первой линии, хотя реализовать в полной мере эту идею удалось только в США. После войны именно этот тип оружия пехоты стал наиболее распространенным в странах НАТО. Пистолеты-пулеметы играли вспомогательную роль, как это, впрочем, и предсказывали в 1930-е. В большинстве стран пистолеты-пулеметы были точечно вкраплены в пехотные подразделения. Многие из них тихо ездили в укладках боевых машин, практически не применяясь в бою. Насыщение Красной Армии оружием этого типа в ходе Великой Отечественной было вынужденной мерой, призванной компенсировать отсутствие дорогих и сложных автоматических и самозарядных винтовок. В какой-то мере это было оправдано общим снижением значения оружия пехотинца в большой войне, а также последними всполохами массовой позиционной войны под Ржевом и Любанью, а также боями в городских условиях (Сталинград). Самозарядная винтовка Токарева осталась почти забытой легендой. Только иногда мелькающие по ТВ солдаты «азиатских тигров» и чернокожие бойцы очередного «фронта освобождения» с вытертыми до блеска «FN FAL» напоминают о том, что могло получиться, если бы война повременила.

Глава 5

С шашками на танки

«По крупповской броне...»

Началось все с высокомерной фразы в мемуарах Гейнца Гудериана «Воспоминания солдата»: «Польская поморская кавалерийская бригада из-за незнания конструктивных данных и способов действий наших танков атаковала их с холодным оружием и понесла чудовищные потери»[1]. Слова эти были поняты буквально и творчески развиты в художественной литературе: «По крупповский броне звонко стучали клинки отважных варшавских жолнеров, об эту же броню ломались пики польской кавалерии. Под гусеницами танков погибло все живое...»[2]. Кавалеристы стали представляться какими-то буйнопомешанными, бросающимися в конном строю на танки с шашками и пиками. Бой мифических «жолнеров» с танками Гудериана стал символом победы техники над устаревшим оружием и тактикой. Такие атаки стали приписывать не только полякам, но и конникам Красной Армии, даже изображать рубку шашками танков на киноленте. Очевидная странность такого действия: солдат и офицер 1930-х гг. — это не пришед-

---

[1] *Гудериан Г.* Воспоминания солдата. Смоленск: Русич, 1999. С. 98—99.
[2] *Пикуль В.С.* Площадь павших борцов. М.: Голос, 1996. С. 51.

ший из глубины веков монгол и даже не крестоносец. Будучи в здравом уме и твердой памяти, не станет пытаться рубить металлические предметы шашкой. Это хотя и бросалось в глаза, но не объяснялось. Кавалеристы надолго получили клеймо отважных, но туповатых дикарей, не знакомых со свойствами современной техники.

Следующим шагом стало обличение кавалерии Красной Армии и кавалеристов в руководстве советских вооруженных сил. Тот же Пикуль с недетской яростью набрасывается на кавалеристов:

«Все это было, к великому сожалению. «Моторизация» — на словах, а на деле — кобыла в упряжке. Между тем адептов верховой езды было немало, и Буденный открыто возвещал:

— А что? Лошадь да тачанка еще себя покажут...

Другой апостол лошадиной тактики, Ефим Щаденко, будучи замнаркома, подпевал кремлевской кавалерии в газете «Правда»:

«Сталин как великий стратег и организатор классовых битв правильно оценил в свое время конницу, он коллективизировал ее, сделал массовой, и вместе с К.Е. Ворошиловым он вырастил лошадь на горе врагам пролетарской революции...»[1].

Учитывая популярность романиста Пикуля в 70—80-х, нетрудно себе представить масштабы распространения взглядов советского писателя-мариниста на кавалерию среди масс его читателей. Фраза «Лошадь да тачанка еще себя покажут...» стала крылатой. Она характеризовала не только С.М. Буденного лично, но и всю Красную Армию предвоенного периода.

Если моряку Валентину Пикулю еще было простительно поливать помоями кавалерию в художествен-

---

[1] *Пикуль В.С.* Площадь павших борцов. М.: Голос, 1996. С. 58.

ном произведении, то повторение аналогичных фраз в научных и даже научно-популярных работах было совсем уж удивительно. Характерный пример: «В предвоенные годы среди советского командования имела место **переоценка роли кавалерии** в современной войне. В то время как основные капиталистические государства значительно сократили конницу своих армий, у нас она численно выросла. Выступая с докладом «XX лет Рабоче-Крестьянской Красной Армии и Военно-Морского Флота», нарком обороны К.Е. Ворошилов говорил: «Конница во всех армиях мира переживает кризис и во многих армиях почти что сошла на нет. Мы стоим на иной точке зрения. Мы убеждены, что наша доблестная конница еще не раз заставит о себе говорить как о мощной и непобедимой Красной кавалерии. Красная кавалерия по-прежнему является победоносной и сокрушающей вооруженной силой и может и будет решать большие задачи на всех боевых фронтах»[1].

Полнейшего экстаза вакханалия унижения кавалерии достигла в 90-х. Идеологические шоры пали, и всяк, кому не лень, счел нужным продемонстрировать свой «профессионализм» и «прогрессивные взгляды». Ранее вполне адекватно оценивавший роль кавалерии (видимо, под влиянием указок из ЦК), известный отечественный исследователь начального периода войны В.А. Анфилов перешел к откровенному глумлению. Он пишет: «Согласно поговорке «У кого что болит, тот про то и говорит», генерал-инспектор кавалерии Красной Армии генерал-полковник О.И. Городовиков говорил о роли кавалерии в обороне...»[2]. Дальше — больше. Пролистав несколько страниц того же произведения, с

[1] *Хорьков А.Г.* Грозовой июнь. М.: Воениздат, 1991. С. 41.
[2] *Анфилов В.А.* Грозное лето 41-го года. М.: Издательский центр Анкил-Воин, 1995. С. 48.

Кавалеристы на параде. Минск, 1941 г. У воспитанного на «с шашками на танки» человека это фото вызовет только кислую мину. Однако кавалерийские корпуса были одними из наиболее боеспособных соединений Красной Армии.

удивлением читаем о выступлении С.К. Тимошенко на совещании командного состава в декабре 1940 г. такой комментарий Виктора Александровича: «Не мог, конечно, бывший начальник дивизии в Конной армии Буденного не воздать должное кавалерии. «Конница в современной войне занимает важное место среди основных родов войск, — вопреки здравому смыслу заявил он, — хотя о ней здесь, на нашем совещании, мало говорили (правильно поступали. — *Авт.*). На наших обширных театрах конница найдет широкое применение в решении важнейших задач развития успеха и преследования противника, после того как фронт прорван»[1]. Особенно радует «глубокомысленное» замеча-

---

[1] *Анфилов В.А.* Указ. соч. С. 56.

ние — «правильно поступали». Критики конницы были последовательны и, помимо дикости и отсталости, обвинили кавалеристов в изничтожении передовых родов войск: «Не так давно Кулик собрал всех кавалеристов, и они совместно постановили расформировать танковые корпуса»[1]. Вспоминается бессмертное:

«— ...и на развалинах часовни...

— А что, часовню тоже я разрушил?»

А был ли мальчик?

Тезис о переоценке роли конницы в СССР попросту не соответствует действительности. В предвоенные годы удельный вес кавалерийских соединений постоянно снижался.

Документом, вполне однозначно характеризующим планы развития кавалерии в РККА, является доклад народного комиссара обороны в ЦК ВКП(б), датируемый осенью 1937 г., о перспективном плане развития РККА в 1938—1942 гг. Цитирую:

«а) Состав конницы в мирное время к 1.01.1938. Конница в мирное время (к 1.01.1938) состоит из: 2 кавалерийских дивизий (из них 5 горных и 3 территориальные), отдельных кавалерийских бригад, одного отдельного и 8 запасных кавалерийских полков и 7 управлений кавалерийских корпусов. Численность конницы мирного времени на 1.01.1938 — 95 690 человек.

б) Организационные мероприятия по коннице 1938—1942 гг.

В 1938 году:

а) число кавалерийских дивизий предлагается **со-**

---

[1] *Пикуль В.* Указ. соч. С. 58.

кратить на 7 (с 32 до 25), расформировав 7 кавалерийских дивизий с использованием их кадров для пополнения остающихся дивизий и для усиления механизированных войск и артиллерии;

б) **расформировать** два управления кав[алерийских] корпусов;

в) **расформировать** два запасных кав[алерийских] полка;

г) в 3 кав[алерийских] корпусах сформировать по одному зенитному артиллерийскому дивизиону (425 человек каждый);

д) **сократить** состав кавалерийской дивизии с 6600 человек до 5900 человек;

е) кавалерийские дивизии ОКДВА (2) оставить в усиленном составе (6800 человек). Численность горных кавалерийских дивизий иметь — 2620 человек»[1].

Количество управлений кавалерийских корпусов уменьшалось до 5, кавалерийских дивизий — до 18 (из них 4 на Дальнем Востоке), горных кавалерийских дивизий — до 5 и казачьих (территориальных) кавалерийских дивизий — до 2. В результате предложенных преобразований «конница по мирному времени в результате реорганизации сокращается на 57 130 человек и будет иметь в своем составе 138 560 человек» (там же).

Невооруженным глазом видно, что документ целиком состоит из предложений вида «сократить» и «расформировать». Может быть, после богатого на репрессии в армии 1938 г. эти разумные со всех сторон планы были преданы забвению? Ничего подобного, процесс расформирования кавалерийских корпусов и сокращения конницы в целом шел не останавливаясь.

---

[1] 1941 год. В 2 кн. Кн. 2. М.: Международный фонд «Демократия», 1998. С. 536.

Осенью 1939 г. планы сокращения конницы получили свое практическое воплощение. Утвержденное правительством предложение Народного комиссариата обороны от 21 ноября 1939 г. предусматривало наличие пяти кавалерийских корпусов в составе 24 кавалерийских дивизий, 2 отдельных кавалерийских бригад и 6 запасных кавалерийских полков. По предложению НКО от 4 июля 1940 г. число кавалерийских корпусов сокращалось до трех, число кавалерийских дивизий — до двадцати, бригада оставалась одна и запасных полков — пять. И этот процесс продолжался до весны 1941 г. В итоге из имевшихся в СССР к 1938 г. 32 кавалерийских дивизий и 7 управлений корпусов к началу войны осталось 4 корпуса и 13 кавалерийских дивизий. Кавалерийские соединения переформировывались в механизированные. В частности, такая судьба постигла 4-й кавалерийский корпус, управление и 34-я дивизия которого стали основой для 8-го механизированного корпуса. Командир кавалерийского корпуса генерал-лейтенант Дмитрий Иванович Рябышев возглавил механизированный корпус и повел его в июне 1941 г. в бой против немецких танков под Дубно.

Теория

Теорией боевого применения конницы в СССР занимались вполне трезво смотревшие на вещи люди. Это, например, бывший кавалерист царской армии, ставший в СССР начальником Генерального штаба, Борис Михайлович Шапошников. Именно его перу принадлежит теория, ставшая основой практики боевого применения конницы в СССР. Это был труд «Конница (кавалерийские очерки)» 1923 г., ставший первым большим научным исследованием по тактике кавалерии, вышедшим после Гражданской войны. Работа Б.М. Шапошникова вызвала большую дискуссию на совещаниях кавалерийских начальников и в печати: сохраняет ли конница в современных условиях свое прежнее значение или является лишь «ездящей пехотой».

Борис Михайлович вполне вразумительно обрисовал роль конницы в новых условиях и мероприятия по ее приспособлению к этим условиям:

«Изменения, вносимые под влиянием современного оружия в деятельность и устройство конницы, сводятся:

В тактике. Современное могущество огня затруднило до крайности ведение конного боя конницей, сводя его к исключительным и редким случаям. Нормальным видом боя конницы является комбинированный бой, причем конница не должна выжидать действий исключительно в конном строю, а, завязывая стрелковый бой, должна вести его с полным напряжением, стремясь им разрешить задачи, если обстановка не благоприятствует производству конных атак. Конный и пеший бои являются равноценными способами действий конницы наших дней.

В стратегии. Мощность, губительность и дальность современного оружия затруднили оперативную работу конницы, но не уменьшили ее значения и, наоборот, в ней открывают для конницы истинное поле успешной деятельности как самостоятельного рода войск. Однако успешная оперативная работа конницы будет возможна лишь тогда, когда конница в своей тактической деятельности проявит самостоятельность в решении задач в соответствии с современной обстановкой ведения боя, не уклоняясь от решительных действий в пешем строю.

В организации. Борьба с современным вооружением на поле боя, приближая таковую в коннице к пехотным действиям, требует изменения в организации конницы ближе к пехотной, намечая численное увеличение соединений конницы и подразделение последних для пешего боя аналогично принятому в пехотных частях. Придача коннице пехотных частей, хотя бы и быстро передвигающихся, является паллиативом — конница должна самостоятельно вести борьбу с пехотой противника, одерживая собственными силами успех, дабы не ограничивать своей оперативной подвижности.

В вооружении. Современное могущество огнестрельного оружия для борьбы с ним требует наличия в коннице такого же могущественного огнестрельного оружия. В силу этого «бронированная конница» наших дней должна принять на вооружение своих всадников винтовки со штыком, аналогичные пехотным, револьвер, ручные гранаты и автоматические ружья; увеличить число пулеметов как в дивизионных, так и полковых командах, усилить артиллерию, как в числе, так и в калибре, введя обязательно гаубицу и зенитные орудия; усилить себя придачей автоброневых средств с пушками и пулеметами, легкими автомобилями с теми же средствами огня, танками и содействием огня воздушных эскадрилий»[1].

Заметим, что высказанное по горячим следам после Гражданской войны (1923 г.) мнение ни в коей мере не оказалось под воздействием эйфории от применения конницы в 1918—1920 гг. Задачи и область применения кавалерии вполне четко очерчены и определены.

Показательно также мнение С.М. Буденного, представляемого часто матерым тупым кавалеристом, врагом механизации армии. На самом деле его позиция по роли кавалерии в войне была более чем взвешенной: «Причины возвышения или упадка конницы следует искать в отношении основных свойств этого рода войск к основным данным обстановки определенного

---

[1] *Шапошников Б.* Конница (кавалерийские очерки). М.: Высший Военный редакционный Совет. Изд. 2-е, 1923. С. 117.

исторического периода. Во всех случаях, когда война приобретала маневренный характер и оперативная обстановка требовала наличия подвижных войск и решительных действий, конные массы становились одним из решающих элементов вооруженной силы. Это проявляется известной закономерностью во всей истории конницы; как только развертывалась возможность маневренной войны, роль конницы сейчас же повышалась и ее ударами завершались те или другие операции»[1]. Семен Михайлович указывает на область применения кавалерии — маневренная война, условия для которой могут возникнуть на любом этапе исторического развития тактики и техники. Конница для него не символ, вынесенный из Гражданской, но отвечающее современным условиям средство ведения войны: «Мы упорно боремся за сохранение мощной самостоятельной Красной конницы и за дальнейшее ее усиление исключительно потому, что трезвая, реальная оценка обстановки убеждает нас в несомненной необходимости иметь такую конницу в системе наших Вооруженных сил»[2].

Никакого возвеличивания конницы не наблюдается. «Лошадь еще себя покажет» является плодом анализа текущего состояния Вооруженных сил СССР и его вероятных противников.

Что говорят документы?

Если обратиться от теоретических изысканий к документам, предпочтительный вариант действий конницы становится вполне однозначным. Боевой устав кавалерии предписывал наступление в конном строю только

---

[1] Вопросы тактики в советских военных трудах (1917—1940 гг.). М.: Воениздат, 1970. С. 180.
[2] Там же. С. 181.

в случае, если «обстановка благоприятствует (есть укрытия, слабость или отсутствие огня противника)»[1]. Основной программный документ Красной Армии 30-х годов, Полевой устав РККА 1936 г. гласил: «Сила современного огня часто потребует от конницы ведения пешего боя. Конница поэтому должна быть готова к действиям в пешем строю»[2]. Почти слово в слово эта фраза была повторена в Полевом уставе 1939 г. Как мы видим, в общем случае кавалеристы должны были атаковать в пешем строю, используя лошадь только в качестве транспортного средства.

Естественно, вводились в правила применения конницы новые средства борьбы. Полевой устав 1939 г. указывал на необходимость использования кавалерии совместно с техническими новинками: «Наиболее целесообразно использование кавалерийских соединений совместно с танковыми соединениями, моторизованной пехотой и авиацией — впереди фронта (в случае отсутствия соприкосновения с противником), на заходящем фланге, в развитии прорыва, в тылу противника, в рейдах и преследовании. Кавалерийские соединения способны закрепить свой успех и удержать местность. Однако при первой возможности их нужно освобождать от выполнения этой задачи, чтобы сохранить их для маневра. Действия кавалерийского соединения должны быть во всех случаях надежно прикрыты с воздуха»[3].

---

[1] Боевой устав конницы РККА (БУК-38). М.: Воениздат, 1938 г. Часть 1, С. 82.
[2] Временный Полевой устав 1936 г. (ПУ-36). М.: Государственное военное издательство наркомата обороны СССР, 1937. С. 13.
[3] Полевой устав РККА (ПУ-39). М.: Государственное военное издательство наркомата обороны СССР, 1939. С. 29.

Практика

Может быть, все эти фразы предавались забвению на практике? Предоставим слово ветеранам-кавалеристам. Иван Александрович Якушин, лейтенант, командир противотанкового взвода 24-го гвардейского кавалерийского полка 5-й гвардейской кавалерийской дивизии, вспоминал: «Как действовала кавалерия в Отечественную войну? Лошадей использовали как средство передвижения. Были, конечно, и бои в конном строю — сабельные атаки, но это редко. Если противник сильный, сидя на коне, с ним не справиться, то дается команда спешиться, коноводы забирают коней и уходят. А конники работают как пехота. Каждый коновод забирал лошадей пять с собой и отводил их в безопасное место. Так что на эскадрон приходилось несколько человек коноводов. Иногда командир эскадрона говорил: «Оставить на весь эскадрон двоих коноводов, а остальные в цепь, помогать». Нашли свое место на войне и сохранившиеся в советской коннице пулеметные тачанки. Иван Александрович вспоминает: «Тачанки тоже использовались только как средство передвижения. При конных атаках они действительно разворачивались и, как в Гражданскую войну, шпарили, но это было нечасто. [...] А как завязался бой, так пулемет с тачанки снимают, коноводы коней уводят, тачанка тоже уходит, а пулемет остается».

Н.Л. Дупак (8-я гвардейская кавалерийская Ровенская Краснознаменная ордена Суворова дивизия имени Морозова) вспоминает: «В атаку в конном строю я ходил только в училище, а так чтобы рубить — нет, и с кавалерией противника встречаться не приходилось. В училище были такие ученые лошади, что, даже заслышав жалкое «ура», они уже рвались вперед, и их только сдерживай. Храпят... Нет, не приходилось. Воевали

143

спешившись. Коноводы отводили лошадей в укрытия. Правда, часто жестоко за это расплачивались, поскольку немцы, бывало, обстреливали их из минометов. Коновод был один на отделение из 11 лошадей»[1].

Тактически кавалерия была ближе всего к мотопехотным частям и соединениям. Моторизованная пехота на марше передвигалась на автомашинах, а в бою — на своих двоих. При этом никто не рассказывает нам страшные сказки о грузовиках с пехотинцами, таранящих танки и стучащих бамперами в «крупповскую сталь». Механизм боевого применения мотопехоты и кавалерии во Второй мировой войне был весьма похожим. В первом случае пехотинцы перед боем высаживались с грузовиков, водители отгоняли машины в укрытия. Во втором случае кавалеристы спешивались, а в укрытия отгонялись лошади. Область применения атаки в конном строю напоминала условия использования БТРов вроде немецкого «ганомага» — система огня противника расстроена, его моральный дух низок. Во всех остальных случаях кавалерия в конном строю и БТРы на поле боя не появлялись. И советские кавалеристы с шашками наголо, и атакующие на гробообразных «ганомагах» немцы не более чем кинематографический штамп. Броня БТРов предназначалась для защиты от осколков дальнобойной артиллерии на исходных позициях, а не на поле боя.

Кто стучал по крупповской броне

Когда перед нами выстраивается теория и практика боевого применения кавалерии в новых условиях, возникает законный вопрос: «А что с поляками? Кто стучал

---

[1] http://iremember.ru.

Польская кавалерия на марше, 1939 г.

саблями по танкам?» На самом деле польская кавалерия по тактике своего применения ничем не отличалась от советской конницы тех лет. Более того, в польской кавалерии конная атака не являлась регламентированным видом боевых действий. Согласно «Общей инструкции для боя» 1930 г., кавалерия должна была совершать марши в конном строю, а сражаться — в пешем. На практике, разумеется, встречались исключения. Например, если противник застигнут врасплох или деморализован. Ожидать каких-либо безумств от кавалерии с таким уставом не приходится.

Главным героем упомянутого Гудерианом эпизода (вошедшего в историю как бой под Кроянтами) стал польский 18-й Поморский уланский полк. Этот полк был образован 25 июня 1919 г. в Познани под именем 4-го Надвислянского уланского, а с февраля 1920 г. стал 18-м Поморским. 22 августа 1939 г. полк получил приказ о мобилизации, которая завершилась менее чем за неделю до войны, 25 августа. После мобилизации полк насчитывал 35 офицеров, более 800 подофицеров и рядовых, 850 лошадей, два 37-мм противотанковых орудия Бофорса (по штату их должно было быть вдвое больше), двенадцать 7,92-мм ПТР Марошека обр. 1935 г., двенадцать станковых пулеметов и восемнадцать ручных пулеметов. Новинками века «войны моторов» стали 2 мотоцикла с колясками и 2 радиостанции. Вскоре полк был усилен батареей 11-го конно-артиллерийского дивизиона. Батарея насчитывала 180 артиллеристов, 248 лошадей, четыре 75-мм пушки с боекомплектом из 1440 снарядов и два тяжелых пулемета.

Полк поморских улан встретил утро 1 сентября 1939 г. на границе и первую половину дня вел вполне традиционный оборонительный бой. Во второй половине дня кавалеристы получили приказ нанести контрудар и, воспользовавшись переходом противника вследствие этого удара к обороне, отступить назад. Для контрудара был выделен маневренный отряд (1-й и 2-й эскадроны и два взвода 3-го и 4-го эскадронов), он должен был выйти к 19.00 в тыл немецкой пехоте, атаковать ее, а затем отступить к линии укреплений в районе местечка Рытель, занятых польской пехотой.

Однако обходной маневр привел к неожиданным для обеих сторон результатам. Головная застава отряда обнаружила батальон немецкой пехоты, находившийся на привале в 300—400 м от опушки леса. Поляки решили атаковать этого противника в конном строю, используя эффект внезапности. По старинной команде «szable dlon!» (сабли вон!) уланы быстро и слаженно обнажили клинки, заблиставшие в красных лучах заходящего солнца. В атаке участвовал командир 18-го полка полковник Масталеж. Повинуясь сигналу трубы, уланы стремительно понеслись на врага. Расчет на внезапность атаки оказался верным: не ожидавшие атаки немцы в панике бросились врассыпную по полю. Кавалеристы беспощадно рубили бегущих пехотинцев саблями.

Прервали триумф кавалерии скрытые доселе в лесу бронемашины. Выехав из-за деревьев, эти бронемашины открыли пулеметный огонь. Помимо бронеавтомобиля, огонь открыло также одно орудие немцев. Теперь по полю под смертоносным огнем заметались поляки.

Понеся большие потери, кавалеристы отступили за ближайший лесистый гребень, где собралась едва ли половина участвовавших в атаке всадников. Однако потери в кавалерийской атаке были намного меньше, чем можно себе представить из описания боя. Были убиты три офицера (включая командира полка полковника Масталежа) и 23 улана, один офицер и около 50 улан были тяжело ранены. Большую часть потерь 18-го уланского полка за 1 сентября 1939 г., составивших до 60% людей, семь пулеметов, два противотанковых орудия, полк понес в общевойсковом оборонительном бою. Слова же Гудериана не имеют в данном случае ничего общего с действительностью. Польские кавалеристы не атаковали танки, а сами подверглись атаке бронемашин в процессе рубки зазевавшегося батальона. В аналогичной ситуации обычная пехота или спешенная кавалерия понесла бы вполне сравнимые потери. Более того, ситуация с фланговым обстрелом из орудия могла стать пикантной и для выехавшего на поле взвода танков. История с рубкой крупповской брони оказывается выдумкой от начала и до конца.

1941 г. Птица Феникс Красной Армии

После всех сокращений кавалерия РККА встретила войну в составе 4 корпусов и 13 кавалерийских дивизий. Штатно кавалерийские дивизии 1941 г. имели четыре кавалерийских полка, конно-артиллерийский дивизион (восемь 76-мм пушек и восемь 122-мм гаубиц), танковый полк (64 танка «БТ»), зенитный дивизион (восемь 76-мм зенитных орудий и две батареи зенитных пулеметов), эскадрон связи, саперный эскадрон и др. тыловые части и учреждения. Кавалерийский полк, в свою очередь, состоял из четырех сабельных эскадронов, пулеметного эскадрона (16 станковых пулеметов и четыре 82-мм миномета), полковой артиллерии (четыре 76-мм и четыре 45-мм орудия), зенитной батареи (три 37-мм орудия и три счетверенных «максима»). Общая штатная численность кавалерийской дивизии составляла 8968 человек и 7625 лошадей, кавалерийского полка соответственно 1428 человек и 1506 лошадей. Кавалерийский корпус двухдивизионного состава примерно соответствовал моторизованной дивизии, обладая несколько меньшей подвижностью и меньшим весом артиллерийского залпа.

В июне 1941 г. в Киевском особом военном округе дислоцировался 5-й кавалерийский корпус в составе 3-й Бессарабской им. Г.И. Котовского и 14-й им. Пархоменко кавалерийских дивизий, в Одесском округе находился 2-й кавалерийский корпус в составе 5-й им. М.Ф. Блинова и 9-й Крымской кавалерийских дивизий. Все эти соединения были старыми соединениями РККА с устойчивыми боевыми традициями.

Кавалерийские корпуса оказались самыми устойчивыми соединениями Красной Армии в 1941 г. В отличие от корпусов механизированных, они смогли выжить в бесконечных отступлениях и окружениях 1941 г. Кавалерийские корпуса П.А. Белова и Ф.В. Камкова стали «пожарной командой» Юго-Западного направления. Первый позднее участвовал в попытке деблокирования киевского «котла». Гудериан написал об этих событиях следующее: «18 сентября сложилась критическая обстановка в районе Ромны. Рано утром на восточном фланге был слышен шум боя, который в течение последующего времени все более усиливался. Свежие силы противника — 9-я кавалерийская дивизия и еще одна дивизия совместно с танками — наступали с востока на Ромны тремя колоннами, подойдя к городу на расстояние 800 м. С высокой башни тюрьмы, расположенной на окраине города, я имел возможность хорошо наблюдать, как противник наступал, 24-му танковому корпусу было поручено отразить наступление противника. Для выполнения этой задачи корпус имел в своем распоряжении два батальона 10-й мотодивизии и несколько зенитных батарей. Из-за превосходства авиации противника наша воздушная разведка находилась в тяжелом состоянии. Подполковник фон Барсевиш, лично вылетевший на разведку, с трудом ускользнул от русских истребителей. Затем последовал налет авиации противника на Ромны. В конце концов нам все же удалось удержать в своих руках город Ромны и передовой командный пункт. [...] Угрожаемое положение города Ромны вынудило меня 19 сентября перевести свой командный пункт обратно в Конотоп. Генерал фон Гейер облегчил нам принятие этого решения своей радиограммой, в которой он писал: «Перевод командного пункта из Ромны не будет истолкован войсками как проявление трусости со стороны командования танковой группы»[1]. На этот раз у Гудериана не прослеживается никакого излишнего презрения относительно атакующих кавалеристов. Ромны не стали последним сражением 2-го кавалерийского корпуса. Поздней осенью 1941 г. корпус П.А. Белова

---

[1] *Гудериан Г.* Указ. соч. С. 299—300.

На защиту столицы. Кавалеристы на улицах Москвы, зима 1941—1942 гг.

сыграл важную роль в битве под Москвой, где получил звание гвардейского.

В начале июля 1941 г. в лагерях у станицы Урупской и под Ставрополем началось формирование 50-й и 53-й кавалерийских дивизий. Основной кадровый состав дивизий составляли призывники и добровольцы кубанских станиц Прочноокопская, Лабинская, Курганная, Советская, Вознесенская, Отрадная, терские казаки ставропольских сел Труновское, Изобильное, Усть-Джегутинское, Ново-Михайловское, Троицкое. 13 июля 1941 г. началась погрузка в эшелоны. Командиром 50-й дивизии был назначен полковник Исса Александрович Плиев, 53-й — комбриг Кондрат Семенович Мельник. 18 июля 1941 г. дивизии разгрузились на станции Старая Торопа, западнее Ржева. Так началась история еще одного легендарного кавалерийского корпуса — 2-го гвардейского Л.М. Доватора. Не только проверенные

Охотники на крупповскую броню. Расчет ПТР 5-го гвардейского кавалерийского корпуса на марше, на седле закреплено 14,5-мм противотанковое ружье Дегтярева. (Фронтовая иллюстрация)

соединения с давними боевыми традициями завоевывали гвардейские звания, но и свежесформированные корпуса и дивизии. Причину этого, пожалуй, стоит искать в необходимом каждому кавалеристу уровне физической подготовки, который неизбежно оказывал воздействие и на моральные качества бойца.

1942 г. Вместо прорыва — рейд

В 1942 г. советская кавалерия пережила пик своего экстенсивного развития. В начале 1942 г. число кавалерийских соединений резко подскочило вверх. В табл. 2 хорошо видно возрастание числа кавалерийских корпусов (кк), кавалерийских дивизий (кд) в начале года и постепенная стабилизация к осени 1942 г. Для сравнения дана численность стрелковых соединений (сд).

Таблица 2

**Динамика численности кавалерийских
соединений РККА в 1942 г.***

	январь	февраль	март	апрель	май	июнь	июль	август	сентябрь	октябрь	ноябрь	декабрь
кк	7	17	17	15	14	13	12	10	9	9	9	10
кд	82	87	86	68	60	53	46	37	32	32	31	31
сд	389	391	407	425	433	426	425	424	417	421	425	414

*Боевой состав Советской Армии. Часть II. Январь — декабрь 1942 года. М.: Воениздат, 1966. С. 254—262.

В зимней кампании 1942 г. свежесформированные кавалерийские дивизии активно использовались в боях. Характерный пример — это бои на южном секторе фронта. Воевавший там Э. фон Маккензен впоследствии вспоминал: «На момент приема командования группой в Сталино после полудня 29 января противник уже опасно приблизился к железной дороге Днепропетровск—Сталино и тем самым к жизненно важной (так как она была единственной) железнодорожной линии снабжения 17-й армии и 1-й танковой армии. Ориентируясь по обстоятельствам, первоначально речь могла идти лишь о том, чтобы удержать необходимые коммуникации и организовать первую оборону»[1]. Только в ходе упорной борьбы с бросанием в бой саперов из понтонных батальонов немцам удалось удержаться. Противником его была едва ли не одна кавалерия: «Корпус в прошедших восьми неделях боев сражался с русскими 9 стрелковыми, 10 кавалерийскими дивизия-

---

[1] *Mackensen Eberhard von.* Vom Bug zum Kaukasus, Das III. Panzercorps im Feldzug gegen Sowjetrußland 1941/42. Neckargemünd. Kurt Vowinkel Verlag. 1967. S. 58.

ми и 5 танковыми бригадами»[1]. Немецкий военачальник в данном случае не ошибается, ему действительно противостояло больше кавалерийских, чем стрелковых дивизий. Против соединения фон Маккензена сражались дивизии 1-го (33-я, 56-я и 68-я), 2-го (62-я, 64-я, 70-я) и 5-го (34-я, 60-я, 79-я) кавалерийских корпусов, также 30-я отдельная кавалерийская дивизия Южного фронта. Причины такого широкого использования кавалерии в битве под Москвой вполне очевидны. В Красной Армии на тот момент попросту не было крупных подвижных соединений. В танковых войсках наибольшим подразделением была танковая бригада, которая могла оперативно использоваться только как средство поддержки пехоты. Рекомендованное в то время объединение под одним командованием нескольких танковых бригад также не давало результата. Единственным средством, позволяющим осуществлять глубокие охваты и обходы, была кавалерия.

По такому же сценарию, ввод кавалерии в глубокий прорыв, действовал 1-й гвардейский кавалерийский корпус П.А. Белова. Перипетии действий Западного фронта зимой 1942 г. довольно хорошо освещены в мемуарной и исторической литературе, и я лишь позволю себе обратить внимание на несколько важных деталей. Группе Белова были поставлены действительно масштабные задачи. В директиве командования Западного фронта от 2 января 1942 г. указывалось: «Создалась очень выгодная обстановка для окружения 4-й и 9-й армий противника, причем главную роль должна сыграть ударная группа Белова, оперативно взаимодействуя через штаб фронта с нашей Ржевской группировкой»[2]. Однако, несмотря на понесенные в ходе советского контр-

---

[1] *Mackensen Eberhard von.* Ibidem. S. 65.
[2] ЦАМО. Ф. 208. Оп. 2513. Д. 205. Л. 6.

Кавалерия воюет пешком. Спешенные кавалеристы 5-го гвардейского кавалерийского корпуса несут пулемет «максим». (Фронтовая иллюстрация.)

наступления декабря 1941 г. потери, войска группы армий «Центр» сохранили управляемость. Прорывы, в которые вошел сначала кавалерийский корпус, а потом 33-я армия, были закрыты немцами путем фланговых ударов. Фактически попавшим в окружение войскам пришлось перейти к полупартизанским действиям. Кавалеристы в этом качестве действовали вполне успешно. Приказ на выход к своим частям группа Белова получила только 6 июня (!!!) 1942 г. Партизанские отряды, из которых П.А. Белов сформировал стрелковые соединения, снова дробились на отдельные отряды. Важную роль в общем развитии событий сыграла подвижность 1-го гвардейского кавалерийского корпуса, обеспечиваемая лошадьми. Благодаря этому корпусу П.А. Белова удалось выйти к своим не кратчайшим путем, проламывая лбом заслон немцев, но кружным путем. Напротив, 33-я армия М.Г. Ефремова, не обладая маневренными возможностями кавалеристов, в апреле 1942 г. была разбита при попытке прорыва к своим в полосу 43-й армии. Лошади были транспортом и, как ни цинично это звучит, самостоятельно передвигающимися продуктовыми запасами. Это обеспечило большую устойчивость кавалерии в не всегда удачных наступательных операциях 1942 г.

1942 г. «Марс» и «саламандры»

Не будет ошибкой сказать, что кавалерия участвовала практически во всех операциях Красной Армии в ходе войны 1941—1945 гг. Не стала исключением операция «Марс», впоследствии ставшая самым большим секретом советских историков. Эта была попытка срезать Ржевский выступ ударами Западного и Калининского фронтов в ноябре—декабре 1942 г.

Вообще надо сказать, что Владимиру Викторовичу Крюкову, командовавшему 2-м гвардейским корпусом с марта 1942 г. по ноябрь 1945 г., тотально не везло. Ему доставались операции, не приносившие славы и почестей, хотя он честно и хорошо бился в них с немцами. После войны, 18 сентября 1948 г., он был арестован, а в ноябре 1951 г. осужден к 25 годам лагеря и на 5 лет поражения в правах. В июле 1953 г. был полностью реабилитирован. Главной и несомненной его победой стало сердце артистки Нины Руслановой.

Но вернемся к операции «Марс». Она не стала исключением в карьере В.В. Крюкова. Для командира 2-го гвардейского кавалерийского корпуса подготовка операции началась 11 сентября 1942 г., когда по директиве Военного совета Западного фронта была образована конно-механизированная группа под его руководством. В группу вошли 2-й гвардейский кавалерийский корпус

(3-я, 4-я гвардейские и 20-я кавалерийская дивизии, 5-й отдельный конно-артиллерийский дивизион) и 6-й танковый корпус П. Армана. Группа насчитывала 21 011 солдат и офицеров, 16 155 лошадей, 13 906 винтовок и карабинов, 2667 пистолетов-пулеметов «ППШ» и «ППД», 95 станковых пулеметов, 33 зенитных пулемета «ДШК», 384 противотанковых ружья, 226 минометов калибра 50 мм, 71 миномет калибра 82 мм, 64 миномета калибром 120 мм. Артиллерию группы Крюкова составляли сорок восемь 45-мм противотанковых пушек, сорок девять 76,2-мм пушек полковой и дивизионной артиллерии, двенадцать 37-мм зенитных пушек. Бронированный кулак группы образовывали 120 танков. Одним словом, вооружены кавалеристы Крюкова были не только саблями.

Операция началась 25 ноября. Из-за того, что немцами было вскрыто сосредоточение советских войск для наступления, быстрого прорыва обороны не получилось. Введенный в бой 26 ноября 6-й танковый корпус потерял в ходе прорыва до 60% своих танков и также не добился решительного результата. Фактически кавалерия была вынуждена не входить в пробитую пехотой и танками брешь, но допрорывать очаговую оборону немцев. Группа кавалеристов корпуса В.В. Крюкова смогла вечером 28 ноября в конном строю проскочить в промежутках между опорными пунктами немцев, но большая часть была остановлена огнем. Корпус оказался разорван на две части: два полка 20-й кавалерийской дивизии и полтора полка 3-й гвардейской кавалерийской дивизии прорвались в глубь построения 9-й полевой армии. Перед 4-й гвардейской кавалерийской дивизией и остальными частями 3-й гвардейской и 20-й кавалерийской дивизий расшатанные было «ворота» в немецкой обороне закрылись. Подвижная группа оказалась в окружении. Вскоре танки 6-го танкового корпуса были вкопаны на достигнутых позициях вследствие выработки горючего. Попытки пробиться к блокированным кавалеристам и танкистам извне оставшимися частями 2-го кавалерийского корпуса и введенными в бой 1-й гвардейской и 20-й стрелковой дивизиями успеха также не имели. Немцы подтянули резервы и прочно «запечатали» прорыв.

В отличие от механизированных соединений — 6-го танкового корпуса Поля Армана и 1-го механизированного корпуса Соломатина (окруженного с противоположной стороны выступа, у Белого) — прорвавшиеся в глубину обороны немцев кавалерийские части не были разгромлены. Они составили так называемую группу полковника Курсакова, насчитывавшую около 900 сабель. Группа кавалеристов прошла Ржевский выступ насквозь, уничтожая склады, солдат и офицеров противника, на ее счету оказалось даже 8 самолетов. Наконец, спустя почти полтора месяца с момента ввода в прорыв, кавалеристы корпуса В.В. Крюкова вышли к своим на участке 22-й армии Калининского фронта. В таком стиле могла работать только кавалерия. У моторизованных и механизированных частей в изолированном прорыве быстро заканчивалось топливо. Пехота была слишком малоподвижной. Только конники могли даже в крайне неблагоприятной ситуации, словно саламандры, пройти через огонь неудачного наступления.

1942 г. Сталинград — забытый подвиг кавалерии

Сталинградская битва стала одним из решающих сражений Второй мировой войны, название города на Волге стало известным всему миру. Кавалерийские корпуса сыграли в наступательной фазе Сталинградской битвы роль, которую сложно переоценить. В любой опе-

Чем лошадь хуже? Немецкий мотоцикл «NSU» вытаскивают из грязи на «дороге» где-то в сердце России упряжкой лошадей.

рации на окружение требуется не только отрезать путь к отступлению и линии снабжения окружаемым, но обеспечить внешний фронт кольца. Если не создать прочный внешний фронт окружения, то ударами извне (обычно внешний обвод механизированными соединениями) противник может деблокировать окруженных, и все наши труды пойдут насмарку. Они прорываются за спиной окружаемых максимально глубоко в тыл противника, захватывают ключевые позиции и занимают оборону. Под Сталинградом в ноябре 1942 г. эта роль была поручена трем кавалерийским корпусам. Выбор пал именно на кавалерию, поскольку у Красной Армии на тот момент было мало хорошо подготовленных механизированных соединений. Надо сказать, что применению кавалерии местность в районе Сталинграда не благоприятствовала. Крупные лесные массивы, в которых обычно укрывались конники, отсутствовали. Напротив, открытая местность позволяла противнику воздействовать на кавкорпуса авиацией.

Что собой представляли соединения, которым предстояло пробиваться в глубь заснеженной степи, а затем отражать атаки немецких танков? Северо-западнее Сталинграда были сконцентрированы 8-й кавалерийский корпус (21-я, 55-я и 112-я кавалерийские дивизии) и 3-й гвардейский кавалерийский корпус (5-я и 6-я гвардейские кавалерийские дивизии и 32-я кавалерийская дивизия). Южнее Сталинграда действовал 4-й кавалерийский корпус (61-я и 81-я кавалерийские дивизии). Количественный и качественный состав корпусов см. в табл. 3. Лучше всех был укомплектован 3-й гвардейский кавалерийский корпус. Два других корпуса имели большой некомплект лошадей (1874 в 8-м и 1172 в 4-м корпусе), что вынуждало содержать в полках пешие эскадроны.

Таблица 3

**Количественный и качественный состав
кавалерийских корпусов, участвовавших
в контрнаступлении под Сталинградом***

Кол-во	3-й гвардейский кавалерийский корпус	8-й кавалерийский корпус	4-й кавалерийский корпус
Людей	22512	16134	10284
Лошадей	18057	14908	9284
Винтовок и карабинов	14102	10974	7354
Автоматов «ППШ»	2153	1369	566
Пулеметов ручных	374	366	264
Пулеметов «ДШК»	40	33	—
Противотанковых ружей	388	188	140
Орудий 76,2-мм	70	66	32
Орудий 45-мм	55	35	24

Кол-во	3-й гвардейский кавалерийский корпус	8-й кавалерийский корпус	4-й кавалерийский корпус
Орудий 37-мм зенитных	21	6	8
Минометов 120-мм и 107-мм	44	37	16
Минометов 82-мм	108	66	46
Минометов 50-мм	294	123	118

*Сборник материалов по изучению опыта войны № 6. М.: Воениздат, 1943. С. 88.

Самые тяжелые бои выпали на долю 4-го кавалерийского корпуса. По злой иронии судьбы, он был наименее укомплектованным людьми и техникой из всех трех, участвовавших в операции. В район сосредоточения корпус прибыл после длительного марша (350—550 км). В скобках заметим, что такой же марш для танкового соединения в тот же период закончился бы массовым выходом танков из строя еще до ввода в бой. По решению командования фронта в прорыв должны были вводиться цугом два подвижных соединения: 4-й механизированный корпус, а за ним по пятам должен был следовать 4-й кавалерийский корпус. После ввода в прорыв пути механизированного и кавалерийского корпусов расходились. Кавалеристы поворачивали на юг для образования внешнего фронта окружения, танкисты двигались навстречу ударной группировке Донского фронта для смыкания кольца за спиной армии Паулюса. Кавалерийский корпус был введен в прорыв 20 ноября 1941 г. Противником конников были румынские части, и поэтому первая цель — Абганерово — была захвачена утром 21 ноября атакой в конном строю. На станции были взяты большие трофеи, больше 100 орудий, захвачены склады с продовольствием, горючим и боеприпасами. Потери корпуса были в сравнении с достигнутыми результатами мизерными: 81-я дивизия потеряла 10 человек убитыми и 13 ранеными, 61-я — 17 человек убитыми и 21 ранеными. Однако следующая задача, поставленная 4-му кавалерийскому корпусу — овладеть Котельниковом, — требовала преодолеть за сутки 95 км, что является нетривиальной задачей даже для механизированного соединения. Такого темпа продвижения реально достигали, пожалуй, только мотоциклетные части немцев летом 1941 г. Утром 27 ноября 81-я кавалерийская дивизия вышла к Котельникову, но захватить город с ходу не смогла. Более того, здесь кавалеристов ждал неприятный сюрприз в лице прибывшей по железной дороге из Франции свежей 6-й танковой дивизии. В советской литературе часто появлялись на поле сражения, откуда ни возьмись, дивизии из Франции, но в данном случае все абсолютно достоверно. В конце ноября 1942 г. 6-я танковая дивизия прибывала начиная с 27 ноября в Котельниково после отдыха и укомплектования во Франции (дивизия понесла большие потери зимой 1941—1942 гг.). После доукомплектования и перевооружения 6-я танковая дивизия представляла собой серьезную силу. В ноябре 1942 г. в составе дивизии числилось 159 танков (21 «Pz.II», 73 «Pz.III» с длинноствольной 50-мм пушкой, 32 «Pz.III» с короткоствольной 75-мм пушкой, 24 «Pz.IV» с длинноствольной 75-мм пушкой и 9 командирских танков). Подавляющее большинство танков дивизии было новейших образцов, способных противостоять «Т-34».

Фактически советский 4-й кавалерийский корпус попал в крайне пикантную ситуацию. С одной стороны, образование внешнего фронта окружения требовало от наших кавалеристов перехода к обороне. С другой стороны, это позволяло немцам беспрепятственно накапливать выгружающиеся на железнодорожных станциях в районе Котельникова, а то и просто в степи с платформ людей и технику 6-й танковой дивизии. Сначала командование отдало приказ на наступление. В 21 ч. 15 м. 29 ноября командиром кавалерийского корпуса была из штаба 51-й армии получена вторично шифротелеграмма: «Бой за Котельниково продолжать все время. До 12.00 30.11 подтянуть артиллерию, провести рекогносцировку. Атака противника в Котельниково в 12.00 30.12.42».

Но 30 ноября командующий 51-й армией Н.И. Труфанов приостановил выполнение операции, приказав частям 4-го кавалерийского корпуса встать в оборону, вести разведку на запад и юг, подвезти горючее и готовиться к захвату Котельникова.

До 2 декабря части корпуса укрепляли занимаемые рубежи, подвозили горючее. Противник подтягивал резервы и укреплял Котельниково, Семичный, Майорский, Похлебин. В 3 часа 2 декабря был получен приказ командующего 51-й армией: «4-му кав[алерийскому] корпусу (без 61-й к[авалерийской] д[ивизии]) с 85-й т[анковой] бр[игадой], прикрыв себя от р. Дон, к 11.00 2.12 выйти на рубеж Майорский—Захаров и к исходу 2.12 овладеть западной частью Котельникова. Одним усиленным полком овладеть разъездом Мелиоративный. Овладев Котельниковом, развивать удар вдоль железной дороги на Дубовское. Левее наступает 302-я с[трелковая] д[ивизия], которая к исходу 2 декабря должна овладеть восточной частью Котельникова».

Командир корпуса в ответ сообщил командующему 51-й армией об отсутствии горючего в 85-й танковой бригаде. Н.И. Труфанов 2 декабря приказал «действие приказа по овладению Котельниковом приостановить до особого распоряжения».

2 и 3 декабря части корпуса и 85-й танковой брига-

ды пополнились горючим до одной заправки. Штаб 51-й армии передал приказание: с утра 3 декабря приступить к выполнению приказа командующего армией от 1 декабря по овладению Котельниковом.

Промедление это было поистине роковым. Командир 6-й танковой дивизии Эрхард Раус позднее вспоминал: «Я не мог понять, почему русские прекратили свое продвижение вперед, как только прибыли первые германские части, несмотря на то что имели приказ на овладение Котельниковом. Вместо того чтобы немедленно атаковать, пока они еще имели количественное преимущество, русские пассивно наблюдали за накоплением наших сил в городе»[1].

Наконец, 3 декабря 4-й кавалерийский корпус (без 61-й кавалерийской дивизии Я. Кулиева), усиленный 85-й танковой бригадой и гвардейским минометным дивизионом «катюш», выступил из занимаемого района. В 7 часов передовые части 81-й кавалерийской дивизии встретили упорное сопротивление в районе Похлебина, но отбросили противника и овладели селением. По немецким данным, потери атакующих составили шесть танков ценой полного уничтожения взвода новейших 75-мм противотанковых пушек. Кавалерийская дивизия со средствами усиления пересекла реку Аксай и двинулась на юг с целью выхода к Котельникову с тыла. Но дальнейшие попытки наступать были отбиты противником. К тому моменту в распоряжение советского командования попали пленные из 6-й танковой дивизии, указавшие на прибытие этого соединения из Франции.

Оценив обстановку и опасаясь окружения 81-й дивизии в районе Похлебина, командир 4-го кавалерий-

---

[1] *Raus E.* Panzer Operations. The Eastern front memoir of General Raus 1941—1945. DA CAPO Press. 2003. P. 144.

ского корпуса генерал-майор Тимофей Тимофеевич Шапкин просил командующего 51-й армией об отводе корпуса. Командующий 51-й армией приказал: «Выполнять ранее поставленную задачу, овладев до рассвета Майорским, Захаровом, Семичным. Начало наступления — 7.00 4.12.42».

Вторичный доклад утром 4 декабря командующему 51-й армией о необходимости отхода командир корпуса сделать не смог, так как в штабе армии ни командующего генерала Н.И. Труфанова, ни начальника штаба полковника А.М. Кузнецова не оказалось. Части корпуса еще в 19 часов 3 декабря получили приказание о продолжении наступления. Но к тому моменту немцам удалось сосредоточить достаточные силы для контрудара, и накопились на флангах прорвавшейся в глубину их обороны советской кавалерии. Фактически полнокровная танковая дивизия выстроилась вокруг усиленной артиллерией кавалерийской дивизии, обладая и качественным, и количественным превосходством. Уже в 10 часов 4 декабря они открыли артиллерийский огонь большой плотности. В середине дня все 150 танков обоих танковых батальонов 6-й танковой дивизии с пехотой II батальона 114-го мотопехотного полка на БТР «ганомаг» атаковали расположение 81-й кавалерийской дивизии в районе Похлебина. В отражении танковой атаки приняла участие вся артиллерия, в том числе прибывший ночью 1113-й зенитный артиллерийский полк, а также противотанковые ружья.

К 14.00 81-я кавалерийская дивизия была полностью окружена, танки и мотопехота немцев начали обжимать образовавшийся «котел». Кавалеристы вели бой в течение всего дня, а с наступлением темноты стали мелкими группами пробиваться из окружения.

Впоследствии Эрхард Раус так описал бой своей 6-й танковой дивизии с окруженной 81-й кавалерийской дивизией и 65-й танковой бригадой: «К 10.00 судьба IV кавалерийского корпуса была решена. Уже не было никаких путей к отступлению, несмотря на это, окруженный противник оказывал ожесточенное сопротивление в течение нескольких часов. Русские танки и противотанковые орудия сражались с ротами 11-го танкового полка, катившимися вниз с холмов. Поток трассеров бронебойных снарядов непрерывно несся вверх и вниз, но вскоре все больше и больше трассеров летело вниз и все меньше и меньше в ответ им снизу. Один залп за другим обрушивался на Похлебин, поднимая султаны черной земли. Город начал гореть. Море огня и дыма скрыло страшный конец храброго гарнизона. Только отдельные выстрелы противотанковых пушек встретили наши танки, входящие в город. Следовавшие за нашими танками гренадеры были вынуждены использовать ручные гранаты, чтобы сломить сопротивление противника, упорно сражавшегося за каждый дом и траншею»[1]. Потери 11-го танкового полка 6-й танковой дивизии составили 4 танка, потерянных безвозвратно (плюс еще один, уничтоженный до 3 декабря), и 12 временно выбывших из строя.

Потери 81-й кавалерийской дивизии в бою у Похлебина убитыми, ранеными и пропавшими без вести составили 1897 человек и 1860 лошадей. Части дивизии потеряли четырнадцать 76,2-мм пушек, четыре 45-мм пушки, четыре 107-мм миномета, восемь 37-мм зенитных пушек. Погибли командир дивизии полковник В.Г. Баумштейн, начальник штаба полковник Терехин, начальник политотдела полковой комиссар Турбин. Все это происходило за несколько дней до событий, описанных в «Горячем снеге» Бондарева. Несмотря на трагический исход боев за Котельниково, советские кавалеристы

---

[1] *Raus E.* Op. cit. P. 150—151.

сыграли важную роль в начальном этапе оборонительного сражения против попыток деблокировать армию Паулюса. 81-я кавалерийская дивизия вела изолированный бой в глубине построения противника в отрыве 60—95 от соседей против крупного резерва немцев. Если бы ее не было, ничто не мешало 6-й танковой дивизии Рауса не тратить время и уже с прибытием первых эшелонов продвигаться ближе к Сталинграду, выгружаясь на станциях севернее Котельникова. Присутствие советской кавалерии заставило выдержать паузу на период прибытия основных сил дивизии в Котельниково и затем тратить время на оборонительный, а затем наступательный бой с ней.

Только 12 декабря немецкие войска главными силами своей Котельниковской группировки переходят в контрнаступление с целью прорвать с юго-запада кольцо окружения, сжимающее 6-ю армию Ф. Паулюса под Сталинградом. В период 12—17 декабря 4-й кавалерийский корпус совместно с другими соединениями 51-й армии с тяжелыми боями обеспечивал сосредоточение 2-й гвардейской армии.

Несмотря на пространный рассказ о «Каннах под Похлебином», командир 6-й танковой дивизии Раус серьезно оценивал угрозу со стороны остатков 4-го кавалерийского корпуса: «Также было невозможно игнорировать остатки 4-го кавалерийского корпуса, сосредоточенные в районе Верхне-Яблочного и Верхне-Курмоярского (на фланге 6-й танковой дивизии. — А.И.). По нашей оценке, это была спешенная кавалерия, усиленная 14 танками. Этих сил было мало для танковой дивизии, но они угрожали нашим линиям снабжения»[1].

Так получилось, что был многократно воспет в литературе и на киноэкране подвиг 2-й гвардейской ар-

---

[1] *Raus E.* Op. cit. P. 157.

мии на реке Мышковке. Действия тех, кто обеспечил развертывание 2-й гвардейской армии, к сожалению, остались безвестными. В наибольшей степени это относилось к кавалерии, в частности 4-му кавалерийскому корпусу. Поэтому кавалерия долгие годы несла на себе клеймо устаревшего и непафосного рода войск. Без него на самом деле окружение армии Паулюса под Сталинградом могло потерпеть неудачу.

1943 г. Снова внешний фронт окружения

Зимой 1943 г. кавалерия вновь была использована в качестве средства образования внешнего фронта окружения. На этот раз события развивались куда менее драматично, чем под Сталинградом. В январе 1943 г. Воронежский фронт проводил Острогожско-Россошанскую операцию. Основной ударной силой фронта была 3-я танковая армия П.С. Рыбалко, но конникам в этой операции была вновь поручена важная задача прорыва на максимальную глубину с последующим образованием внешнего фронта окружения. Использование для этой цели кавалерии было вполне объяснимым: она меньше зависела от снабжения горючим и соответственно могла работать на более длинном плече подвоза.

Еще до начала операции 7-й кавалерийский корпус прошел за 6 суток почти без отдыха 280 км от станции выгрузки до исходного района. Прорыв обороны был завершен 15 января 1943 г., и в созданную брешь вошла 3-я танковая армия, а с юга ее прикрывал кавалерийский корпус, который в дальнейшем ушел вперед на 100 км, не встречая сопротивления противника. Период, когда во фронте образовывается брешь, вообще весьма благоприятен для действий подвижных войск, даже если они передвигаются на лошадях. Ближайшей задачей корпуса стал захват железнодорожного узла

Валуйки. Командир корпуса решил захватить Валуйки силами 11-й кавалерийской дивизии и 201-й танковой бригады. 83-я кавалерийская дивизия должна была обеспечивать с юга действия главных сил корпуса.

Никаких атак лавой с шашками наголо и громовым «Ура!», разумеется, не было. В 2 часа ночи 19 января 201-я танковая бригада с десантом в составе трех спешенных эскадронов и с 208-м истребительно-противотанковым артиллерийским полком в качестве передового отряда корпуса выступила в направлении Валуек и через два часа заняла исходное положение для атаки. К этому же времени кавалерийские полки 11-й кавалерийской дивизии заняли исходное положение севернее Валуек. Благодаря тому, что занятие исходного положения было произведено быстро и при сильном снегопаде, противнику не удалось обнаружить части корпуса, и последующая атака на Валуйки была произведена для него внезапно.

Город Валуйки оборонялся двумя полками 5-й итальянской пехотной дивизии, отошедшими туда подразделениями 387-й немецкой пехотной дивизии и двумя строительными батальонами. Все эти части были объединены в одну боевую группу. Город был сравнительно хорошо укреплен. Подступы к нему с востока прикрывались огнем из приспособленных к обороне зданий на окраине города. Доступ к южной окраине города преграждал противотанковый ров. На северо-восточной и юго-восточной окраинах были сплошные проволочные заграждения. Вдоль улиц были сооружены ДЗОТы.

Командир 7-го кавалерийского корпуса решил овладеть Валуйками и Уразовом стремительным ударом с ходу, но не конной лавой. Станция была атакована танками 201-й танковой бригады с десантом спешенных кавалеристов на броне. Наступление в направлении юго-восточной окраины Валуек и железнодорожной станции имело успех, который своевременно был развит вторым эшелоном. Десант, действуя небольшими группами, начал очищать дом за домом от автоматчиков и пулеметчиков противника. С выходом к железнодорожной станции первый эшелон танков и спешенные кавалеристы попали под сильный огонь артиллерии и танков противника, занимавших позиции у станции и переезда. Танки и мотопехота обошли станцию в 2 км южнее и, захватив переправу через р. Валуй, ворвались на юго-восточную окраину города. 11-я кавалерийская дивизия в это время ударом 256-го и 250-го кавалерийских полков с севера овладела северной частью города и отрезала пути отхода противнику. К 12 часам 19 января город полностью был занят частями корпуса. Оставшиеся очаги сопротивления ликвидировались танкистами 201-й танковой бригады, которая к 14 часам вышла на р. Валуй, где и закрепилась. Успешно выполнив задачу по захвату железнодорожного узла Валуйки, кавалерийский корпус к утру 19 января создал внешний фронт вдоль левого берега р. Оскол на участке Валуйки — Уразово. Удаление этого фронта от окруженных немецких, венгерских и итальянских частей достигало 75 км в отношении острогожско-алексеевской и 120 км в отношении россошанской групп.

Быстрый захват станций Валуйки и Уразово воспретил противнику осуществление маневра своими войсками по железнодорожному участку Касторное — Валуйки и производить подвоз резервов со стороны Старобельска и Купянска. Вместе с тем с выходом корпуса на указанный рубеж был образован внешний фронт окружения, удаленный от внутреннего фронта окружения на расстояние 75—120 км. Это создавало войскам фронта благоприятные условия для ликвидации окруженных войск острогожско-россошанской группировки врага. Для деблокирования окруженных немцам теперь пришлось бы преодолеть с боями больше сотни километров с преодолением водной преграды, реки Оскол.

Итогом Острогожско-Россошанской операции стало освобождение территории площадью 22,5 тыс. кв. км, захват в плен 86 тыс. солдат и офицеров противника. Была разгромлена 2-я венгерская армия, итальянский альпийский корпус, 385-я и 387-я немецкие пехотные дивизии, дивизионная группа «Фогеляйн». Советская кавалерия в лице 7-го кавалерийского корпуса сыграла важную роль в достижении этих результатов. Это было оценено командованием: 7-й кавалерийский корпус за умело проведенную операцию приказом народного комиссара обороны № 30 от 19 января 1943 г. был преобразован в 6-й гвардейский кавалерийский корпус.

Перед нами классический способ использования кавалерии в операциях советских войск в 1943—1945 гг. Используя нетребовательные к снабжению и качеству дорог кавалерийские части, наступающие советские войска могли плодотворно использовать период отсутствия сплошного фронта для захвата важных пунктов и рубежей в глубоком тылу противника. Кавалеристы, как правило, практически не встречали сопротивления в своем продвижении, а захват железнодорожных станций, узлов дорог осуществляли в пешем строю при поддержке танков.

1943 г. Конники против «пантер» у Карачева

Весной и в начале лета 1943 г. на советско-германском фронте наступило относительное затишье. Обе стороны интенсивно готовились к летней кампании, в ходе которой должна была окончательно определиться кавалерия. В грядущем позиционном Вердене места, очевидно, не было. Однако с самого начала было понятно, что после успешного отражения ударов противника по северному и южному фасу Курской дуги сразу несколько фронтов перейдут в наступление. Более того, переход в наступление не участвующих в обороне выступа фронтов должен был стать одним из средств воздействия на наступающие танковые клинья вермахта. Начав наступление против Орловского выступа с севера и востока, советское командование рассчитывало оттянуть силы с направления главного удара группы армий «Центр». В идеале это наступление должно было вынудить немцев вообще отказаться от продолжения их собственной наступательной операции.

Наступление советских войск началось 12 июля 1943 г., в тот же день, когда Воронежский фронт проводил контрудар силами 5-й гвардейской танковой армии П.А. Ротмистрова под Прохоровкой. Начало советского наступления заставило немцев отказаться от развития операции «Цитадель» на северном фасе и бросить все силы на отражение наступления советских общевойсковых армий, усиленных вскоре двумя (3-й гвардейской и 4-й) танковыми армиями. Фактически именно это наступление заставило немецкое командование прекратить проведение «Цитадели», даже вполне успешно отразив советское наступление под Прохоровкой. 25—26 июля за линией фронта сосредоточился своими основными силами герой «Марса» 2-й гвардейский кавалерийский корпус. По решению командующего Западным фронтом В.Д. Соколовского, из 2-го гвардейского кавалерийского, 16-го гвардейского стрелкового и 1-го танкового корпусов была создана оперативная группа под руководством командира 2-го гвардейского кавкорпуса генерала В.В. Крюкова. На оперативную группу была возложена задача прорвать оборону против-

«Зарубленные шашками» танки. Подбитые в боях
с советской кавалерией под Карачевом танки «пантера»
и «тигр» дивизии «Великая Германия» на сборном пункте
трофейной техники. Август 1943 г.

ника, затем часть сил 2-го гвардейского кавалерийского корпуса должна была овладеть городом Карачевом (перерезав тем самым железнодорожное сообщение по линии Орел—Брянск) и закрепить его за собой до подхода пехоты. Основные же силы группы получили задачу стремительно наступать на запад с целью захватить и удержать за собой Брянский железнодорожный узел. Такой удар должен был положить начало глубокому обходу всей орловской группировки немецких войск.

Однако немецкое командование прекрасно осознавало угрозу войскам 2-й танковой и 9-й полевой армий, сосредоточенным в орловском выступе. Утром 25 июля, когда 16-й гвардейский стрелковый корпус еще не закончил подготовки к наступлению, а 2-й гвардейский кавалерийский корпус только подходил к району сосредоточения, немцы внезапно перешли в контрнаступление крупными силами пехоты и танков. Основной ударной силой немецкого наступления была перебро-

Забытое оружие. Кавалеристы разведывательного батальона немецкой пехотной дивизии рассматривают советскую шашку образца 1927 г. На ножнах хорошо видно крепление для штыка винтовки — основного оружия кавалеристов.

шенная по железной дороге из состава группы армий «Юг» моторизованная дивизия «Великая Германия», буквально две недели назад рвавшаяся своими «тиграми» и «пантерами» к Обояни. Понесенные «Великой Германией» в прорыве обороны Воронежского фронта потери были восполнены — оснащенный «пантерами» 51-й танковый полк получил 96 новеньких танков этого типа. Помимо «пантер», в элитном соединении вермахта числилось 15 «тигров» и 84 танка «Pz.IV». С этой крупной массой новейшей техники кавалеристы оказались фактически один на один.

В четырехдневных боях в труднопроходимой лесисто-болотистой местности достичь решительного успеха ни одной из сторон не удалось. На завершающем этапе сражения кавалеристам все же удалось продемонстрировать свои маневренные возможности. 30 июля два полка 4-й гвардейской кавалерийской дивизии совершили смелый рейд по тылам противника с целью подорвать железную дорогу Карачев—Брянск и нарушить железнодорожное сообщение в тылу немцев. Двумя отдельными отрядами кавалеристы прорвались к железной дороге, выполнили поставленную им задачу и, вернувшись из рейда, 3 августа присоединились к своей дивизии. 7 августа корпус был выведен во фронтовой резерв. Противнику группой Крюкова были нанесены чувствительные потери: на вечер 2 августа в составе «Великой Германии» числилось только 26 «Pz.IV» и 5 «тигров». Потери 51-го полка «пантер» оцениваются в 2/3 общей численности, из них до 20% — безвозвратно. Немцы задействовали против «архаичных» кавалеристов элитное механизированное соединение, которое понесло чувствительные потери, нанесенные явно не сабельными ударами по броне.

1944 г. Конно-механизированные группы

Кавалерия, действовавшая в тесном взаимодействии с танками, стала одним из деятельных участников операций Красной Армии в 1944 г., когда были проведены крупные наступления и освобождена огромная территория. Характерной особенностью боевого применения кавалерии в этот период было создание конно-механизированных групп, когда под одним командованием объединялись кавалерийские и танковые или механизированные корпуса. Название «корпус» в данном случае не должно вводить в заблуждение. И кавалерийское и механизированное соединение по своей численности примерно соответствовало дивизии.

В качестве характерного примера боевого применения конников рассмотрим действия кавалерийского корпуса, которым командовал будущий консультант советского вестерна — «Неуловимых мстителей». В силу принижения роли кавалерии в послевоенной исторической литературе подавляющему большинству зрителей фильма мало что говорили две строчки в титрах «консультант — генерал-лейтенант Н. Осликовский». Однако Николай Сергеевич Осликовский был личностью крайне примечательной. Он встретил войну в июне 1941 г. на Южном фронте, в 9-й кавалерийской дивизии 2-го кавалерийского корпуса П.А. Белова, прошел с ним все перипетии боев на Украине. Осенью 1941 г. корпус Белова был переброшен под Москву, где Н.С. Осликовский 14 октября возглавил 9-ю кавалерийскую дивизию. Вскоре его дивизия стала 9-й гвардейской кавалерийской. В декабре 1942 г. Н.С. Осликовский возглавил 3-й гвардейский кавалерийский корпус.

Летом 1944 г. 3-й гвардейский кавалерийский корпус должен был участвовать в самой крупной наступательной операции советских войск за всю войну, получившей название «Багратион». Напарником кавалерии стал 3-й гвардейский механизированный корпус. Вместе они составляли конно-механизированную группу 3-го Белорусского фронта. Наступление началось 23 июня 1944 г., когда 5-я армия после мощной артиллерийской и авиационной подготовки прорвала фронт 299-й пехотной дивизии немцев. К концу дня в построении немецких войск образовалась брешь, в которую была введена конно-механизированная группа. Она устремилась в обход «крепости Витебск» в глубь построения немецких войск. С 24 по 28 июня, за пять дней после ввода в прорыв, совершая ежедневные марши по 40—50 км (в некоторые дни отдельные дивизии и бригады проходили до 70 км и больше) и действуя впереди пехоты, группа продвинулась вперед на 150—200 км. Кавалеристы и танкисты мешали отступающим немецким войскам восстанавливать фронт. Тем самым она обеспечила высокий темп наступления 11-й гвардейской и 5-й армиям 3-го Белорусского фронта.

Следующим этапом действий конно-механизированной группы стало форсирование реки Березина. 3-й гвардейский кавалерийский корпус силами 6-й гвардейской кавалерийской дивизии под прикрытием массированного артиллерийско-минометного огня к 8 часам 30 июня форсировал р. Березина и образовал плацдарм на ее западном берегу. В течение дня немцы переходили в неоднократные контратаки с целью вернуть утраченный рубеж, но благодаря упорству частей дивизии и хорошо организованной системе всех видов огня атаки противника были отбиты. С подходом понтонного парка в районе Лещины был наведен мост, по которому под сильным воздействием штурмовой и бомбардировочной авиации немцев весь кавалерийский корпус к 17 часам 1 июля полностью закончил пе-

реправу через р. Березина. Тем самым был создан плацдарм на реке, которая могла быть использована немецкими войсками для восстановления фронта. На этом
операция не закончилась. После боев в течение четырех дней (29 июня — 2 июля) за р. Березину конно-механизированная группа, пройдя в трудных условиях лесисто-болотистой местности 100—150 км, вышла на
железную дорогу Минск—Вильнюс и перерезала ее.
Тем самым минская группировка немцев была лишена
важнейших путей отхода на Вильнюс и Лиду. Уже 3 июля
войска 3-го Белорусского фронта при содействии войск
**1-го Белорусского фронта овладели Минском, ок-
ружив при этом восточнее города крупную группировку немецких войск. Конно-механизированная
группа развивала наступление на Молодечно и
Красное, снова формируя внешний фронт окружения, на этот раз минской группировке немцев.**

Резюмируя действия конно-механизированной группы, в которую входил корпус Н.С. Осликовского, можно
сказать следующее. Группа, введенная в прорыв на второй день операции с рубежа р. Лучеса, за 10 дней — с
24 июня по 3 июля — прошла с боями по оси движения
около 300 км. Боевые действия проходили в трудных
условиях лесисто-болотистой местности. Важнейшим
достижением группы было форсирование такой значительной водной преграды, как Березина, на западном
берегу которой немцами был заранее подготовлен оборонительный рубеж. Кавалерия фактически лидирова-
ла в наступлении фронта. От реки Лучеса до Березины
и далее от Березины конно-механизированная группа
все время вела за собой пехоту, находясь от нее на рас-
стоянии 25—30 км. Пехота догнала группу лишь на Березине, двигаясь преимущественно в маршевых по-
рядках, добивая обойденные кавалеристами очаги сопротивления.

В том же духе использовались в проводившейся в июле 1944 г. Львовско-Сандомирской операции две конно-механизированные группы. Первая состояла из 25-го танкового корпуса Ф.Г. Аникушина и 1-го гвардейского кавалерийского корпуса В.К. Баранова. Что характерно, группу возглавлял командир кавалерийского корпуса, называлась она «КМГ Баранова». Группа образовывала внешний фронт окружения немцев (там же действовала украинская дивизия СС «Галичина») западнее города Броды, а в дальнейшем захватывала рубеж по реке Сан. Вторая конно-механизированная группа, в состав которой входил 6-й гвардейский кавалерийский корпус, действовала севернее и выходила к Висле. Не обошлось, конечно, без некоторых шероховатостей в использовании конницы. Осенью 1944 г. 38-я армия К.С. Москаленко вела бои за Дуклинский перевал. Эти события Кирилл Семенович в своих воспоминаниях описывает без энтузиазма. Введенный в прорыв 1-й гвардейский кавалерийский корпус оказался окружен. Москаленко пишет: «Отсутствие у нас опыта наступления в горах привело, в частности, и к вводу в прорыв кавалерийского корпуса. На равнинной местности это всегда приводило к коренному улучшению обстановки в пользу наступающих советских войск. Там не было случая, чтобы наши подвижные — танковые или кавалерийские — соединения, проникнув в оперативную глубину вражеской обороны, не повели за собой пехоту и артиллерию. В горных же условиях с 1-м гвардейским кавалерийским корпусом произошло иное. [...] ...рейд этого корпуса в целом не оказал сколько-нибудь существенного содействия ударной группировке 38-й армии»[1]. В южном секторе со-

---

[1] *Москаленко К.С.* На юго-западном направлении. М.: Наука. Т. 2. С. 471—472.

ветско-германского фронта в 1944 г. действовала конно-механизированная группа И.А. Плиева в составе 4-го гвардейского кавалерийского и 4-го гвардейского механизированного корпусов. В целом стилистика применения кавалерии Красной Армии в различных операциях 1944 г. была схожей: глубокий «колющий» удар.

1945 г. Последний бой

Кавалерия нашла себе применение даже в такой насыщенной фортификационными сооружениями местности, как Восточная Пруссия. Вот что пишет об использовании кавалерийского корпуса в Восточно-Прусской операции К.К. Рокоссовский: «Наш конный корпус Н.С. Осликовского, вырвавшись вперед, влетел в Алленштайн (Ольштын), куда только что прибыли несколько эшелонов с танками и артиллерией. Лихой атакой (конечно, не в конном строю!), ошеломив противника огнем орудий и пулеметов, кавалеристы захватили эшелоны. Оказывается, это перебазировались немецкие части с востока, чтобы закрыть брешь, проделанную нашими войсками»[1]. Мы видим, что Константин Константинович на всякий случай, для наслушавшихся рассказов о шашках по крупповской броне, уточняет — «не в конном строю», с восклицательным знаком. Действительно, уже знакомый нам 3-й гвардейский кавалерийский корпус был введен после прорыва обороны противника и передвигался до Алленштайна на лошадях, вступив затем в бой в пешем строю. С воздуха корпус Н.С. Осликовского поддерживала 230-я штурмовая авиадивизия, прикрываемая 229-й истребительной авиадивизией. Одним словом, кавалерийский корпус был

---

[1] *Рокоссовский К.К.* Солдатский долг. М.: Воениздат, 1988. С. 303.

полноценным подвижным соединением, «устарелость» которого заключалась только в использовании лошадей вместо автомашин.

Немецкая кавалерия

Моторизация вермахта обычно сильно преувеличивается, и, что хуже всего, забывают о чисто кавалерийских подразделениях, существовавших в каждой пехотной дивизии. Это разведывательный отряд штатной численностью 310 человек. Он практически полностью передвигался в конном строю — в его составе было 216 верховых лошадей, 2 мотоцикла и всего 9 автомашин. Дивизии первой волны имели еще броневики, в общем же случае разведка пехотной дивизии вермахта осуществлялась вполне обычным кавалерийским эскадроном, усиленным 75-мм легкими пехотными и 37-мм противотанковыми орудиями.

Помимо этого, в вермахте на момент начала войны с СССР была одна кавалерийская дивизия. В сентябре 1939 г. она была еще кавалерийской бригадой. Бригада, включенная в состав группы армий «Север», участвовала в боях на Нареве, штурме Варшавы в середине сентября 1939 г. Уже осенью 1939 г. она была переформирована в кавалерийскую дивизию и в этом качестве участвовала в кампании на Западе, закончив ее на побережье Атлантики. Перед нападением на СССР она была включена в состав 2-й танковой группы Гейнца Гудериана. Дивизия вполне успешно действовала совместно с танковыми соединениями, выдерживая их темп наступления. Проблемой было только снабжение ее 17 000 лошадей. Поэтому она зимой 1941—1942 гг. была переформирована в 24-ю танковую дивизию. Возрождение кавалерии в вермахте произошло в середине 1942 г., когда в составе групп армий «Север», «Центр»

Немецкие кавалеристы из разведывательного
батальона пехотной дивизии с «МП-40».

и «Юг» было сформировано по одному кавалерийскому полку. Особенностью организации полка было наличие в его составе бронебатальона с ротой мотопехоты на 15 полугусеничных БТР «ганомаг». Помимо этого, к середине 1942 г. появилась кавалерия у войск, которые обычно ассоциируются с «тиграми» и «пантерами», — эсэсовцев. Еще в 1941 г. в Польше была сформирована 1-я кавалерийская бригада СС, развернутая к лету 1942 г. в 1-ю кавалерийскую дивизию СС. Эта дивизия участвовала в одном из самых масштабных сражений группы армий «Центр» — отражении советского наступления в районе Ржева, проводившегося в рамках операции «Марс» в ноябре—декабре 1942 г. Появление «тигров» и «пантер» не привело к изничто-

Коновод 8-й кавалерийской дивизии СС «Флориан Гейер».
Лошади были транспортом в кавалерии Второй мировой войны
и во время боя обычно скучали под присмотром коноводов.

жению немецкой кавалерии. Напротив, в 1944 г. отдельные армейские кавалерийские полки были переформированы в 3-ю и 4-ю кавалерийские бригады. Вместе с 1-й венгерской кавалерийской дивизией они составили кавалерийский корпус «Фон Хартенек», участвовавший в боях на границе Восточной Пруссии, в декабре 1944 г. он был переброшен в Венгрию. В феврале 1945 г. (!!! — А.И.) бригады переформировали в дивизии, а в марте того же года они приняли участие в последнем наступлении немецких войск во Второй мировой войне — контрударе танковой армии СС у озера Балатон. В Венгрии также воевали две кавалерийские дивизии СС — 8-я «Флориан Гейер» и 22-я «Мария Терезия», сформированные в 1944 г. Обе они были уничтожены в «котле» у Будапешта. Из выскочивших из окружения остатков дивизий в марте 1945 г. формировалась 37-я кавалерийская дивизия СС «Лютцов».

Финал. Советские кавалеристы
поят коней в Одере. 1945 г.

Как мы видим, немцы отнюдь не брезговали таким родом войск, как кавалерия. Более того, завершили они войну, имея в наличии в несколько раз большее число кавалерийских частей, чем в ее начале.

* * *

Рассказы о тупых, отсталых кавалеристах, кидающихся с шашками на танки, — это в лучшем случае заблуждение людей, слабо разбирающихся в тактических и оперативных вопросах. Как правило, эти заблуждения есть следствие недобросовестности историков и мемуаристов. Кавалерия была вполне адекватным времени средством ведения маневренных боевых действий в 1939—1945 гг. Ярче всего это продемонстрировала Красная Армия. Кавалерия РККА в предвоенные годы подверглась резкому сокращению. Считалось, что она не может составить серьезной конкуренции танковым и моторизованным соединениям на поле боя. Из имевшихся к 1938 г. 32 кавалерийских дивизий и 7 управлений корпусов к началу войны осталось 4 корпуса и 13 кавалерийских дивизий. Однако опыт войны показал, что с сокращением кавалерии поспешили. Создание только моторизованных частей и соединений было, во-первых, неподъемным для отечественной промышленности, а во-вторых, характер местности в Европейской части СССР во многих случаях не благоприятствовал использованию автотранспорта. Все это привело к возрождению крупных кавалерийских соединений. Даже в конце войны, когда характер боевых действий существенно изменился по сравнению с 1941—1942 гг., в составе Красной Армии успешно действовали 7 кавалерийских корпусов, 6 из них носили почетные наименования гвардейских. Фактически в период своего заката кавалерия вернулась к стандарту 1938 г. — 7 управлений кавалерийских корпусов. Аналогичную эволюцию пережила кавалерия вермахта — от одной бригады в 1939 г. к нескольким кавалерийским дивизиям в 1945 г.

В 1941—1942 гг. конники сыграли важнейшую роль в оборонительных и наступательных операциях, став незаменимой «квазимотопехотой» Красной Армии. Фактически кавалерия до появления в Красной Армии крупных самостоятельных механизированных соединений и объединений была единственным маневренным средством оперативного уровня. В 1943—1945 гг., когда были, наконец, отлажены механизмы танковых армий, кавалерия стала тонким инструментом для решения особо важных задач в наступательных операциях. Что характерно, число кавалерийских корпусов было примерно равно числу танковых армий. Танковых армий в 1945 г. было шесть штук, кавалерийских корпусов — семь. Большая часть и тех и других носила к концу войны звания гвардейских. Если танковые армии были мечом Красной Армии, то кавалерия — острой и длинной шпагой. Типовой задачей кавалеристов в 1943—1945 гг. было образование внешнего фронта окружения, прорыв далеко в глубь обороны противника в период, когда старый фронт рассыпался, а новый еще не создан. На хорошем шоссе кавалерия, безусловно, отставала от мотопехоты. Но на грунтовых дорогах и в лесисто-болотистой местности она могла наступать с вполне сравнимым с мотопехотой темпом. К тому же, в отличие от мотопехоты, кавалерия не требовала себе постоянной доставки многих тонн горючего. Это позволяло кавалерийским корпусам наступать глубже большей части механизированных соединений и обеспечивать высокий темп наступления армий и фронтов в целом. Прорывы кавалерии на большую глубину позволяли экономить силы пехотинцев и танкистов.

Утверждать, что кавалерия — это отсталый род войск, лишь по недомыслию руководства остававшийся в Красной Армии, может только человек, не имеющий ни малейшего понятия о тактике кавалерии и туманно представляющий себе ее оперативное использование.

Глава 6

Наступление смерти подобно?

Одним из общих мест советской популярной литературы послевоенного периода стало возвеличивание обороны в противовес наступлению. Фраза «малой кровью, на чужой территории» стала одним из ругательных выражений, символизировавшим идеологически неверную наступательную доктрину РККА в предвоенные годы. При этом на выручку призывалась бытовая логика, почерпнутая читателями из просмотра кинофильмов: представить себя в окопе с винтовкой, безнаказанно стреляющего в идущих в полный рост с закатанными рукавами «эсэсовцев-автоматчиков», было проще, чем идущего в атаку на строчащий пулемёт.

Характерным примером возвеличивания обороны являются слова, вложенные писателем В.В. Карповым в уста героя его романа «Полководец» — генерала И.Е. Петрова. На страницах книги И.Е. Петров делится своими мыслями по поводу неудач 1941 г. и утверждает, в частности, следующее: «...надо было бы создать глубоко эшелонированную оборону. Вывести войска в поле. Окопаться, подготовить инженерные заграждения, минные поля. Вот на Курской дуге создали прекрасную глубокую оборону, и гитлеровцы сломали об нее зубы, а мы погнали их в шею! Да и наш одесский и севастопольский опыт показал — против хорошей обороны гитлеровцы ничего не могли сделать, даже имея превосходство в силах. Будь у нас боеприпасы и нормальное снабжение, не видать бы фашистам ни Севастополя, ни Одессы. Фашистов дальше Днепра можно было не пустить. Упустили эту возможность»[1].

На закате СССР эта тенденция достигла своего апогея. Элементы пассивной стратегии были введены даже в основные документы, определяющие действия войск, — уставы. Оборона встала на первое место, глава «Оборона» в «Боевом уставе сухопутных войск. Часть II» 1989 г. издания занимает место с 65-й по 147-ю страницу, глава «Наступление» — со 148-й по 242-ю. Ранее было наоборот, «Наступление» шло раньше обороны. В этом устав Красной Армии был аналогом зарубежных образцов и наследником «Тактики» М. Драгомирова. Также из устава был исключена основополагающая фраза: «Наступательный бой — основной вид действий Красной Армии»[2].

Сейчас идеализация обороны стала едва ли не официальной идеологией нашей армии. Махмут Ахметович Гареев — генерал армии, доктор исторических наук, президент Академии военных наук — пишет о 1941 г.: «На оборону смотрели как на кратковременные военные действия, проводимые лишь частью войск с целью прикрытия отмобилизования и развертывания главных сил. Никто не предполагал, что для отражения уже изготовившихся для нападения войск противника потребуется глубокоэшелонированная оборона в стратегическом масштабе и длительные, напряженные оборонительные сражения с использованием всех имеющихся сил и средств. К сожалению, это не учли и в 1942 г.

---

[1] *Карпов В.В.* Избранные произведения. В 3 тт. Т. 3. М.: Художественная литература, 1990. С. 38.

[2] Боевой устав пехоты Красной Армии. Ч. 2. М.: Воениздат, 1942. С. 12.

Только летом 1943 г. под Курском стратегическая оборона была организовала по-настоящему. Увлечение наступлением и недооценка обороны сыграли роковую роль в событиях 1941 г.»[1].

«Бессмысленные» контрудары

Одним из популярных образов лета 1941 г. стал комиссар, приказывающий наступать, вращая глазами и размахивая «маузером», вместо того чтобы занять оборону и тихо сидеть в окопах, ожидая пресловутых «эсэсовцев-автоматчиков».

В реальности сидение в окопах приводило к избиению сидельцев артиллерийским и авиационным ударом. Вот как описывает пулеметчик 743-го мотострелкового полка 131-й моторизованной дивизии 9-го механизированного корпуса К.К. Рокоссовского бой с 14-й танковой дивизией немцев 25 июня 1941 г.: «Стрельба была уже прицельной по траншеям, окопам, укрытиям, скоплениям техники. Сверху они хорошо просматривались самолетом-корректировщиком. То, что уцелело от бомб, уничтожалось снарядами методично и долго. Полк нес большие потери в людях, технике, не имея возможности ни укрыться, ни защитить себя. Немецкие снаряды еще долго рвались на позициях полка. Между тем под грохот бомб и снарядов противник подтянул к реке саперные части, навел понтонную переправу, перебросил на восточный берег танки, орудия, солдат и минометы. Слабый огонь уцелевших наших батарей и ружейно-пулеметная стрельба бойцов не могли остановить врага, разрушить их переправу» (воспоминания И.К. Яковлева). Кинематограф просто не в состоянии

---

[1] Независимое военное обозрение, № 22 (382) 18 июня 2004 г.

Советское минное поле под Вязьмой, оснащенное фугасными огнеметами. Даже такое теоретически ужасное препятствие оказывалось преодолимым.

показать, что переживает обороняющийся под массированным ударом артиллерии и авиации противника.

Но все это только малая толика проблемы ведения оборонительного сражения. Теоретически можно накопать окопов полного профиля, блиндажей в три наката и постараться выжить под шквалом огня. Если мы поднимемся на ступеньку выше, от тактики на оперативный уровень, то увидим главный минус пассивного сидения в обороне. Этим минусом является неопределенность планов противника. Когда перед нами не обозримое глазом пространство обороны полка или даже батальона, а несколько сотен километров линии соприкосновения войск на покрывающей огромный стол карте, то место и время нанесения главного удара врага становится практически неразрешимой задачей. Разведка может вскрыть только малую часть приготовлений противника и перемещений его войск. Вскрыть сосредоточение подвижных соединений, в первую очередь танковых и моторизованных, разведка может с большим опозданием. Танковая дивизия может ночным маршем пройти 70—100 км и молниеносно оказаться там, где ее совсем не ждут. Соответственно перед нами на карте оказывается весьма обширное пространство, которое надо прикрыть закопавшимися в землю дивизиями. При этом очевидно, что над каждой отдельно взятой дивизией противник без труда сможет создать 3—5-кратное превосходство, сконцентрировав несколько своих корпусов на узком участке фронта. Что будет дальше — см. выше: «Полк нес большие потери в людях, технике, не имея возможности ни укрыться, ни защитить себя».

При переходе сражения в маневренную фазу ситуация усложнялась на порядок. Требовалось угадывать не только участок нанесения следующего удара, но и его направление. Характерным примером в данном случае является сражение, из которого, собственно, и пришел образ злобного комиссара с «маузером»: оборонительная операция войск Юго-Западного фронта в первую неделю войны. События в нем развивались следующим образом. Прорвав оборону стрелковых дивизий на границе, крупное механизированное объединение — 1-я танковая группа Эвальда фон Клейста развивала наступление на восток, в направлении Ровно, Житомира и далее на Киев. Однако это сейчас известно, по каким линиям наступали немцы. В июне 1941 г. командование Юго-Западного фронта постоянно ожидало от танковой группы поворота на юг с целью окружения армий фронта в Львовском выступе. В начале июля 1941 г. этот поворот ожидался уже с целью отсечь отходящие на линию старой границы войска 6-й, 12-й и 26-й армий. Эти опасения вполне однозначно читаются в оперативных документах фронта. В разведывательной сводке фронта от 22.00 26 июня мы читаем: «Радзехув-Бродское направление. Противник, имея главные силы прорвавшейся мотомеханизированной группировки в районе Берестечко и передовые части в Дубно, Верба, Раздвиллув, пытался распространить прорыв в направлении Броды, Тарнополь, но, встречая упорное сопротивление наших частей, успеха не имел». Тем временем 1-я танковая группа стремилась развивать наступление не в юго-восточном направлении, на Тарнополь, как предполагало командование Юго-Западного фронта, а дальше на восток, в направлении Острога и Шепетовки. Начальник штаба фронта М.А. Пуркаев и командующий фронтом М.П. Кирпонос неверно оценили замах «клещей» планируемого немцами окружения войск фронта. Командование группы армий «Юг» собиралось осуществить окружение 6-й, 26-й и 12-й армий во взаимодействии с 11-й армией Евгения Риттера фон Шоберта, сосредотачивающейся в Румынии. Соответственно масштабы охвата были куда больше, чем предполагало командование Юго-Западного фронта. Неверное определение направления удара противника приводило к попыткам построить пресловутую «прочную оборону» фронтом на север и северо-запад, а не на реальном пути движения танкового клина. При этом на отражение пока еще мнимой угрозы окружения бросались значительные силы. Непример, в конце июня 1941 г. для парирования поворота острия немецкого наступления от Острога на юг командование фронта подготовило противотанковый рубеж фронтом на север на рубеже реки Случь. На этом рубеже, перпендикулярно «линии Сталина», у Старо-Константинова к вечеру 29 июня должны были сосредоточиться 199-я стрелковая дивизия, 24-й механизированный корпус и целых три противотанковые бригады — 2-я, 3-я и 4-я.

Если 24-й механизированный корпус (около 100 легких танков) был силой достаточно условной, то противотанковые бригады, вооруженные 85-мм зенитными орудиями и 76-мм дивизионными пушками, были мощным противотанковым средством. Командование Юго-Западного фронта правильно оценивало источник угрозы, передовой эшелон XLVIII моторизованного корпуса у Острога (на дороге от Дубно на Шепетовку и Бердичев), но все еще неверно оценивало оперативные планы немцев, задействовав противотанковые резервы у Старо-Константинова. Поэтому «прочная оборона» создавалась совсем не там, где нужно, и на это расходовались впустую довольно значительные средства, в первую очередь противотанковые резервы фронта.

Одним словом, пытаться ловить на «прочную оборону» острие танкового клина было занятием довольно бестолковым. Куда более полезным было пытаться ухватить танковый клин за его «хвост», то есть нанести фланговый контрудар. У такого решения просматривается гораздо больше реальных плюсов, чем кажущихся минусов. Прежде всего точки, в которых механизированные соединения противника были вчера, хорошо известны. Их поиск не является «биномом Ньютона» угадывания положения острия удара завтра. Во-вторых, вынуждая противника защищать фланги, мы тем самым заставляем его ослаблять ударное острие. В вышеупомянутом приграничном сражении Юго-Западного фронта наибольший эффект был достигнут как раз фланговым контрударом, когда 8-й механизированный корпус Д.И. Рябышева вышел на коммуникации наступающего XLVIII моторизованного корпуса Вернера Кемпфа в районе Дубно.

Альтернативы нанесению фланговых контрударов механизированными и стрелковыми корпусами летом

1941 г. попросту не было. Угадывать направление движения танкового клина и выстраивать не его пути «заборчик» той или иной степени прочности было невозможно.

Октябрь 1941 г. Вязьма

Первые полгода войны СССР и Германии дали истории массу примеров, когда переход к обороне армий и фронтов приводил не к счастью удержания «эсэсовцев-автоматчиков» меткими выстрелами, а к катастрофам огромных размеров.

Для создания прочной обороны и успешного ведения оборонительной операции нужны две предпосылки. Во-первых, достаточное количество войск для создания нормальной плотности обороны, а во-вторых, определение направления удара противника. Типичный пример того, как оборона была разрушена при средних плотностях построения войск ниже уставных, но при наличии чудодейственного приказа обороняться, — это оборонительная операция в районе Вязьмы и Брянска в сентябре—октябре 1941 г, на начальном этапе битвы за Москву.

Приказ на оборону был получен по крайней мере за три недели до наступления немцев. Тому есть масса свидетельств. Достаточно посмотреть в официоз из официозов, четырехтомник «Великая Отечественная война 1941—1945 гг.». В этом последнем слове отечественной исторической науки можно прочитать следующее: «10 сентября Ставка потребовала от Западного фронта «прочно закопаться в землю и за счет второстепенных направлений и прочной обороны вывести в резерв шесть-семь дивизий, чтобы создать мощную маневренную группу для наступления в будущем». Выполняя приказ, Конев, командовавший в то время Западным фронтом, выделил в резерв 4-ю сд, 2-ю мсд, 1-ю кд, 4-ю тбр и 5-й ап. Перед главной полосой обороны в большинстве армий создавалась полоса обеспечения (предполье) глубиной от 4 до 20 км и более»[1]. Сам И.С. Конев в своих воспоминаниях пишет: «После наступательных боев войска Западного и Резервного фронтов по указанию Ставки в период с 10—16 сентября перешли к обороне»[2]. С траншеями тоже было все в порядке, более того, Иван Степанович свидетельствует: «В это же время был осуществлен ряд мероприятий, связанных с усилением обороны. К ним относится в первую очередь переход на траншейную оборону. Войска Западного фронта напряженно строили инженерные укрепления, «залезали в землю». Кстати, траншеи впервые появились именно на Западном фронте. До этого в Красной Армии была разработана несколько другая организация инженерных сооружений с так называемыми ячейками — отдельными окопами для одного солдата, с нею мы вступили в войну. Война показала, что это неправильно, невыгодно и полагаться на то, что каждый солдат, каждый воин должен знать свой маневр, нельзя, особенно когда солдат находится в тяжелой обстановке, не видит никакой поддержки. [...] Постепенно мы пришли именно к организации траншейной обороны; наш опыт подхватили другие фронты»[3]. Вскоре мероприятия фронта по усилению обороны были закреплены директивой Ставки ВГК № 002 373 от 27 сентября 1941 г. Войскам Западного фронта пред-

---

[1] Великая Отечественная война. 1941—1945 гг. Военно-исторические очерки. Книга первая. Суровые испытания. М.: Наука. С. 214—215.

[2] *Конев И.С.* Записки командующего фронтом. М.: Голос, 2000. С. 52.

[3] Там же. С. 54.

писывалось перейти к жесткой обороне. Директива рекомендовала ровно то же, что обычно считают достаточным условием устойчивости обороны, — зарыться в землю:

«1. На всех участках фронта перейти к жесткой, упорной обороне, при этом ведя активную разведку сил противника и лишь в случае необходимости предпринимая частные наступательные операции для улучшения своих оборонительных позиций.

2. Мобилизовать все саперные силы фронта, армий и дивизий с целью закопаться в землю и устроить на всем фронте окопы полного профиля в несколько линий с ходами сообщения, проволочными заграждениями и противотанковыми препятствиями»[1].

Сегодня есть вполне достоверные свидетельства того, что этот приказ выполнялся. Один из командармов Западного фронта тех дней, М.Ф. Лукин вспоминает: «Почти всюду были вырыты окопы полного профиля с ходами сообщения. На танкоопасных направлениях устанавливались мины, а там, где возможно, рылись эскарпы и противотанковые рвы. Строили блиндажи и козырьки для огневых точек»[2].

Однако в суровой реальности инженерная подготовка обороны — это необходимое, но не достаточное условие успеха. Вопросом номер один было определение возможного направления удара немцев. Предполагалось, что немцы ударят вдоль шоссе, проходящего по линии Смоленск—Ярцево—Вязьма. На этом направлении была создана система обороны с хорошими плот-

---

[1] Русский архив: Великая Отечественная: Ставка ВГК. Документы и материалы. 1941 год. Т. 16 (5—1). М.: Терра, 1996. С. 208.
[2] ВИЖ. № 9. 1981. С. 33.

ностями. Например, 112-я стрелковая дивизия 16-й армии К.К. Рокоссовского занимала фронт 8 км при численности 10 091 человек, 38-я стрелковая дивизия той же 16-й армии — даже 4 км при численности 10 095 человек. Позади этого рубежа на шоссе была и резервная полоса обороны. М.Ф. Лукин написал о ней следующее: «Рубеж имел развитую систему обороны, подготовленную соединениями 32-й армии Резервного фронта. У моста, на шоссе и железнодорожной линии стояли морские орудия на бетонированных площадках. Их прикрывал отряд моряков (до 800 человек)»[1]. Но за этот плотный, эшелонированный заслон на шоссе пришлось заплатить низкими плотностями войск на других направлениях. Чудес на свете не бывает: если у нас мала средняя плотность войск, то, уплотнив возможное направление удара, мы лишь растянем и без того жиденькую линию дивизий на других участках. Под Вязьмой в октябре 1941-го это выглядело так. 211-я стрелковая дивизия 43-й армии занимала фронт 16 км при численности 9653 человека, 53-я стрелковая дивизия той же армии — 24 км при численности 11 953 чел. В полосе Брянского фронта дела были еще хуже, плотность колебалась от 24 км на дивизию (279-я стрелковая дивизия 50-й армии) до 46 км (217-я стрелковая дивизия той же армии). Напомню, что по действовавшему на тот момент Полевому уставу Красной Армии (ПУ-39) плотность для построения устойчивой обороны характеризовалась следующими цифрами: «Дивизия может оборонять полосу по фронту 8—12 км и в глубину 4—6 км». Как говорил один из основателей советской военной теории, В.К. Триандафиллов: «При имеющихся огневых средствах дивизии достаточно устойчивое положение получается при занятии дивизией

---

[1] ВИЖ. № 9. 1981. С. 35.

участка от 4 до 8 км (оборона на «нормальных участках»). При увеличении ширины участка до 12 км устойчивость обороны уже сокращается вдвое, а на 20-километровом участке получается довольно жиденькое расположение, которое прорывается сравнительно легко»[1]. Перекрывание уставных значений плотности обороны неизбежно приводило к снижению устойчивости построения войск и катастрофам.

Сторона, выбравшая оборонительную стратегию, неизбежно пытается играть в лотерею со смертью. Если вскрыть планы противника и направление его ударов, то такая лотерея еще дает шанс на выигрыш. Однако чаще всего это не так. К сожалению, предположения о планируемом направлении удара немецких войск в Вяземской оборонительной операции оказались ошибочными. И произошло это вовсе не из-за того, что ее плохо планировали. Помимо направления Ярцево—Вязьма, были подготовлены мероприятия по отражению ударов и в других направлениях. В плане обороны было написано следующее:

«На Западном фронте могут быть отмечены как вероятные направления действий противника:

а) осташково-пеновское, выводящее в тыл правого *крыла фронта;*

б) нелидово-ржевское, разрезающее фронт на две части и выводящее во фланг и тыл 30-й армии;

в) бельское, выводящее в тыл 29-й армии;

г) конютино-сычевское, выводящее в район Ржева и Вязьмы;

д) ярцевское — кратчайшее направление на Москву;

---

[1] *Триандафиллов В.К.* Характер операций современных армий. М.: Воениздат, 1937. С. 161.

е) дорогобужское, выводящее в тыл 20-й армии.

Основные усилия войск фронта должны быть направлены на оборону этих важнейших направлений».

Казалось бы, вот оно, спасительное решение: определили направления ударов, составили план обороны, и можно сидеть и спокойно ждать удара. Но немцы скрытно перебросили из-под Ленинграда 4-ю танковую группу, что позволило нанести удар не в одном месте, а в двух, по сходящимся направлениям. Для маскировки этого мероприятия была проведена в жизнь довольно замысловатая кампания дезинформации. В частности, под Ленинградом оставили радиста из штаба 4-й танковой группы с характерным почерком работы. Перехваты его радиограмм, даже при невозможности их расшифровать, указывали советским разведчикам на местонахождение штаба танковой группы. Разведка, как мы видим, довольно хлипкая материя, чтобы пытаться строить на ней большую стратегию.

Результат дезинформационных мероприятий не заставил себя ждать. Советское командование довольно точно определило время начала операции «Тайфун», но безнадежно промахнулось с ее формой и направлениями ударов. Наступление 3-й танковой группы из района Духовщины пришлось севернее шоссе Ярцево—Вязьма, в стык 19-й и 30-й армий, удар 4-й танковой группы — южнее шоссе, по 24-й и 43-й армиям восточнее Рославля. То есть удары были нанесены там, где плотности войск были ниже нормативов для устойчивой обороны. Создав локальное превосходство в силах, немцы без особых усилий взломали оборону советских войск. Например, против 4 дивизий 30-й армии действовали 12 немецких, из них одна моторизованная и три танковые. После прорыва обороны танковые клинья сошлись у Вязьмы, в окружение попала 600-тысячная группировка советских войск. По аналогичной схеме была прорвана в октябре 1941 г. оборона Брянского фронта, который синхронно с Западным получил аналогичную по содержанию директиву Ставки ВГК № 002375 о переходе к жесткой обороне. Но, как и под Вязьмой, было неверно определено направление удара немцев — «генерал Еременко ожидал главный удар на брянском направлении, а немцы нанесли его в 120—150 км южнее»[1]. Кроме того, немцы выбрали для удара участок фронта, занимаемый дивизией с расшатанной дисциплиной. Под ударом танков дивизия побежала, и 2-я танковая группа Гейнца Гудериана, ничем не сдерживаемая, рванулась к Туле.

Советское командование упорно пыталось вырвать стратегическую инициативу из рук противника в кровопролитных сражениях 1941—1942 гг. не по своей прихоти или вследствие трепета перед вождем всех времен и народов. К этому вынуждало желание не попадать в такую же ситуацию, в какой оказались советские войска под Вязьмой и Брянском. Пассивное ожидание удара вместо собственного наступления чаще всего приводило к ужасным последствиям, к падающим на голову ударам гильотины танковых клиньев именно там, где их не ждали. Пример с Вязьмой — Брянском никак нельзя назвать единичным. Другое крупное окружение советских войск — катастрофа Юго-Западного фронта под Киевом в сентябре 1941 г. — развивалось по совершенно идентичной модели. Советское командование с переменным успехом сдерживало продвижение на юг 2-й танковой группы Гейнца Гудериана. Несмотря на глубокий охват правого крыла Юго-

---

[1] Михайлов И. Окружение под Вязьмой. Вязьма, 1999. С. 12.

Западного фронта, выход одного из моторизованных корпусов Гудериана к Ромнам был, пожалуй, пределом в продвижении танков «быстрого Гейнца» на юг. Однако в этот момент буквально за день-два немецкое командование перебросило на ранее занятый пехотой Кременчугский плацдарм основные силы 1-й танковой группы: 9, 13, 14 и 16-ю танковые дивизии. Для командования Юго-Западного направления этот ход был совершенно неожиданным. Танковый удар с Кременчугского плацдарма навстречу Гудериану, собственно, и привел к катастрофе в течение двух-трех дней.

Все те же факторы действовали и против германских войск. Осенью 1943 г. аналогичный по духу маневр был предпринят советскими войсками. Захватив на Днепре в конце сентября — начале октября несколько плацдармов, советские войска попытались развить с них наступление. 3-я гвардейская танковая армия П.С. Рыбалко пыталась наступать с Букринского плацдарма без особых успехов. Тогда ее было решено перебросить с Букринского (южнее Киева) на Лютежский (севернее Киева) плацдарм. Перегруппировка танковой армии прошла практически незамеченной, и с Лютежского плацдарма развилось наступление на Киев и далее по Правобережной Украине на Запад. Таким образом, даже «запечатав» Букринский плацдарм, немцы не обеспечили себе удержания рубежа Днепра. В операциях 1944—1945 гг. при соблюдении должных мер маскировки удавалось скрыть участок прорыва и направление главного удара советских войск. Следствием было падение фронта целых групп армий.

Неожиданные ходы противника — это самый страшный враг обороняющегося. Всего предусмотреть невозможно. От катастроф, подобных двум вышеописанным, есть только одно лекарство — захват стратегической инициативы. Любой ценой.

Курская дуга

Исключений у вышеприведенного правила «где пассивная оборона, там смерть» немного. Одним из знамен, если не сказать «жупелов» сторонников оборонительной стратегии, является сражение на Курской дуге летом 1943 г. Процитированный в начале главы В.В. Карпов пишет: «Вот на Курской дуге создали прекрасную глубокую оборону, и гитлеровцы сломали об нее зубы, а мы погнали их в шею!»[1]. При этом как-то мило забывается, что оборона Воронежского фронта была взломана на всю глубину. Первая полоса обороны 6-й гвардейской армии И.М. Чистякова на южном фасе Курской дуги, которую строили несколько месяцев, II танковый корпус СС Пауля Хауссера прошел за 17 (прописью: семнадцать) часов. Чтобы остановить продвижение эсэсовских дивизий, пришлось бросить навстречу им танковые корпуса фронта. Ликвидировать угрозу удалось только стратегическими резервами в лице 5-й танковой армии П.А. Ротмистрова и 5-й гвардейской армии А.С. Жадова. К моменту их вступления в бой фронт 6-й гвардейской армии был прорван на всю глубину, фронт 69-й армии продавлен. Например, директива Ставки ВГК командующему войсками Степного фронта на уничтожение прорвавшегося противника 12 июля 1943 г. 01.15: «На белгородском направлении противник силою до 200 (!!! — *А.И.*) танков с пехотой потеснил части 69-й армии». 69-я армия стояла за спиной 6-й и 7-й гвардейских армий, находившихся на южном фасе Курской дуги, но про них уже не говорится. Обращаю также внимание, что указанная директива Ставки ВГК адресуется уже командующему войсками Степного, а не Воронежского фронта. Постфактум действительность была отлакирована совет-

---

[1] *Карпов В.В.* Указ. соч. С. 38.

скими историками, но к началу Прохоровского сражения 12 июля 1943 г. обстановка оценивалась как очень серьезная. Причина этого — все те же плотности войск. Войска Воронежского фронта имели более разреженное построение, чем Центрального, и это позволило немцам артиллерией и танками проломить оборону фронта на всю глубину. Это на карте немецкий прорыв выглядит как небольшая вмятина. На самом деле это то же самое, что «вдавить» броню «Т-34» на глубину 45 миллиметров, то есть, попросту говоря, пробить ее.

Но обо всем по порядку. Выше уже было несколько раз указано, что главной проблемой обороняющегося является раскрытие замысла противника. Разведчики, крадущие прямо из рейхсканцелярии карты со стрелочками, — это досужие выдумки кинематографистов. Чаще всего разведка питается слухами и обрывками сведений и поэтому промахивается на каждом шагу, от большой стратегии до тактических эпизодов. Фактор неопределенности планов противника достаточно ярко проявился в сражении на Курской дуге. Ошибки в предположениях о немецких планах были на всех уровнях. Во-первых, ошиблись в масштабах группировок немцев против северного и южного фаса Курской дуги. Г.К. Жуков вспоминает: «Так, Ставка и Генштаб считали, что наиболее сильную группировку противник создает в районе Орла для действий против Центрального фронта. На самом деле более сильной оказалась группировка против Воронежского фронта, где действовали 8 танковых, одна моторизованная дивизии, 2 отдельных батальона тяжелых танков и дивизион штурмовых орудий. В них было до 1500 танков и штурмовых орудий»[1]. То есть даже общий контур немецкой опера-

---

[1] *Жуков Г.К.* Воспоминания и размышления. В 2 тт. М.: Олма-Пресс, 2002. С. 147.

ции «Цитадель» — направление сосредоточения основных усилий было вскрыто неверно. Во-вторых, не было точно определено направление главного удара немцев на южном фасе Курской дуги. Произошло это по вполне объективным причинам. На северном фасе задача была проще, полоса местности, пригодная для действий крупных масс танков на Центральном фронте К.К. Рокоссовского, была достаточно узкая. Ее ширина составляла 95 км, то есть 31% полосы фронта. Напротив, на южном фасе Курского выступа местность была открытая, на многих направлениях пригодная для наступления танковых объединений. 67% полосы Воронежского фронта (164 км) могло быть использовано для наступления танков. Это заставило командующего фронтом Н.Ф. Ватутина размазать подчиненные ему войска по всей танкодоступной полосе, со значительным снижением плотности войск на реальном направлении удара немцев. Позволю себе привести статистические сведения, которые позволяют проиллюстрировать этот тезис с цифрами и фактами в руках. Сказочки о чудодейственных свойствах обороны взращены в значительной степени на неинформированности широких народных масс о реальном положении дел. С определением направления главного удара немецких войск на Воронежском фронте летом 1943 г. было настолько плохо, что самая сильная армия фронта вообще не участвовала в оборонительной фазе боев как воинское объединение. Это была 40-я армия К.С. Москаленко, которая в июле 1943 г. оказалась слева от направления наступления 4-й танковой армии Г. Гота, но при этом значительно превосходила по силам и средствам оказавшиеся впоследствии в пекле июльских боев 6-ю и 7-ю гвардейские армии. Среди войск Воронежского фронта 40-я армия была абсолютным лидером по числу 45-мм противотанковых пушек (445 единиц), 76,2-мм полковых пушек (105 единиц), 120-мм и 82-мм миномётов (277 и 284 единицы соответственно). Это привело к тому, что 40-я армия имела наибольшую плотность артиллерии на километр фронта, 35,4 единицы. Общий фронт армии составлял 50 км. Для сравнения, 6-я гвардейская армия И.М. Чистякова, оказавшаяся в июле 1943 г. под ударом главных сил группы армий «Юг», имела плотность 24,4 орудия на километр фронта. Гвардейцы Чистякова занимали при этом на 14 км больший фронт. Аналогичная ситуация была и с танками. 40-я армия была лидером не только по артиллерии, но и по бронетехнике среди армий Воронежского фронта, 237 единиц. В 6-й гвардейской армии танков было едва ли не вдвое меньше, 135 единиц. Получалось, что из трех армий на южном фасе выступа 6-я гвардейская армия была наименее подготовленной к отражению удара противника. Но именно по ней был нанесен удар главных сил группы армий «Юг» под командованием Эриха фон Манштейна. С началом наступления немецких войск из 40-й армии потекли дивизии, артиллерийские полки и бригады в полосу немецкого наступления, но сметаемым шквалом огня и танковым ударом армии Г. Гота гвардейским дивизиям армии И.М. Чистякова от этого было не легче. По сути, такое расположение войск Воронежского фронта привело к тому, что немцы били советские войска по частям. Именно поэтому, несмотря на переброски войск из 40-й армии и из резерва фронта, оборона советских войск на южном фасе Курской дуги была взломана на глубину 35 километров, и потребовалось вводить в бой стратегические резервы в лице армий П.А. Ротмистрова и А.С. Жадова.

При этом не поворачивается язык сказать, что ситуация была полностью стабилизирована действиями этих двух армий. И 5-я гвардейская, и 5-я гвардейская танковая армии были введены в бой поспешно и вынуждены были действовать в не самых выгодных условиях. В наибольшей степени это затронуло армию П.А. Ротмистрова. Контрудар советских войск в районе Прохоровки был для немцев ожидаемым ходом. Еще весной 1943 г., более чем за месяц до наступления, вариант отражения контрудара из района Прохоровки отрабатывался, и что делать, части II танкового корпуса СС прекрасно знали. Вместо того чтобы двигаться на Обоянь, эсэсовские дивизии «Лейбштандарт» и «Мертвая голова» подставились под контрудар армии П.А. Ротмистрова. В результате планировавшийся фланговый контрудар выродился в лобовое столкновение с крупными танковыми силами немцев. 18-й и 29-й танковые корпуса потеряли до 70% своих танков и фактически были выведены из игры.

Нельзя не согласиться с одним из самых опытных советских штабистов, Матвеем Захаровым, который еще в 70-х годах предупреждал начинавшуюся тенденцию возвеличивания обороны на примере летней кампании 1943 г.: «В связи с этим мне хочется отметить, что в литературе о Курской битве, вышедшей в послевоенный период, эта оборона несколько идеализируется. Некоторые авторы приложили немало усилий к тому, чтобы показать ее как самую поучительную, классическую и во всем достойную подражания. Слов нет, ряд поучительных сторон оборонительной операции под Курском, таких, как высокая активность, устойчивость в противотанковом отношении, применение бронетанковых войск, был широко использован в последующих кампаниях войны, особенно в оборонительных операциях под Киевом и в районе озера Балатон. Но такой сильной группировки, глубокоэшелонированной обороны, а следовательно, и таких высоких оперативно-тактических плотностей на 1 км фронта для решения оборонительных задач не создавалось ни до Курской битвы, ни после нее. Эту особенность не следует забывать при изучении, анализе и оценке битвы под Курском. Вот почему оборону под Курском нельзя считать обычной и типичной для минувшей войны»[1]. М.В. Захаров совершенно прав. Оборонительная операция под Курском никак не может служить универсальным примером. Ни на границе в июне 1941 г., ни под Смоленском в июле, ни на Лужском рубеже в августе, ни под Вязьмой и Брянском в октябре, ни на Брянском фронте в июне 1942 г. на направлениях главных ударов немецких войск не было тех плотностей войск, которые встретили наступление танковых корпусов вермахта в июле 1943 г. В 1943 г. оперативная пауза в несколько месяцев позволила накопить резервы и сосредоточить их на вероятном направлении наступления противника. Несмотря на это, операция прошла в весьма напряженной обстановке, и только наступательные, подчеркиваю, наступательные действия других фронтов позволили избежать катастрофического развития событий.

Первая харьковская драма

Пример с Харьковом в мае 1942 г. тоже не показывает ущербности наступательного способа ведения боевых действий. Удар танков Клейста пришелся по южному фасу Барвенковского выступа, в полосе Южного фронта. А наступали войска северного фаса выступа, подчинявшиеся Юго-Западному фронту. Разграничительная линия между фронтами делила выступ пополам. То есть наступал один фронт, немцы ударили по другому, а представляется это как следствие наступления.

Войскам 57-й и 9-й армий Южного фронта, находив-

---

[1] Курская битва. М.: Наука, 1970. С. 136.

шимся на южном фасе выступа, никто не запрещал «зарываться в землю и готовить оборону». Напротив, руководство Южного фронта прямым текстом говорит об обороне. В качестве доказательства приведу выдержки из двух документов, подписанных руководством ЮФ.

Документ № 1. Из директивы командования Южфронта № 00 177 на оборону от 6 апреля 1942 г.:

«1. Противник продолжает обороняться на всем фронте, усиливая свою группировку на красноармейском и славянско-краматорском направлениях за счет подвоза пополнения из глубины и переброски части сил с таганрогского и макеевского направлений.

Резервы его — в районах Павлоград, Красноармейское, Краматорское, Артемовец, Макеевка, Мариуполь.

Отмечен подход резервов из глубины на линии Днепропетровск—Запорожье.

Возможны активные действия противника в направлениях: барвенковском, лисичанском и ворошиловградском.

2. Армии фронта прочно закрепляются на занимаемых рубежах, обеспечивая своим правым крылом наступление войск ЮЗФ на харьковском направлении и левым крылом прикрывая ворошиловградское и ростовское направления.

[...]

12. От всех командармов и командиров сд требую прочной обороны, развитой в глубину, с продуманной системой огня, ПТО, с максимальным развитием оборонительных сооружений и ПТ и ПП препятствий и широким приспособлением к обороне населенных пунктов.

[...]

Командующий Южным фронтом, член Военного совета Южного фронта

Малиновский Корниец

Начальник штаба Антонов[1]».

---

[1] ЦАМО. Ф. 251. Оп. 646. Д. 265. Л. 119—120, 122—123. «Подлинник».

Документ № 2. Доклад командования Южфронта начальнику Генштаба КА о прорыве оборонительной полосы 9-й армии 17—20 мая 1942 г. от 7 июня 1942 г.:

«При личном вызове Военного совета фронта (генерал-лейтенанта Малиновского, членов Военного совета т. Корнийца, генерал-майора Вершинина и начальника Штаба фронта генерал-лейтенанта Антонова) к главкому ЮЗН маршалу тов. Тимошенко 6.04.42 был получен приказ главкома: Южному фронту прочно закрепиться на занимаемых рубежах, обеспечивая своим правым крылом наступление войск ЮЗФ на харьковском направлении, и левым крылом прочно прикрыть ворошиловградское и ростовское направления»[1].

Ключик к пониманию успеха или неуспеха операции — это опять же плотности войск. Во втором документе были приведены следующие цифры, вполне однозначно проясняющие картину. В отношении 57-й армии сказано, что общая ширина фронта армии — 80 км, плотность в среднем на одну стрелковую дивизию — 16—20 км. К этому времени численный состав дивизий был в среднем от 6 тыс. до 7 тыс. чел. В полосе 9-й армии те же параметры выглядят следующим образом: общая ширина фронта армии — 90 км, плотность в среднем на одну стрелковую дивизию — 15—18 км. К этому времени численный состав дивизий был в среднем от 5 тыс. до 6 тыс. чел. Выше я уже приводил уставные нормативы, плотности обороняющихся войск Южного фронта на фланге советского наступления находятся на грани допустимого. Результат не заставил себя ждать, танковый удар немцев вскрыл оборону советских войск, и Барвенковский выступ был срезан.

Устойчивость обороны, о которой устами И.Е. Петрова говорит В.В. Карпов, на самом деле весьма со-

---

[1] ВИЖ № 2 за 1990 г., со ссылкой на ЦАМО. Ф. 251. Оп. 646. Д. 189 Л. 2—4, 23.

мнительна. Опыт И.Е. Петрова в общем случае совсем не универсален. Оборона крупного города (Одесса, Севастополь) на узком фронте совсем не эквивалентна обороне на рубеже в десятки и сотни километров. В большинстве случаев так называемую «прочную оборону» немцы проламывали. Оборона 1941 г. пробивалась неоднократно. Это, например, Лужский рубеж и Киевский УР в начале августа 1941 г. В первом случае все закончилось большим «котлом», во втором случае Киев удержали за счет ввода во встречное сражение двух свежесформированных стрелковых дивизий, то есть наступательными действиями.

Удар «Блау»

Многочисленными панегириками обороне широкий круг интересующихся военной историей постепенно подводился к мысли, что успешными действия Красной Армии становились только тогда, когда она переходила к обороне. Однако правило успеха или неуспеха в операциях Великой Отечественной войны звучит не так. Успех зависел не от того, оборонялись наши войска или наступали, а от плотностей войск и техники ведения операции. Если были достаточные для обороны или наступления плотности, наступательная или оборонительная операция имеет предпосылки быть успешной. Реализация предпосылок зависит от мастерства командования. А если нет достаточных плотностей войск, то оборона провалится, несмотря на все приказы. Помимо Вязьмы, Брянска в октябре 1941 г., характерный пример — это наступление немцев к Сталинграду летом 1942 г. Операция «Блау» проводилась не только и не столько за счет срезанного под Харьковом Барвенковского выступа. По директиве ОКВ № 41 от 5 апреля 1942 г. главным направлением считалось наступление на Воронеж, а не удар из района срезанного Барвенковского выступа. Директива, заметим, издана до начала советского наступления под Харьковом. В рамках выполнения плана кампании 1942 г. была взломана линия обороны Брянского фронта на воронежском направлении 28 июня — 6 июля 1942 г. Оборона 40-й и 13-й армий была прорвана, несмотря на то что Брянский фронт почти за два месяца до этого получил чудодейственный приказ обороняться. Цитирую директиву Ставки ВГК № 170364 от 8 мая 1942 г., подписанную И.В. Сталиным и Б.М. Шапошниковым:

«Ставка Верховного главнокомандования приказывает:

1. На Брянском фронте немедленно приступить к развитию полевых укреплений на занимаемых позициях войсками фронта на глубину дивизионной оборонительной полосы (до 10—12 км).

    Инженерные работы произвести с таким расчетом, чтобы батальонные районы были готовы не позже 15.05.1942 не только по переднему краю, но и в глубине.

2. Работы на армейских тыловых рубежах развернуть на важнейших направлениях силами армейских и фронтовых резервов.

3. При организации работ особое внимание уделить устройству наблюдательных и командных пунктов, ДЗОТов, запасных огневых позиций для пулеметов, минометов, орудий ПТО, ПТР и артбатарей. Система огневого заграждения перед передним краем и в глубине обороны должна обеспечивать взаимодействие огневых точек и прикрывать орудия противотанковой обороны.

4. Особое внимание уделить надежному укреплению населенных пунктов, дефиле, перекрестков и узлов

дорог. Все дороги перекопать рвами, а на переднем крае и заминировать с тем, чтобы всегда можно было разминировать любой участок и открыть проходы для наших войск на случай наших наступательных действий. Все работы, связанные с применением ВВ и минированием, занести точно на стотысячную карту, имея последнюю в штабах дивизий и армий.

Оборону населенных пунктов строить по системе перекрестного и фланкирующего огня пулеметов и ПТР с широким применением минных заграждений, фугасов, МЭП и т. д. При этом подготовку населенных пунктов в глубине обороны до тыловой оборонительной полосы производить силами тыловых частей и учреждений.

5. Потребовать от войск и всех начальников тщательной маскировки огневых средств, командных пунктов и соблюдения маскировочной дисциплины во всей оборонительной полосе»[1].

На производство этих оборонительных работ Ставкой ВГК выделялось 400 тонн колючей проволоки, 30 тыс. противотанковых и 60 тыс. противопехотных мин. Замечу, что «капли датского короля» такого же содержания 8—9 мая 1942 г. были направлены в адрес Южного, Калининского и Западного фронта. Что случилось с Южным фронтом под Харьковом в мае 1942 г. после подготовки обороны, мы уже знаем. Что же случилось с Брянским фронтом? Почему не подействовала военно-стратегическая панацея обороны? О том, что на Брянском фронте разразится гроза, советское руководство догадывалось. 20 июня командующему войсками Брянского фронта Ф.И. Голикову приказыва-

---

[1] ЦАМО. Ф. 132а. Оп. 2642. Д. 32. Л. 89—91.

211

лось нанести авиаудары по сосредотачивающимся немецким дивизиям. Помимо прочего, в директиве Ставки ВГК № 994070 был и такой пункт: «5. Войска курского направления держать в полной боевой готовности, всемерно улучшая оборону, сосредоточив на этом направлении максимум противотанковых средств». Брянский фронт получал все новые резервы, 25 июня последовал приказ о переподчинении фронту 17-го танкового корпуса. Главный удар немцы нанесли по левофланговой 15-й стрелковой дивизии 13-й армии и 121-й и 160-й стрелковым дивизиям 40-й армии.

Удар, как обычно, получился сокрушительным и неотразимым. На фронте 45 км в первом эшелоне противника наступали три танковые, три пехотные и одна моторизованная дивизия. Сдержать такой удар дивизии 13-й и 40-й армий не смогли, и уже к исходу 28 июня немецкие войска продвинулись на 8—15 км на восток и вышли на рубеж Гремячая, р. Тим. За два дня немцы прорвали оборону Брянского фронта на 40-километровом фронте и продвинулись на 35—40 км. Детальное изложение событий на Брянском фронте не входит в задачу данного исследования, поэтому я лишь несколькими мазками отмечу наиболее существенные моменты картины событий. По прорвавшейся группировке противника — XLVIII танковому корпусу немцев наносились контрудары наших механизированных соединений, которые уже вечером 28 июня были подчинены Голикову. 4-м танковым корпусом контрудар был нанесен 30 июня, 17-м и 24-м танковыми корпусами — 2 июля. На всякий случай замечу, что советский танковый корпус соответствовал танковой дивизии, а немецкий танковый корпус был действительно корпусом в составе нескольких дивизий. Позднее последовал контрудар 5-й танковой армии А.И. Лизюкова. Но она вступила в бой по частям, по мере прибытия. Сначала 7-й танковый корпус (6 июля 1942 г.), потом 11-й танковый корпус (8 июля) и, наконец, 2-й танковый корпус (10 июля). Поэтому успеха этот контрудар не достиг. Александр Ильич Лизюков, один из опытнейших танковых командиров Красной Армии, командовавший до войны тяжелой танковой бригадой, четыре года преподававший тактику в ВАММ, погиб в бою в ходе этого контрудара. При этом эффект контрудара был более чем скромный. Открываем дневник Гальдера. 7 июля он пишет: «Группа армий «Юг». Ход операции удовлетворительный. Танки и пехота вышли к реке Калитва. 23-я танковая дивизия, 24-я танковая дивизия и «Великая Германия» сменены и продвигаются в южном направлении. В районе Свободы и Коротояка продвижения не отмечено. Ввод соединений вслед за заходящим крылом протекает хорошо. Вейхс частью сил занимает оборону фронтом на север и одновременно продвигается на восток. Противник снова усиленно атакует этот новый оборонительный рубеж главным образом на восточном его участке». То есть все идет по плану, контраки советских войск отбиваются именно там, где их ждут. Такие же записи об атаках с танками сделаны 8-го и 9-го числа. Только в записи от 10 июля мы находим сведения об эффекте этих атак: «Северный участок фронта Вейхса снова под ударами противника. Смена 9-й и 11-й танковых дивизий затруднена». Согласитесь, танковая армия — это довольно дорогая цена за задержку в смене двух танковых дивизий.

Немного теории

О чем говорят все эти примеры? О том, что и оборона не является спасительным убежищем, позволяющим достигнуть успеха при небольших потерях. Это бытовое заблуждение, проистекающее из фильмов «о войне», в которых сидящие в окопе пехотинцы стреляют по идущим в атаку толпой немцам. И, соответственно, симметричных кадров про наступление, когда наши солдаты идут толпой на строчащие пулеметы. Фильмы упускают два важных момента. Первый — это воздействие артиллерии, которое воспроизвести на экране трудно, и второй момент — это пресловутая неопределенность планов противника.

Если же направление удара не угадано, то стоящие в обороне войска расположены более или менее равномерно вдоль линии фронта. Именно это происходило в полосе Южного фронта в мае 1942 г., на участках обороны 13-й и 40-й армий Брянского фронта в июне того же года. Противостоящие нашим войскам немцы скрытно уплотнили свои боевые порядки, добились на выбранных ими участках количественного превосходства. Что происходит дальше? На узком по сравнению с остальным фронтом участке обороны пехотинцы в окопах смешиваются с землей артиллерией, проволочные заграждения рвутся артиллерийским и минометным огнем. Артиллерия также пробивает проходы в минных полях, разрушает ДЗОТы. Параллельно оборона обрабатывается авиацией, высыпающей на оборону тонны бомб. Затем под прикрытием огневого вала, не дающего обороняющимся поднять голову, начинается атака. Проблема формирующего массовое сознание кинематографа в том, что он не показывает океан огня, обрушивающийся на обороняющегося. Шквал, тайфун снарядов, поглощающий пулеметные гнезда, блиндажи, артиллерийские батареи. Когда оглохшие, засыпанные землей пехотинцы пытаются организовать оборону, восстановить систему огня перед лицом атакующего противника. Когда поредевший после артобстрела батальон атакуют три батальона, бьющие из минометов, батальонной артиллерии, сопровождаемые огневым валом. Нам же показывают несколько жиденьких разрывов, которые позволяет бюджет фильма и возможности пиротехники. После взлома обороны армий вглубь устремляются танковые клинья, и дивизии на соседних участках вынуждены отходить под угрозой окружения, бросая свои оборудованные позиции и пытаясь восстановить оборону на другом рубеже. Это совершенно очевидно для профессионалов. Процитирую классический труд Фридриха Бернгарди «О войне будущего»: «Но могут заметить, что ведь и обороняющийся располагает такой же действительной артиллерией и он скорее может разгромить наступающие войска, чем сделает это наступающий с обороняющимся, залегшим в устроенных позициях. Это, конечно, верно; но выгода наступающего состоит в том, что, захватив в свои руки инициативу, он тем выигрывает очень много во времени и потому может неожиданно собрать *превосходную* артиллерию против фронта, на который наступает; в результате он забьет артиллерию обороняющегося раньше, чем она успеет усилиться, и, кроме того, так разгромит его позицию, что она станет неспособной к сопротивлению. Возможность собрать для атаки многочисленную артиллерию и пехоту, а также танки и с ними неожиданно напасть на врага — вот что в первую голову обеспечивает атаке ее преимущество»[1].

Вечные ценности

Угадать место удара довольно трудно, разведка не всемогуща. Наступательная стратегия диктовалась не прихотями советского командования, а жесткой необходимостью держать в своих руках инициативу, не по-

---

[1] *Бернгарди Ф.* О войне будущего. М.: Госиздат, 1921. С. 99.

зволять противнику нанести неожиданный удар в то место, которое слабо прикрыто войсками.

Этими соображениями руководствовалось командование русской армии в 1916 г., когда планировалось наступление, ставшее известным под названием «Брусиловского прорыва». Генерал Алексеев, начальник штаба верховного главнокомандующего, в своем докладе Николаю II от 24 марта (6 апреля) 1916 г. писал:

«Следовательно, возникает вопрос, как решать предстоящую нам в мае задачу: отдать ли инициативу действий противнику, ожидать его натиска и готовиться к обороне, или наоборот — упредив неприятеля началом наступления, заставить его сообразоваться с нашей волей и разрушить его планы действий.

Оборона требует такого же расхода людей и материальных средств, как наступление. Противник все равно не даст нам времени и возможности спокойно закончить накопление наших материальных средств; он заставит нас принять бой и расходовать те материальные запасы, которые мы к началу просыхания дорог накопим.

Наши союзники на французском театре имеют для 700 километров [фронта] столь большое количество сил и материальных средств и столь развитую сеть мощных железных дорог, что они могут спокойно выжидать атаки противника: в каждой точке они имеют возможность противопоставить противнику вполне достаточные силы для первого отпора и быстро подвести большие резервы, обеспечивающие уверенное развитие активной обороны.

В неизмеримо худших условиях для обороны находимся мы. Наши силы растянуты на 1200-верстном протяжении, одинаково уязвимые всюду; железные дороги — по их недостаточности и слабости — не обеспечивают скорой переброски резервов в достаточном количестве. Это лишает оборону активности и не обещает успеха.

Вот те условия, которые заставляют нас готовиться

к наступлению в начале мая, чтобы упредить противника, наносить ему удар, заставить его сообразоваться с нашей волей, а не оказаться в тяжелом полном подчинении его планам, со всеми невыгодными последствиями исключительно пассивной обороны»[1]. При этом положение русской армии было далеко не безоблачным. Тот же генерал Алексеев писал генералу Жилинскому во Францию: «Последние данные, которые я получил, рисуют положение безнадежным: отечественное производство не может нам дать не только орудий, но даже снарядов в достаточном количестве для выполнения одной хотя бы операции, длительностью не менее 20 дней. Попытка приобретения в Англии и Франции тяжелых орудий, преимущественно 6-дм калибров (152 мм. — *А.И.*), столь нам необходимых для борьбы с блиндажами и укрытиями, и 42-лин. пушек (107-мм. — *А.И.*) потерпела полную неудачу. Нет надежды и на изготовление соответствующих снарядов»[2]. Тем не менее из двух зол — пассивного ожидания сокрушительного удара и наступления при недостатке сил и средств — было выбрано второе.

Аналогичные механизмы работали на тактическом уровне. Вот как описывал Антон Иванович Деникин боевые действия своего соединения в 1915 г.: «Положение дивизии было необыкновенно трудным. Австрийцы, вводя в бой все новые силы, распространялись влево, в охват правого фланга армии. Сообразно с этим удлинялся и мой фронт, дойдя в конце концов до 15 километров. Силы противника значительно превосходили нас, почти втрое, и обороняться при таких условиях было невозможно. **Я решил атаковать.** С 21 авг. я трижды переходил в наступление, и тремя атаками Желез-

---

[1] Наступление Юго-Западного фронта в мае—июне 1916 г. Сборник документов. М.: Воениздат, 1940. С. 74.

[2] Там же. С. 47.

ная дивизия приковала к своему фронту около трех австрийских дивизий и задерживала обходное движение противника»[1]. Характерной также представляется реакция Деникина на неожиданное изменение обстановки:

«Эта нелепая стрельба обнаружила врагу расположение наших скрытых батарей, и к утру положение моей дивизии должно было стать трагичным. Я вызвал к телефону своих трех командиров полков и, очертив им обстановку, сказал:

— Наше положение пиковое. Ничего нам не остается, как атаковать.

Все три командира согласились со мной.

Я тут же отдал приказ дивизии: атаковать Луцк с рассветом»[2].

Те же самые соображения работают в любом конфликте и даже в условиях, когда нет фронта протяженностью в сотни километров. Весьма показательный пример — это оборона белыми Крыма в 1920 г. Один из самых эффективных командиров Белой армии, Я.А. Слащев написал о своем плане обороны полуострова следующее: «Я обратил внимание совета на то, что северный берег Таврии охватывает Сальковский и Перекопский перешейки, то же самое делает крымский берег, позволяя артиллерии стрелять продольным огнем; жить на Чонгаре и на Перекопе частям больше 300 человек негде; не лучше ли предоставить эту пустыню противнику. Пусть он померзнет, а мы посидим в тепле. **Потом я совершенно не признаю сидения в окопах — на это способны только очень хорошо выученные войска, мы не выучены, мы слабы и потому можем действовать только наступлением**, а для этого надо

---

[1] Деникин А.И. Путь русского офицера. М.: Современник, 1991. С. 283—284.

[2] Деникин А.И. Указ. соч. С. 285.

создать благоприятную обстановку. А она может быть создана отводом всех сил назад на территорию Крыма, в деревни. Впереди, на Сальково и Перекопском валу, нужно оставить только ничтожное охранение, по бегству которого мы узнаем, что красные идут. Красным по перешейкам идти целый день, ночью ночевать негде, они перемерзнут и будут дебушировать в Крым в скверном расположении духа — вот тут мы их атакуем. Ненюков присоединился, Субботин возражал, указывая, что около вала стоят 4 крепостных орудия — как быть с ними: для них нет лошадей. Я советовал отдать их противнику, так как при **их** наличии он скорее попадается на удочку и заплатит за них своими новыми современными орудиями»[1]. Расчет Слащева оправдался: «На рассвете 24 января красные стали выходить с Перекопского перешейка и попали под фланговый огонь с Юшуньской позиции. Начался бой. 34-я дивизия перешла в контратаку. В то же время на 15 верст севернее Виленский полк атаковал заслон красных против трактира и ввиду его малочисленности быстро отбросил его. Ночевавшая у Мурза-Каяша конница Морозова следовала за ним. 1000 шашек разлилось по перешейку, двигаясь к югу, в то время как Виленский полк образовал заслон к северу. В 13 часов я уже продиктовал донесение Деникину, что наступление красных ликвидировано, отход противника превратился в беспорядочное бегство, захваченные орудия поступили на вооружение артиллерии корпуса»[2].

Теми же соображениями, что и их идеологические противники М.А. Алексеев и Я.А. Слащев, руководствовались в советской Ставке ВГК четверть века спустя,

---

[1] Гражданская война в России: Оборона Крыма. М.: ООО «Издательство АСТ»; СПб: Terra Fantastica, 2003. С. 27.

[2] Там же. С. 39—40.

когда планировали операции весны — лета 1942 г., в частности наступление под Харьковом. Выбор между пассивной обороной и наступлением — это не выбор между «хорошей» и «плохой» стратегией, это выбор между возможностью потратить силы и средства в неудачной оборонительной операции и шансом выиграть в удачной наступательной.

Читатели, наверное, обратили внимание на слова М.А. Алексеева о том, что оборона требует такого же расхода людей и средств, как и наступление. Казалось бы, парадокс. Но этот тезис подтверждается практикой. Для успешного ведения обороны необходимо построение войск на фронте главного удара противника (неизвестно как угаданного), сравнимое с плотностями на наступление. Излюбленный многими апологетами оборонительной стратегии пример — это Курск. Однако давайте посмотрим, как Центральный фронт сдержал удар немцев. 13-я армия генерал-лейтенанта Н.П. Пухова занимала фронт обороны 32 км. При оперативной плотности в других армиях Центрального фронта 5—8 и даже 14 км на стрелковую дивизию, в этой армии она достигала 2,7 км на дивизию. Если в других армиях фронта плотность артиллерии была 15—17 орудий и минометов на 1 км фронта, то в 13-й армии она составляла 105 орудий на километр фронта. В операциях Первой мировой и 1942 г. с такими плотностями наступали, а 13-я армия оборонялась. Нет ничего удивительного, что наступление немецких войск на северном фасе Курского выступа закончилось провалом. Проблема в том, что участок удара противника для создания такой плотной «пробки», как 13-я армия, на его пути нужно еще угадать. Если у нас фронт шириной в сотни километров, то процесс угадывания подобен игре в «русскую рулетку» с шестью патронами в барабане «нагана».

Лекарство от прорыва

Как же противостоять этому паровому катку, если мы не угадали направление удара или оборона была неуспешной? Наиболее эффективным средством всегда были контрудары во фланг танковых клиньев. Подвижный против подвижного. Остановить продвижение противника ударами во фланг практиковалось обеими воюющими сторонами на советско-германском фронте.

Однако оборонительное сражение, как правило, суть сплошная импровизация. Поэтому контрудары часто оказывались разрозненными и наносились не там, где нужно. Выше я уже упоминал о действиях Юго-Западного фронта в первые дни войны. В первых боях в июне 1941-го части 4-го, 8-го и 15-го механизированных корпусов Юго-Западного фронта пытались бить во фланг 1-й танковой группе Э. фон Клейста. Несмотря на общий неуспех сражения, это были наиболее эффективные действия советских механизированных соединений. Куда хуже обстояли дела на Западном фронте. Там 6-й и 11-й механизированные корпуса во взаимодействии с 6-м кавалерийским корпусом под общим командованием И.В. Болдина пытались бить во фланг 3-й танковой группе Германа Гота. Однако, поскольку не было угадано направление движения острия танкового клина (этой болезнью страдали, как мы знаем, неизбежно), командующий Западным фронтом Д.Г. Павлов упорно пытался прикрывать лидское направление, видимо, считая прорыв на Минск чистым безумием. На прикрытие лидского направления была брошена противотанковая бригада И.С. Стрельбицкого. Никаких танков она не встретила, острие клина пошло гораздо севернее, на Минск и Вильнюс. Конно-механизированная группа И.В. Болдина была брошена против Гродно, через который наступали не танки, а пехота. В вязкой массе пехоты у Гродно они и завязли. То же самое в районе Воронежа год спустя. Сначала во фланг немецкому танковому клину били 4-й, 17-й и 24-й танковые корпуса, потом 5-я танковая армия А.И. Лизюкова. В обоих случаях контрудар был безуспешен. Фланг танкового клина прикрывался противотанковым заслоном. В условиях спешки оборонительного сражения, когда немецкие танковые дивизии прорывались в глубину обороны, контратакующие соединения вводились в бой по частям, по мере прибытия, часто без должной подготовки. Это тоже один из минусов пассивной стратегии. Нам приходится реагировать на действия противника, импровизировать (поскольку мы заранее не знаем ни точки удара, ни дальнейшего направления действий при выходе на оперативный простор).

Все это вечные законы стратегии. Мольтке говорил: «Преимущества наступления сами по себе ясны и очевидны. Действующий согласно собственному решению сам предписывает себе закон, которому должен подчиняться в своих мероприятиях выжидающий». То есть сторона, берущая на себя инициативу наступления, навязывает место и время сражения, выбирая, разумеется, выгодные для себя условия. И это влияет на все аспекты военных действий. Например, вот что пишет генерал Эрр, один из наиболее известных французских артиллеристов: «В наступлении, когда инициатива находится в наших руках, когда действуют по заранее обдуманному плану и в хорошо известных всем участникам условиях, когда противник вынужден подчиниться воле атакующего и лишь отражать его удары, — артиллерия сохраняет, в общем, свободу действий, и роль ее сравнительно проста; допущенные ею ошибки компенсируются превосходством средств, которыми она располагает всегда или по крайней мере вначале; последствия этих ошибок имеют второстепенное

значение и сглаживаются общим успехом. При обороне условия прямо противоположны, и обороняющийся
испытывает многочисленные трудности; в частности,
артиллерия при ведении ею огня вынуждена постоянно
импровизировать: она должна быстро решать вновь
возникающие сложные задачи под угрозой быть уни-
тоженной; самые незначительные ошибки могут стать
роковыми»[1]. Как мы видим, профессиональные военные разных армий говорят примерно одно и то же о пре-
имуществах наступления и недостатках обороны.

У обороны есть масса недостатков, которые упускают из виду ее апологеты. Успех ведения оборонительной операции висит на волоске так же, как и успех
наступательной операции. Все зависит от успеха им-
провизации с контрударами. Если противник пробил
фронт там, где мы не ждали, то контрудары — это чистой воды импровизация, их организация — это весьма
нетривиальная задача. Противник владеет инициативой,
создать план на все случаи жизни невозможно. Поэтому
ведение успешной обороны не зависело от наличия или
отсутствия чудодейственного приказа. А зависело от
плотностей и от грамотного ведения операции. Там, где
эти два фактора совпадали, немцев сумели сдержать.
Там, где не совпадали, был провал вне зависимости от
того, оборонялись наши войска или наступали.

При низкой плотности войск возможно только ведение так называемых «сдерживающих действий». После поражения у Вязьмы и Брянска на московское направление были рокированы дивизии с Северо-Запад-
ного фронта. В частности, 316-я стрелковая дивизия
Панфилова, вскоре ставшая 8-й гвардейской дивизией.
Действия 316-й дивизии под Москвой описаны в луч-

---

[1] *Эрр.* Артиллерия в прошлом, настоящем и будущем. М.: Воениздат, 1941. С. 53.

шей, на мой взгляд, книге о войне — «Волоколамское шоссе» Александра Бека. На страницах книги в форме диалога между командиром дивизии и комбатом Баурджаном Момыш-Улы раскрывается технология ведения сдерживающих действий, «отступательная стратегия». Фактически дивизия обороняла не сплошной фронт, а направления, дороги. На дороге выставлялся заслон, заставлявший немцев развернуться в боевые порядки, атаковать по всем правилам. Под нажимом немцев отряд, составлявший заслон, отходил и снова занимал позицию на шоссе. И такой спиралькой-пружиной сдерживал немцев, выигрывал время. Естественно, на каждом из промежуточных рубежей оборона советских войск взламывалась немцами. Например, бой 1075-го полка 316-й стрелковой дивизии 16—18 октября 1941 г. К моменту начала наступления немцев была отрыта сплошная первая траншея и прерывчатая вторая, высоты и населенный пункты были подготовлены к круговой обороне. Было установлено 4000 мин, отрыт противотанковый ров длиной 4 км. Первый удар немцев 16 октября стрелковый полк сдержал, удар частей 2-й танковой дивизии пришелся по позициям, прикрывавшимся 85-мм зенитками. Но на следующий день немцы нащупали слабое место в обороне наших войск и прорвали позиции полка, полк был вынужден отходить, создавая оборону на новом рубеже, берегу реки Руза. Задачей дивизии было не удержать рубеж, а нанести потери противнику, задержать его. Пространство разменивалось на время. Других вариантов попросту не было. Ни противотанковый ров, ни мины, ни установленные на прямую наводку зенитки немцев в бою 16—18 октября не остановили. То же самое продолжалось и последующий месяц. Бои дивизии Панфилова 16—18 ноября 1941 г. проходили по той же схеме. 16 ноября немцы перешли в наступление, нанеся удары как по 1075-му полку соединения, так и удар по сходящимся направлениям по 690-му полку. Под угрозой окружения полки снова были вынуждены отходить к Москве. При этом в ноябре фронт обороны дивизии сузился и достиг 14 км, значения в принципе допустимого с точки зрения Устава.

Предыстория вопроса

Одним из заблуждений, питающих апологетов обороны, является позиционный кризис Первой мировой войны и его преодоление. Однако в Первую мировую проблема была не столько в прорыве тактической полосы обороны, а в развитии тактического прорыва в оперативный. Что означают эти термины? Тактический прорыв — это прорыв обороны дивизии, двух дивизий на направлении главного удара. Но пробивание бреши шириной несколько километров еще не все. Пока мы проламываем оборону дивизии, противник подтянет резервы и заткнет образовавшуюся дыру в обороне. На взлом сопротивления подтянутых противником резервов уже не хватит сил, наступление выдохнется. В худшем случае противник заставит нас отступить контрударами. Если же развить тактический прорыв в оперативный, то можно заставить противника отступать по всему фронту, окружить и уничтожить его. Дело не в блиндажах в три наката. Артиллерийские снаряды будут превращать эти блиндажи в фонтаны бревен. Бетонные убежища, колючая проволока, надолбы — все это поддается артиллерии. Проблемой была скорость взлома обороны. Несколько дней артиллерийской подготовки указывали участок прорыва, противник уплотнял фронт, подтягивал резервы. Нужна была внезапность, натиск, нельзя было давать противнику опомниться. И технология была заложена не на русском фронте Первой мировой, а на Западном. В Верденском наступлении немцев время артиллерийской подготовки уже составляло 9 часов, с 7.15 21 февраля 1916 г. до 16.15 того же дня. За четыре дня немцы прорвали первую и вторую позиции французских войск. Но с 24 февраля в район Вердена начинают прибывать французские резервы, и немецкое наступление выдыхается. Действия союзников основывались на тех же принципах, но они в меньшей степени учитывали фактор внезапности. Например, на Сомме в 1916 г., когда артиллерийская подготовка длилась семь дней, с 24 июня по 1 июля 1916 г. Общим принципом было: «артиллерия разрушает, пехота наводняет». Несмотря на первоначальный успех союзников по захвату превращенных в лунный пейзаж позиций, германцы подтянули резервы с других участков фронта и погасили наступление. Под Верденом артподготовка длилась уже три дня, с 21 по 24 октября 1916 г. В дальнейшем союзники возлагали задачу взлома фронта на танки. Классический пример прорыва массированной танковой атакой — это Камбре в ноябре 1917 г., когда фронт немецких дивизий был пройден танками и сопровождающей их пехотой. Артиллерийской подготовки перед наступлением у Камбре не производилось. Ранним утром 20 ноября 1917 г. танки и сопровождающая их пехота англичан пошли в атаку при поддержке огневого вала. Третий и четвертый армейские корпуса англичан прорвали фронт немецких 9-й резервной, 20-й ландверной, 107-й и 54-й пехотных дивизий у Камбре. За 6 часов укрепленная полоса «Зигфрид» была прорвана в трех местах. При этом нельзя сказать, что линия «Зигфрид» была слабой. Описание главной укрепленной позиции «Зигфрид» звучит так: «...2—3 сплошные линии окопов, хорошо оборудованных гнезд сопротивления, надежных и многочисленных блиндажей, усиленных мощными проволочными заграждениями в несколько полос общей шириной до 0,5 км». Вторая линия «также состояла из 2—3 линий окопов и была оборудована не менее солидно, чем 1-я»[1]. Продвижение союзников удалось восстановить только подоспевшим немецким резервам, спешно переброшенным с других участков фронта и из стратегического резерва. Поэтому развить тактический прорыв в оперативный союзникам под Камбре не удалось. Канадскую конницу для развития прорыва англичанам ввести в прорыв не получилось, позднее немцы ударами с флангов заставили английские войска отступить. За неимением танков немцы основывали свои наступления на артиллерийском ударе и тактике просачивания штурмовых групп. В последний год войны немецкая технология прорыва фронта достигла совершенства. В мае 1918 г. в районе Шмен-де-Дам длительность артиллерийской подготовки была сокращена до 160 минут, 2 ч. 40 мин. Французский фронт за 10 дней был прорван на протяжении 78 км, продвижение в глубину составило 60 км. В 20—30-х гг. немецкие операции 1918 г. изучались как классика быстрого артиллерийского прорыва позиционного фронта. В это же время достигла совершенства и тактика штурмовых групп, целые дивизии к весне 1918 г. были переформированы в Angriffsdivisionen, штурмовые дивизии.

Штурмовые группы

В то время как у нас занимались дорогостоящими социальными экспериментами, на полях сражений последних двух лет Первой мировой войны рождалась новая тактика пехоты. По опыту позиционных боев 1914—

---

[1] *Оберюхтин В.* Операция под Камбре в 1917 г. М.: Воениздат, 1936. С. 23—24.

1916 гг., помимо короткой, но мощной артиллерийской подготовки было предложено создавать тактические штурмовые группы. Эти группы хорошо подготовленных бойцов за складками местности подбирались к окопам, забрасывали их гранатами и выжигали огнеметами. Далее они просачивались в глубь обороны противника, атаками с фланга и тыла уничтожали огневые точки и узлы сопротивления. Появлением штурмовых групп объясняется рождение полковой и батальонной артиллерии, по иронии судьбы родившейся из трофейных русских «трехдюймовок». Тактика штурмовых групп позволила немцам, не имевшим танков, достичь внушительных успехов на Марне в 1918 г., захватить сильно укрепленные позиции у Капорето на итальянском фронте. Эта тактика фактически вернула бой пехоты и стала не менее революционным изобретением Первой мировой войны, чем английское техническое новшество — танк. Кроме того, немцы по опыту сражений Вердена и Соммы выработали теорию о «шверпункте» обороны, узловой точке, захват которой определяет успех наступающего. От командира требовали творческого анализа оборонительных позиций противника, выявления «шверпункта» и постановки соответствующих задач своим подчиненным. В 30-х немецкие тактические находки Первой мировой были дополнены танками и полковой артиллерией специальной разработки. Многие авторы сходятся во мнении, что блицкриг уходит своими корнями в действия штурмовых групп, быстро и эффективно взламывавших позиционный фронт Первой мировой. Противник у наших отцов и дедов был серьезный, копанием траншей полного профиля его испугать, а тем более остановить было проблематично.

Бог войны

Возвращаясь к нашим баранам, можно резюмировать, что сам по себе прорыв фронта был решаемой задачей. Технология была более-менее отработана еще за годы Первой мировой войны. Проблемой оставалась борьба с резервами противника, развитием тактического прорыва в оперативный. Петен в записке от 8 сентября 1918 г. написал: «1) что прорыв укрепленного фронта возможен, 2) что использование прорыва прекращается с того момента, как только противник благодаря подтягиванию резервов получает возможность снова организовать беспрерывную линию огня». В неудачных, кровопролитных сражениях Первой мировой события развивались по одной и той же схеме. Пробивается фронт, но, пока это происходит, противник подтягивает резервы и останавливает выдохшиеся в ходе прорыва войска. Как же избегать этого замкнутого круга? Один из вариантов — это сковывание резервов нажимом на широком фронте. Такую форму имел Брусиловский прорыв. Недостаток очевиден: создавая несколько вспомогательных ударных группировок, мы ослабляем основную, действующую на направлении главного удара. К тому же существует риск несогласованных действий ударных группировок. Чуда не произошло, и эти недостатки в полный рост проявили себя в реальности. Успешно наступала на главном операционном направлении 8-я армия. 11-я армия, южнее ее, вследствие скудости сил достигла весьма скромных успехов. Более того, успех армии у Соколова не был использован в интересах соседней 8-й армии. 7-я армия, также наносившая вспомогательный удар, не продвинулась дальше австрийской второй позиции. Более или менее успешными были действия 9-й армии. Прессинг по всему фронту, конечно, сковывал часть сил австрийцев, но не мешал переброске войск с других фронтов и ТВД. 14 июня 1916 г. наступление на Ковель останавливают прибывшие с фронта Гинденбурга 11-я и 108-я пехотные дивизии немцев, 15 июня, как айсберг перед «Титаником», выплывает из тумана переброшенный с французского театра X армейский корпус немцев. Контратаки этих германских частей остановили продвижение 8-й армии, не имевшей резервов для развития успеха. Поэтому закончился Брусиловский прорыв так же, как остальные операции Первой мировой, мясорубкой тактического значения, «Ковельским тупиком». Тем не менее форма Брусиловского прорыва долгое время была бзиком нашего командования, что вело к распылению сил. В операции «Марс» конца ноября 1942 г., помимо основных ударов с вводом в прорыв танкового и механизированного корпусов П. Армана и М. Соломатина, были вспомогательные удары танковым корпусом М. Катукова в долине Лучесы и наступление в районе Молодой Туд. Практика войны показала, что размазывание ударной группировки плохо сказывается на ведении операции, и от метода Брусилова отказались. Наилучшим рецептом был быстрый, внезапный взлом обороны артиллерией и танками, с дальнейшими действиями в глубине порядков противника самостоятельных танковых соединений, способных расправляться с резервами, используя преимущество в маневре. Все эти элементы, примененные на практике в 1939—1945 гг., были заложены уже в планах Фуллера 1919 г. Артиллерийский же удар был общим местом. Артиллерия как важнейшее средство подавления системы огня обороняющегося противника была признана всеми странами. В своей книге «Вождение войск», давшей название полевому уставу германской армии, один из идеологов немецкой военной машины, генерал-лейтенант Фридрих фон Кохенгаузен пишет:

«Артиллерия обеспечивает танковую атаку, подавляет противотанковые средства противника, уничтожает наблюдательные пункта противника гранатой или ослепляет их дымовыми завесами, обстреливает лесные участки и населенные пункты и препятствует введению в бой резервов противника»[1]. Роль артиллерии во Второй мировой войне в меньшей степени освещена в массовых изданиях, больше места уделено танкам и авиации. Но артиллерия, несомненно, оставалась во всех странах богом войны. Без нее эффективные действия танков были невозможны, авиация не могла заменить артиллерийского огня даже орудий крупного калибра. Артиллерия была самым страшным врагом обороны, способным сокрушить любые накаты блиндажей и укрытий.

Спасительные наступления. Мелитополь

Переоценке роли обороны способствовало также замалчивание неудачных наступательных операций Красной Армии. «Неудачных» с точки зрения тех задач, которые формулировались в приказах на их проведение. Это на самом деле никак не мешало некоторым из этих операций быть объективно удачными и результативными с точки зрения срыва планов противника. Примером такой операции является наступление Южного фронта, проведенное в последнюю неделю сентября 1941 г.

К концу сентября 1941 г. немецкое командование решило сосредоточиться на захвате Крыма, заняв линию соприкосновения с советским Южным фронтом от Днепра до Азовского моря преимущественно румын-

---

[1] *Кохенгаузен Ф. фон.* Вождение войск. М.: Воениздат, 1937. С. 175.

скими соединениями. В рамках этого мероприятия выводился с фронта и сменялся румынскими частями XLIX горный корпус генерала Людвига Кюблера. Однако в тот момент, когда 1-я и 4-я горно-егерские дивизии этого корпуса уже находились на марше в направлении Крыма, Южный фронт перешел в наступление и прорвал фронт румынских дивизий. Для восстановления положения пришлось развернуть XLIX горный корпус на 180 градусов и направить его на восстановление рухнувшего фронта. С теми же целями были задействованы соединения XXX армейского корпуса — 22-я и 170-я пехотные дивизии.

Объективно наступление 9-й и 18-й армий Южного фронта заставило немцев повернуть от Крыма XLIX горный корпус и бросить его на восстановление рассыпавшегося фронта румынских соединений. Горные егеря Кюблера оказались бы весьма кстати в изобилующем горным ландшафтом Крыму, но вместо этого вынуждены были надолго увязнуть в гладких, как стол, Ногайских степях. Не будет преувеличением сказать, что бросок 9-й и 18-й армий стал для Севастополя спасением и перевел бои вокруг города в фазу затяжной позиционной войны. Произошло это потому, что до прибытия Приморской армии в Крым не ворвался лишний немецкий корпус.

В заключение процитирую Дэвида М. Гланца, написавшего о советских контрударах 1941 г. такие слова: «С другой стороны, непрерывные и иррациональные, зачастую бесполезные советские наступления неощутимо разрушали боевую силу немецких войск, вызвали потери, которые побудили Гитлера изменить его стратегию и в конечном счете создали условия для поражения вермахта под Москвой. Те советские офицеры и солдаты, кто пережил их (наступлений) серьезное и дорогостоящее крещение огнем, в конечном счете использовали свое быстрое образование для нанесения ужасных потерь своим мучителям»[1].

Спасительные наступления. Ленинград

Еще одним примером, когда неудачное в смысле выполнения своих задач наступление срывало планы противника, являются действия советской 2-й ударной армии осенью 1942 г. Основной проблемой осажденного Ленинграда был недостаток сил и средств для эффективной защиты. Узкий фронт на подступах к крупному городу в целом благоприятствует обороне, но при одном условии — бесперебойном снабжении защитников всем необходимым. Ленинградский фронт был связан с «Большой землей» тоненькой ниточкой «Дороги жизни», его собственные производственные мощности были весьма ограниченны.

С точки зрения немецкого командования, Ленинград должен был быть захвачен по двум причинам. Во-первых, освобождались войска группы армий «Север», задействованные в обеспечении блокады города. В их число входят не только соединения, в течение всех 900 дней борьбы за Ленинград занимавшие довольно протяженный участок фронта от Ладожского озера до Ораниенбаума, но и войска 18-й армии немцев, противостоявшие Волховскому фронту. Вследствие постоянных попыток последнего прорвать блокаду Ленинграда стабильность обстановки в группе армий «Север» поддерживалась сравнительно большими силами, которые могли быть задействованы на других, более важных,

---

[1] *David M.* Glantz Barbarossa. The Hitler's invasion to Russia. 1941. P. 206. *(Перевод мой. — А.И.)*

участках советско-германского фронта. Во-вторых, захват города мог иметь большое политическое и моральное значение. Этот фактор Гитлером также не мог быть проигнорирован.

В явном виде задача захвата Ленинграда была сформулирована Гитлером в директиве № 45 от 23 июля 1942 г. группе армий «Север». В этой директиве предписывалось завершить штурм города не позднее первых чисел сентября 1942 г. Для решения этой задачи была выделена освободившаяся после завершения штурма Севастополя в июне 1942 г. 11-я армия под командованием Э. фон Манштейна. Армия состояла из управления, пяти пехотных дивизий и многочисленных артиллерийских частей. После отдыха и пополнения она была переброшена из группы армий «Юг» в группу армий «Север». Выбор именно этой армии для удара по Ленинграду вполне очевиден: войска Манштейна получили опыт в штурме крупного города в течение полугодовой битвы за Севастополь. Первоначально операция получила название «Фойерцаубер» («Волшебный огонь»), затем ее переименовали в «Нордлихт» («Северное сияние»).

Но советская сторона не сидела сложа руки. В начале августа Военный совет Волховского фронта (командующий войсками фронта К.А. Мерецков, член Военного совета А.И. Запорожец, начальник штаба Г.Д. Стельмах) представил в Ставку ВГК план операции, впоследствии получившей название «Синявинской». Основную роль в ней должна была сыграть 8-я армия, в третий эшелон наступающих войск по плану включалась восстановленная 2-я ударная армия. Вскоре план операции был утвержден. Ранним утром 27 августа операция началась с двухчасовой артиллерийской подготовки.

Э. фон Манштейн впоследствии так описал произошедшее далее: «Немецкие военные транспорты, прибывавшие на Ленинградский фронт, не могли, конечно, уйти от внимания противника. Уже 27 августа противник атаковал 18-ю армию, стоявшую фронтом на восток. Необходимо было ввести в бой только что прибывшую 170-ю дивизию. В последующие дни стало ясно, что советская сторона, используя крупные силы, организовала наступление с целью прорыва блокады Ленинграда; этим наступлением противник, очевидно, хотел упредить наше наступление. 4 сентября вечером мне позвонил Гитлер. Он заявил, что необходимо мое немедленное вмешательство в обстановку на Волховском фронте, чтобы избежать катастрофы. Я должен был немедленно взять на себя командование этим участком фронта и энергичными мерами восстановить положение. Действительно, в этот день противник в районе южнее Ладожского озера совершил широкий и глубокий прорыв занятого незначительными силами фронта 18-й армии. Нам было, конечно, не очень удобно брать на себя в районе 18-й армии в критический момент командование угрожаемым участком фронта. Уже на то, что на нас была возложена задача организовать наступление на Ленинград, в штабе 18-й армии смотрели отрицательно, что было вполне справедливо. Однако, несмотря на такое очевидное пренебрежение, штаб 18-й армии делал все возможное, чтобы всеми средствами облегчить нам выполнение нашего задания, особенно учитывая, что у нас в штабе не было отдела тыла. **И вот вместо запланированного наступления на Ленинград развернулось сражение южнее Ладожского озера.** Севернее дороги, идущей из Ленинграда через Мгу на восток, противнику удалось захватить участок фронта 18-й армии шириной 8 км и продвинуться примерно на 12 км в западном направлении, до района севернее Мги. Прежде всего нужно было остановить продвижение противника имеющимися под руками силами нашей 11-й армии. В последующие дни в ходе тяжелых боев нам удалось остановить противника. После сосредоточения прибывших к этому времени остальных дивизий армии штаб мог начать решающее контрнаступление. Контрнаступление было организовано с севера и юга, из опорных пунктов уцелевшего фронта, чтобы отрезать вклинившиеся войска противника прямо у основания клина. С юга наступал 30-й ак в составе 24-й, 132-й, 170-й пехотных и 3-й горнострелковой дивизий, с севера — занимавший и ранее этот участок фронта 26-й корпус с 3 дивизиями: 121-й пехотной, 5-й и 28-й горнострелковыми дивизиями. К 21 сентября в результате тяжелых боев удалось окружить противника. В последующие дни были отражены сильные атаки противника с востока, имевшие целью деблокировать окруженную вражескую армию прорыва. Та же судьба постигла и Ленинградскую армию, предпринявшую силами 8 дивизий отвлекающее наступление через Неву и на фронте южнее Ленинграда. Вместе с тем необходимо было уничтожить находящиеся в котле между Мгой и Гайтоловом значительные силы противника. Как всегда, противник не помышлял о сдаче, несмотря на безвыходность положения и на то, что продолжение борьбы и с оперативной точки зрения не могло принести ему пользы. Напротив, он предпринимал все новые и новые попытки вырваться из «котла». Так как весь район «котла» был покрыт густым лесом (между прочим, мы никогда не организовали бы прорыва на такой местности), всякая попытка с немецкой стороны покончить с противником атаками пехоты повела бы к огромным человеческим жертвам. В связи с этим штаб армии подтянул с Ленинградского фронта мощную артиллерию, которая начала вести по «котлу» непрерывный огонь, дополнявшийся все новыми воздушными атаками. [...] К 2 октября, таким образом, удалось закончить бои в «котле». Со стороны противника в этом сражении участвовала 2-я ударная армия, состоявшая не менее чем из 16 стрелковых дивизий, 9 стрелковых бригад и 5 танковых бригад. Из них в «котле» было уничтожено 1 стрелковая дивизия, 6 стрелковых бригад и 4 танковые бригады. [...] Если задача по восстановлению положения на восточном участке фронта 18-й армии и была выполнена, то все же дивизии нашей армии понесли значительные потери. Вместе с тем была израсходована значительная часть боеприпасов, предназначавшихся для наступления на Ленинград. **Поэтому о скором проведении наступления не могло быть и речи**»[1].

Слова Э. фон Манштейна о связи советского наступления с накоплением сил 11-й армии в ГА «Норд» лишены оснований. Руководивший Синявинской операцией К.А. Мерецков вспоминал: «Но, к сожалению, в то время никто из нас не знал, что немецкое командование готовило в те же дни операцию по окончательному овладению Ленинградом, перебросило для усиления своей группы армий «Север» значительную часть войск из Крыма и дополнительно сосредоточило на подступах к блокированному городу крупные силы артиллерии и авиации, возложив общее руководство операцией на генерал-фельдмаршала Манштейна. Всего этого мы не знали и находились в неведении относительно мероприятий противника. Правда, некоторые признаки накопления сил немцами были заметны еще до начала наступления. Во второй половине августа наша воздушная разведка заметила интенсивное железнодорожное движение с юга в сторону Ленинграда. По заданию штаба фронта партизаны Ленинградской облас-

---

[1] *Манштейн Э.* Утерянные победы. М.: АСТ; СПб: Terra Fantastica, 1999. С. 299—302. (*Выделено мной. — А.И.*)

ти пустили под откос несколько эшелонов с войсками и техникой врага. Однако тогда не удалось установить, что эти войска принадлежат 11-й армии Манштейна, перебрасываемой с юга. Впрочем, противник, в свою очередь, ничего не знал о подготовке нашего наступления. Следует признать, что обе стороны сумели осуществить подготовку операций скрытно, с широкими мерами маскировки и искусной дезинформацией»[1]. Сосредоточение 11-й армии, таким образом, прошло незамеченным для советского командования, и можно уверенно утверждать, что, если бы она ударила по Ленинграду, этот удар мог стать фатальным для города-крепости. Отмечу также, что именно в районе боев 11-й армии с наступающими советскими войсками были по приказу А. Гитлера впервые на советско-германском фронте применены новейшие тяжелые танки «тигр». Они прибыли на станцию Мга 29 августа 1942 г., в тот же день первый раз без особого успеха сходили в бой. В конце сентября 1942 г. «тигры» были использованы в боях с окруженной ударной группировкой Волховского фронта, будучи приданными прибывшей под Ленинград из Крыма 170-й пехотной дивизии армии Э. фон Манштейна. Несмотря на сложные условия местности, «тигры» раз за разом шли в бой. Они, по мысли Гитлера, должны были стать средством для скорейшего уничтожения окруженцев и продолжения наступления на Ленинград. Без попытки наступления «тигры», кстати говоря, были бы использованы в наступлении на город и стали бы неприятным сюрпризом для его защитников.

Захват Ленинграда был предотвращен ударом извне кольца блокады, причем не заранее спланированным в ответ на действия немцев, а лежащим в общей

---

[1] *Мерецков К.А.* На службе народу. М.: Политиздат, 1968. С. 301—302.

плоскости наступательной стратегии Красной Армии. Далее последовали грозные события в южном секторе советско-германского фронта, и фон Манштейну нашлось чем заняться, помимо Ленинграда. Зимой 1943 г. блокада Ленинграда была снята.

* * *

Тезис о том, что оборона в форме сидения в окопах и блиндажах — это хорошо, а наступление в форме хождения в атаки на пулеметы — плохо, не более чем миф. К сожалению, он имеет хождение не только на уровне домохозяек и «тетенек с французского телевидения», но и среди более серьезных людей. На самом деле на уровне армии большой страны пассивные действия гибельны. Нельзя быть везде одинаково сильным, всегда найдется место, где артиллерия перемешает с землей окопы, блиндажи в три наката, и далее будет только череда окружений и тысячи пленных. Успешность действий определяет не выбор стратегии — оборона или наступление, — а прежде всего плотности войск. Есть возможность построить войска с нормальной плотностью, будет успех. При условии, конечно, что шурупы не будут забиваться молотком, то есть не будет нарушаться технология ведения боевых действий. В самой серьезной обстановке, при недостатке снабжения, стволов артиллерии и штук танков нужно вести активные действия, стремясь не отдавать инициативу в руки врага. Это говорят в один голос военачальники разных стран и эпох. Упреки советского командования в излишней наступательности совершенно беспочвенны. Советская военная теория базировалась на вечных принципах технологии войны. Неумолимых, как законы Ньютона.

Теми же соображениями руководствовалось командование армий других стран. Отправной точкой при планировании летней кампании 1943 г. немецким руководством были как раз опасности пассивного ожидания ударов противника. Э. фон Манштейн писал: «Вторым соображением, говорившим против применения чисто оборонительной тактики, был тот простой факт, что нам не хватало для этого имеющихся на востоке дивизий.

АНТИСУВОРОВ

Фронт от Черного моря до Ледовитого океана был слишком велик для того, чтобы мы могли создать на нем прочную оборону, и меньше всего в полосе группы «Юг», которая должна была оборонять тогда 32 дивизиями фронт от Таганрога на Черном море до района юго-восточнее Сумы, составлявший около 760 км. Соотношение сил позволяло Советам, в случае если бы мы ограничились чистой обороной, проводить наступление на различных участках Восточного фронта превосходящими силами и прорывать наш фронт. В результате этого противник добился бы или окружения стабильных участков фронта, или нашего отступления. 1944 г. дал достаточно примеров того, к чему приводила нас попытка удерживать неподвижный фронт»[1].

Все вышесказанное позволяет вывести своего рода «золотое правило» стратегии: «Нужно всеми силами стремиться захватить инициативу; если у нас есть достаточно сил для наступления, надо наступать». Эта мысль высказывалась в той или иной форме многими известными военачальниками, в частности М. Драгомировым: «Преимущества наступательного способа действий в бою настолько значительны по сравнению с его недостатками и выгодами оборонительного способа действий, а недостатки этого последнего настолько пагубны в нравственном отношении, — что наступательный способ действий является бесспорно наивыгоднейшим. Решительные и талантливые полководцы всегда предпочитали наступление обороне, и благодаря этому они достигали боевых целей в таких случаях, в которых успех, по соображениям обыденного здравого смысла, казался невозможным»[2].

---

[1] *Манштейн Э.* Утерянные победы. М.: АСТ; СПб: Terra Fantastica, 1999. С. 486—487.

[2] *Драгомиров М.* Учебник тактики. Киев: Типография штаба округа, 1910. С. 232.

Глава 7

Неуязвимые чудо-танки

В течение многих веков люди наделяли чудесными свойствами свое оружие. Появлялись легенды о всесокрушающих мечах, способных рассекать камни и никогда не ломаться. «Меч-кладенец» богатыря, «Эскалибур» короля Артура, «Дюрандаль» Роланда стали полноправными участниками легенд о могучих богатырях и благородных рыцарях. В век атомной бомбы легенды стали складывать о танках, ставших в ходе Второй мировой войны неизменными участниками сражений на всех театрах военных действий, от заснеженных полей и густых лесов нашей страны до африканской пустыни и джунглей Азии. Человеческая потребность в чудо-оружии реализовывалась в виде легенд о неуязвимых и сметающих все на своем пути танках, от которых бежали враги, попутно получая приказы от начальства не вступать с ними в открытый бой и смазывая ядом алебарды для коварного удара в спину благородному воину. Как и полагается выдающимся образцам вооружения, чудо-танки получали название или с намеком на благородное происхождение («королева поля боя»), или имена крупных хищников («тигр» и «пантера»), или назывались в честь выдающихся политических и военных деятелей своих стран («ИС» — «Иосиф Сталин»). Как и полагается великим воинам, чудо-танки могли пасть не в открытом бою с врагом, но стать жертвой интриг властолюбцев.

Легенда

В СССР песней о буревестнике были рассказы про действия танков «Т-34» и «КВ» в начальный период войны. Характерный пример: «Немецкое командование, встретив новые советские танки и видя бессилие своих противотанковых средств, переложило борьбу с «КВ» и «Т-34» на плечи авиации, которая в то время господствовала в воздухе»[1]. Здесь очень ярко проглядывает мифологическая подоплека легенд о великих танках. Поразить Гераклов наших дней могли только небесные жители, метнув вниз с Олимпа молнию (бомбу с «певуна» — «Ю-87»). Простые смертные были против них бессильны.

Причиной поражений, конечно же, был недостаток чудо-танков, уничтожить которые было просто невозможно: «В воспоминаниях, относящихся к тому времени, бывший комиссар 104-й танковой дивизии Александр Софронович Давиденко свидетельствует: «Хочу отметить, что хорошо показали себя в боях наши тяжелые танки «КВ», и это наводило на врага ужас. «КВ» были неуязвимы, очень жаль, что их у нас было так мало. Вот пример: 30 июня вернулись с поля боя два танка «КВ», у которых не было ни одной пробоины, но на одном из них мы насчитали 102 вмятины»[2]. Случаи с возвращением новых танков из боя с многочисленными вмятинами действительно имели место, здесь автор книги нисколько не лукавит. Другой вопрос, что не менее распространенным был куда более драматичный вариант развития событий. Теоретический тезис о том, что на новых танках могли оставаться только вмятины, подтверждался сравнением технических характеристик

---

[1] *Ибрагимов Д.С.* Противоборство. М.: ДОСААФ, 1989. С. 211.

[2] *Ибрагимов Д.С.* Указ. соч. С. 211.

немецких противотанковых пушек и бронирования «Т-34» и «КВ».

Масла в огонь подлили данные «с той стороны». Один из наиболее авторитетных немецких источников, воспоминания бывшего командующего 2-й танковой группой Г. Гудериана повествовали об одной из первых встреч с «Т-34» так: «18-я танковая дивизия получила достаточно полное представление о силе русских, ибо они впервые применили свои танки «Т-34», против которых наши пушки в то время были слишком слабы»[1].

Настоящим хитом, кочующим из книги в книгу эпизодом стали бои под Мценском в октябре 1941 г., из которых сделали символ превосходства «Т-34» и «КВ» над противником. Гейнц Гудериан написал об этих боях следующее: «Южнее Мценска 4-я танковая дивизия была атакована русскими танками, и ей пришлось пережить тяжелый момент. Впервые проявилось в резкой форме превосходство русских танков «Т-34». Дивизия понесла значительные потери. Намеченное быстрое наступление на Тулу пришлось пока отложить»[2].

Наиболее красочный вид эта страшилка о всемогущих чудо-танках приобрела после нескольких переходов из уст в уста с добавлением соответствующих мифу завитушек и бантиков. Англо-американская историческая наука без задней мысли подхватила волну рассказов проигравших о том, кто им на самом деле мешал выиграть войну. Английский историк Алан Кларк в своей книге «План «Барбаросса» дал яркую и сочную картину событий под Мценском: «Вечером 11 октября, когда авангард 4-й танковой дивизии опасливо вступал в пылающий пригород Мценска, дивизия вытянулась на

---

[1] *Гудериан Г.* Воспоминания солдата. Смоленск: Русич, 1999. С. 221.
[2] *Гудериан Г.* Указ. соч. С. 315.

Один из первых «Т-34». Шаровая установка пулемета и люк механика-водителя были ахиллесовыми пятами нового танка.

15 миль по узкой дороге, где поддерживающая артиллерия и пехота находились почти за пределами радиосвязи. Для Катукова настал момент нанести следующий удар. Танки «Т-34» быстро двигались по замерзающей в сумерках земле, и их широкие гусеницы свободно несли их там, где немецкие «T IV» застревали, садясь на бронированные днища. Русские стремительно и ожесточенно атаковали немецкую колонну, расчленив ее на куски, которые подверглись систематическому уничтожению. Стрелки 4-й дивизии, моральный дух которых был подорван при первом столкновении с Катуковым пятью днями ранее, снова увидели, как их снаряды отскакивают от наклонной брони русских танков. «Нет ничего страшнее, чем танковое сражение против превосходящих сил противника. Не по численности — это было неважно для нас, мы привыкли к этому. Но против более хороших машин — это ужасно... Вы гоняете дви-

На пути в легенду. Танки «Т-34» 1-й гвардейской
танковой бригады М.Е. Катукова зимой 1941/42 гг.

гатель, но он почти не слушается. Русские танки так
проворны, на близких расстояниях они вскарабкаются
по склону или преодолеют болото быстрее, чем вы по-
вернете башню. И сквозь шум и грохот вы все время
слышите лязг снарядов по броне. Когда они попадают
в наш танк, часто слышишь оглушительный взрыв и рев
горящего топлива, слишком громкий, благодарение
богу, чтобы можно было расслышать предсмертные
крики экипажа». 4-я танковая дивизия была фактически уничтожена, и оборона Тулы получила еще одну небольшую передышку. Но помимо тактической оценки,
Гудериан сделал зловещий вывод: «Вплоть до этого
момента мы имели преимущество по танкам. Отныне
положение изменилось на обратное»[1]. Как и полагается мифологическим персонажам, танки «Т-34» летят,
не касаясь земли, преодолевают склоны, болота с
молниеносной быстротой, сея смерть и разрушение.
Перемещение быстрее поворота башни — это чистой

[1] *Кларк А*. План «Барбаросса». Крушение Третьего рейха. 1941—
1945 гг. М.: ЗАО «Изд-во Центрполиграф», 2002. С. 162—163.

воды беллетристика: на поле боя, тем более на пересеченной местности, танки тех лет перемещались со скоростями не более 10—15 км/ч. Заметим также, что в этом описании танки воюют исключительно друг с другом, ни пехоты, ни артиллерии не просматривается. Хотя в общем случае «колонны» составлялись не только из танков, типовой тактикой ведения боевых действий немцев было создание «боевых групп» из частей танкового, мотопехотного полков, саперов и артиллерии.

Исходным материалом для рассказов о боях под Мценском стал доклад командира 4-й танковой дивизии генерал-майора Виллибальда фон Лангемана унд Эрленкампа, составленный им по горячим следам событий. Несколько цитат: «После взятия Орла русские впервые применили свои тяжелые танки массированно в нескольких столкновениях, которые привели к тяжелым танковым боям, поскольку русские танки больше не позволяли выбивать себя артиллерийским огнем. В первый раз в восточной кампании обнаружилось абсолютное превосходство русских 26-тонных и 52-тонных танков над нашими «Pz.Kpfw.III» и IV. Русские танки обычно использовали построение полукругом, открывая огонь из своих 7,62-см пушек с дистанции 1000 метров, выбрасывая чудовищную пробивную энергию с высокой точностью»[1]. И далее: «В дополнение к лучшему вооружению и броне, 26-тонный танк «кристи» («Т-34») быстрее, более маневренный, его механизм поворота башни явно лучше. [...] В ходе продвижения от Глебова к Минску мы не обнаружили ни одного русского танка, вышедшего из строя вследствие поломок»[2].

---

[1] *Jentz T.* Panzertruppen. The Complete Guide to the creation & Combat Employment of Germany's Tank Force. 1939—1942. Atglen: Schiffer military history. 1996. P. 205.

[2] *Jentz T.* Panzertruppen. Op. cit. P. 205.

Надо сказать, что с момента начала восточной кампании у немецких танковых командиров было немало шансов увидеть в бою новые советские танки. Лангеману просто в какой-то степени повезло — его дивизия не сталкивалась со сколь-нибудь крупными массами «Т-34» и «КВ». Хотя этого сомнительного счастья не избежали многие другие немецкие танковые соединения уже в первые дни этой самой «восточной кампании». Однако из описания боя прослеживаются непростительные ошибки Лангемана. Его дивизия встретила атаку катуковцев в колонне, не развернутая в боевые порядки. Такое могло случиться, только если командование дивизии расслабилось и отказалось от разведки и охранения. Нормально организованная по всем направлениям разведка могла своевременно предупредить танковую колонну о приближении советских танков. Учитывая, что колонна танковой дивизии — это не только и не столько танки, но артиллерия и пехота, организовать оборону с использованием адекватных противотанковых средств в лице 50-мм противотанковых пушек, 88-мм зениток и корпусных орудий не представляло особых сложностей. Но этого сделано не было, что привело к избиению немецких танков в походной колонне. Естественно, что признавать свои ошибки командование 4-й танковой дивизии не желало и предпочло свалить свои просчеты на великую и ужасную технику русских. Гудериан при этом не мог не поддержать доклад Лангемана, поскольку в неприятную историю попал его непосредственный подчиненный. Признать его ошибки означало получить пятно на собственную репутацию за промахи в кадровой политике. Круги по воде от единожды брошенного проспавшим удар советских танков немецким генералом камня разошлись весьма далеко. В сноске к вышеприведенному рассказу про бой под Мценском Алан Кларк пишет:

«Гудериан вспоминал: «Я составил доклад о данной ситуации, которая для нас является новой, и направил его в группу армий. Я в понятных терминах охарактеризовал явное преимущество «Т-34» над нашим «T IV» и привел соответствующие заключения, которые должны были повлиять на наше будущее танкостроение. Я заключил призывом немедленно прислать комиссию на мой сектор фронта, которая состояла бы из представителей артиллерийско-технического управления, министерства вооружения, конструкторов танков и фирм — производителей танков... Они могли бы осмотреть подбитые танки на поле боя... и выслушать советы людей, которым приходилось ездить на них, относительно того, что должны учесть в конструкции новых танков. Я также просил об ускорении производства тяжелого противотанкового орудия с достаточной бронебойной мощностью против «Т-34» [примечание автора: эта комиссия действительно была очень быстро организована и приехала в штаб Гудериана 20 ноября]»[1]. Требовать комиссию по танкам, конечно же, проще, чем разбирать собственные ошибки и промахи. По иронии судьбы, ровно за месяц до этого Гудериан утверждал буквально следующее: «...советский танк «Т-34» является типичным примером отсталой большевистской технологии. Этот танк не может сравниться с лучшими образцами наших танков, изготовленных верными сынами рейха и неоднократно доказавшими свое преимущество...» — это письмо Гейнца Гудериана, прочитанное и зафиксированное в протокольной записи совещания руководства танковых войск в ставке Гитлера от 21 октября 1941 г. На этом совещании выдвигались требования к будущей «пантере». Танк разрабатывался под впечатлением столкновений с «Т-34», который был

---

[1] *Кларк А.* Указ. соч. С. 163.

оценен, но без панических донесений и вызова комиссий как-то обошлось. Более того, тогда Г. Гудериан был в числе «горячих голов», отрицавших достоинства нового советского танка. После войны им был выбран простой путь — свалить свои неудачи на танковую промышленность Третьего рейха, которой он так восхищался в октябре 1941 г.

Первые бои с «Т-34»

На самом деле первые серьезные столкновения с «Т-34» и «КВ» произошли уже в первые дни войны. Разница была только в том, что прошли они при нормальной работе разведки и отлаженном взаимодействии немецких танков с другими родами войск. Поэтому ошибок, подобных допущенным Лангеманом, его коллеги себе не позволяли, несмотря на то что в первые дни вторжения «Т-34» уж точно были как снег на голову. Немцы, конечно, располагали некоторыми сведениями о новых советских танках, но довольно расплывчатыми. В апреле 1941 г. немецкая разведка докладывала ТТХ нового советского тяжелого танка: вес — 46 т, скорость — 35 км/ч, вооружение — 76-мм пушка и три пулемета, бронирование 40 мм. Производитель — Ленинградский танковый завод. Тогда же были опубликованы и данные среднего танка «Т-32». Вес — 30 т, скорость — 45 км/ч, броня — 30 мм, вооружение — 45-мм пушка или 76-мм пушка и два пулемета. Производитель — Сталинградский танковый завод. Основной промах был, как мы видим, в оценке бронезащиты новых боевых машин Красной Армии.

Первый бой немецких танковых частей с «Т-34» состоялся уже в первый день войны. Передовой отряд 3-й танковой группы Г. Гота, 7-я танковая дивизия, не встретив серьезного сопротивления на границе, уже к полудню 22 июня дошла до переправ через Неман у города Алитус (Олита). Особенностью этой дивизии было оснащение танками чешского производства «38 (t)», вооруженными 37-мм пушкой. Таких танков было 167 штук, помимо них в дивизии было 53 «Pz.II», 30 «Pz.IV» и 15 невооруженных командирских танков. Мосты у Алитуса были подготовлены к взрыву, но в ночь на 22 июня охрана получила приказ из штаба округа снять заряды. Не исключено, что настоящим автором этого «приказа» был «Бранденбург». Но так или иначе, передовым частям немцев удалось захватить и северный и южный мосты через Неман у Алитуса неповрежденными. У мостов они встретились с частями советской 5-й танковой дивизии. Главным козырем наших войск в этом бою были 50 новейших танков «Т-34», полученных дивизией в марте 1941 г. Помимо этого, соединение насчитывало 30 трехбашенных средних танков «Т-28» и 170 легких «БТ-7». Когда 20 танков «38 (t)» пересекли северный мост, 21-й танк был подбит выстрелом «Т-34» из засады. Попытки подбить «Т-34» из 37-мм пушки чешского танка, разумеется, были безуспешными. Расширить плацдарм у северного моста и выбить окопанные «Т-34» немцам не удалось. Основная тяжесть боя легла на артиллерию 7-й дивизии, к тому же вечером на выручку подтянулись танки еще одной немецкой танковой дивизии — 20-й. Это позволило укрепить северный плацдарм и при поддержке огня тяжелой артиллерии развить с него наступление во фланг и тыл частям 5-й танковой дивизии, удерживающей позиции на южном плацдарме. Под угрозой окружения советские танкисты вынуждены были отойти.

Генерал-майор в отставке Хорст Орлов, служивший в июне 1941 г. в 7-й дивизии, вспоминал: «Танковое сражение у Алитуса между нами и танками 5-й дивизии русских было, пожалуй, самой тяжелой битвой дивизии за всю войну». Так, уже в первый же день войны состоялось знакомство немецких танкистов с танком «Т-34». Однако катастрофы не произошло. Просто потому, что в бою участвуют не только танки, но артиллерия до 10-см корпусных пушек включительно.

Еще один эпизод с участием «Т-34» в первые дни войны — это бои в районе небольшого городка Радзехув, буквально в нескольких десятках километров от границы. Разведка немцев в городке была идентифицирована как воздушный десант, против которого был направлен передовой отряд советской 10-й танковой дивизии С.Я. Огурцова в составе одного танкового и одного мотострелкового батальона. Не обнаружив никакого десанта в указанном районе, поздно вечером, в 22.00, передовой отряд вступил в соприкосновение с частями немцев в районе Корчина (18 км ближе к границе), вернулся назад и к исходу первого дня войны перешел к обороне на окраинах Радзехува. К тому моменту «десант» переопределили в передовой части немецких сухопутных войск и направили против него сводный отряд 32-й танковой и 81-й моторизованной дивизии 4-го механизированного корпуса впоследствии печально известного А.А. Власова. Отряд был составлен из двух танковых батальонов и одного мотострелкового батальона. 32-я танковая дивизия была хорошо укомплектована танками новых типов, как «Т-34», так и «КВ», первых насчитывалось 173 штуки, вторых — 49. Со стороны немцев к городку выдвигалась боевая группа 11-й танковой дивизии Людвига Крювеля. Ядром боевой группы был 15-й танковый полк, усиленный мотопехотой и приданными зенитками полка люфтваффе «Герман Геринг». На 22 июня в 11-й танковой дивизии было 44 «Pz.II», 24 «Pz.III» с 37-мм пушкой, 47 «Pz.III» с 50-мм пушкой, 20 «Pz.IV» и 8 командирских танков.

В 5.15 утра 23 июня боевая группа дивизии Крювеля атаковала Радзехув. Прорвавшись при поддержке артиллерии в сам городок, немецкие танки столкнулись на его улицах с «Т-34». «Тридцатьчетверки» сразу дали почувствовать свой тяжелый удар: у одного из немецких танков была сорвана командирская башенка, а командир танка смертельно ранен. Но силы были явно неравны: с советской стороны был передовой отряд без артиллерийской поддержки, а с немецкой — усиленный танковый полк при поддержке сильного артиллерийского кулака. Танкисты двух батальонов 10-й танковой дивизии были вынуждены отступить. По нашим данным, немцы потеряли в этом бою 20 танков, 16 противотанковых орудий и до взвода пехоты. Потери передового отряда 10-й танковой дивизии составили 20 танков «БТ», 6 танков «Т-34», 7 человек убитыми, 11 человек ранеными и 32 человека без вести пропавшими. Уничтожение шести танков «Т-34» не должно вызывать удивление. Поддержку атакующим немецким танкам составляли 88-мм зенитки, которые со стационарных позиций могли расстреливать «Т-34» на окраинах Радзехува с дальних дистанций. В самом городке бои велись уже на минимальных дистанциях, десятки метров.

Захватив Радзехув, немцы начинают прощупывать местность вокруг него. В этот момент на сцене появляется сводный отряд 4-го механизированного корпуса. Выскочив на открытую местность к юго-западу от городка, наши и немецкие танкисты сталкиваются нос к носу. Из-за пригорка один за другим навстречу немецким танкам выезжают «Т-34». Унтер-офицер 11-й танковой дивизии Густав Шродек вспоминает: «Наши сердца сжимаются, страх, ужас, но, может быть, также и радость, т. к. наконец мы можем показать себя. Видели ли они нас? Принимают ли они нас за своих? Наши силы равны. [...] И как только они приближаются на расстояние примерно в 100 м от наших пушек, «танец» начинается. Мы посылаем им первый снаряд. Румм-мм! Первое попадание в башню. Второй выстрел, и новое попадание. Головной танк, в который я попал, невозмутимо продолжает свое движение. То же самое и у моих товарищей по взводу. Но где же превосходство наших танков над танками русских, так долго провозглашавшееся?! Нам всегда говорили, что достаточно лишь «плюнуть» из наших пушек!»[1]. Обменявшись несколькими выстрелами, танкисты обеих дивизий отошли назад.

Во второй половине дня отряд 4-го механизированного корпуса под руководством подполковника Лысенко (погибшего в бою под Львовом несколькими днями спустя) атаковал городок. Местность южнее Радзехува образовывала своего рода естественный вал, и нашим танкистам нужно было преодолевать эту возвышенность и, переваливаясь через ее гребень, вести бой накоротке с немецкими танками и поддерживающей их артиллерией. Густав Шродек описывает вторую фазу боя как «собачью свалку» на короткой дистанции: «Первые снаряды свистят вокруг нас. Их недолеты все еще слишком велики. Так как наши собственные пушки имеют лучшую эффективность на дистанции в 400 метров, мы должны сжать свои нервы и ждать приближения русских танков. Небольшая складка местности скрывает нас от первой волны атакующих. Когда они появляются, мы имеем лучшую позицию для стрельбы из всех возможных. Огонь поглощает все. [...] Новые цели появляются постоянно. Они выцеливаются и уничтожаются. Русские поражены. Они посылают все больше танков из-за возвышенности, но те никак не могут про-

---

[1] *Schrodek G.* Ihr Glaube galt dem Vaterland. Geschichte des Panzer-Regiments 15 (11. Panzer-Division). Munchen: Schild Verlag, 1976. S. 118.

Министр вооружений Альберт Шпеер вылезает из люка механика-водителя танка «Т-34» ранних серий. Этот танк был захвачен задолго до октября 1941 г. и скорее всего принадлежал одному из приграничных механизированных корпусов.

рвать наши порядки»[1]. Немецкие источники заявляют об уничтожении от 40 (Оскар Мюнцель, «Тактика танков») до 68 (Густав Шродек) танков в этом бою, однако документы 10-й и 32-й танковых дивизий таких потерь не подтверждают. Отряд 4-го мехкорпуса потерял 11 танков, заявив об уничтожении 18 танков противника. Среди немецких танкистов не обошлось без лауреатов «премии Дарвина» — один из них пошел на поле боя осматривать подбитые советские танки и был убит оставшимся в живых членом экипажа после открывания люка башни. Картина боя вполне очевидна: немецкие танкисты при поддержке 88-мм зениток заняли оборону на выгодном рубеже, что позволило провести по-

---

[1] *Schrodek G.* Ibidem.

Та же машина, что и на предыдущем фото, на ходу. На заднем плане видна еще одна «тридцатьчетверка», уже с орудием «Ф-34».

единок с «Т-34» куда результативнее подопечных Лангемана. После боя 23 июня боевая группа 11-й танковой дивизии немцев сдала удержанные в дневном бою позиции у Радзехува 297-й пехотной дивизии и двинулась далее на восток. Зенитки остались в городке и в дальнейшем стали основной действующей силой обороны. В дальнейшем они позволили оборонявшимся уничтожить 9 танков «КВ» за один бой 25 июня (9 — это число, подтвержденное советскими данными). Как мы видим, далеко не все танки «КВ» возвращались из боев со 102 вмятинами. Отряд 4-го мехкорпуса вернулся обратно и в дальнейшем участвовал в боях под Львовом с горным корпусом Кюблера, не имевшим танков.

Наконец, на третий день войны состоялся встречный бой между вооруженной чехословацкими танками «35 (t)» 6-й танковой дивизией XLI моторизованного корпуса генерала Рейнгардта и советской 2-й танковой дивизией 3-го механизированного корпуса (бой его 5-й дивизии у Алитуса я уже описывал выше). 6-я танковая дивизия Ландграфа была вооружена 47 «Pz.II», 155 «Pz.35 (t)», 30 «Pz.IV» и 13 командирскими танками. Никто из них не мог теоретически противостоять «КВ», которых в советской 2-й танковой дивизии было 30 штук (помимо этого, в соединении было 220 танков «БТ» и несколько десятков «Т-26»). Однако, помимо чешских танков, в немецкой дивизии были разнообразные артиллерийские орудия. Противотанковый батальон 6-й дивизии вооружался двенадцатью 50-мм противотанковыми пушками «ПАК-38» и двадцатью четырьмя 37-мм «ПАК-35/36». 50-мм противотанковая пушка могла в определенных условиях противостоять «Т-34» и «КВ», но куда более сильным аргументом были четыре 10-см корпусные орудия «К18» в артиллерийском полку. Они были способны поразить любой советский танк до «ИС-2» включительно. Большинство дивизий раннего формирования получили эти орудия и с тем или иным успехом их применяли. Не стало исключением 24 июня, когда весь день шел встречный бой с «КВ» 2-й танковой дивизии. Во второй половине дня в бой включились две приданных немецкой танковой дивизии из люфтваффе 88-мм зенитки. На следующее утро из 88-мм зенитки подбили вставший в засаду «КВ», который не смогли уничтожить саперы и противотанкисты из 50-мм пушек в предыдущий день. В конечном итоге немцам удалось отбиться от трех десятков «КВ», а затем перейти в наступление и совместно с 1-й танковой дивизией, свернувшей с шауляйского шоссе, окружить и уничтожить 2-ю танковую дивизию. Кстати, не следует думать, что 50-мм пушки танков «Pz.III» с длиной ствола 42 калибра (а такими орудиями были вооружены все 100% танков этого типа в 1-й танковой дивизии) были совсем уж бесполезны против «КВ». Немецкий 42-калиберный «штуммель» («окурок») подкалиберным снарядом по таблицам пробивал борт «КВ-1» (толщиной 75 мм) с дистанции 180—200 м (по немецким памяткам), фактически (результаты полигонных испытаний у нас) с дистанции 300 м, а экранированный лоб «КВ-1» толщиной 105 мм с дистанции 40 м.

Эпизодов успешной борьбы немцев с «КВ» и «Т-34» можно набрать отнюдь не меньше, если даже не больше, чем примеров возвращения из боя с сотней вмятин в броне. С первых дней войны вермахт сталкивался с новыми советскими танками, испытывал затруднения в борьбе с ними, но в конечном итоге эти проблемы решались. Проблема Лангемана под Мценском была в том, что он средства для борьбы с «Т-34» просто утратил вследствие забвения элементарных правил тактической безопасности. Другие как-то справлялись, а он был вынужден написать в своем отчете: «Ведение боя с русскими танками с 8,8-см зениткой или 10-см пушкой никогда не будет само по себе достаточным. Оба орудия тяжеловесны в сравнении с быстрыми танками и в большинстве случаев выявляются, берутся под обстрел и уничтожаются до выхода на огневую позицию. Однажды в бою с одним танком под Мценском две 8,8-см зенитки и одна 10-см пушка (все самое тяжелое вооружение, брошенное нами в бой) были расстреляны и раздавлены. Кроме того, эти гигантские, как ворота сарая, небронированные орудия представляют собой слишком большую мишень и легкодостижимую цель»[1]. Почему-то Крювелю под Радзехувом и Ландграфу под Рассеняем размеры орудий не помешали. Более того, в дневнике Гальдера можно найти запись, датированную 12 июля 1941 г.: «Борьба с танками. [...] Большинство самых тяжелых танков противника было подбито 105-мм пушками, меньше подбито 88-мм зенитными пушками». В данном случае «105-мм пушки», о которых говорит Франц Гальдер, это как раз те самые орудия, которые

---

[1] *Jentz T.* Op. cit. P. 208.

Лангеман столь «изящно» сравнивает с воротами сарая или коровника. Если своевременно обнаруживать приближение противника, то пушку не понадобится «выдвигать на позицию», с тем чтобы ее уничтожили до занятия этой позиции. «Кто предупрежден, тот вооружен» — даже крупногабаритные орудия, такие как 88-мм зенитка «Флак-36», вполне поддавались окапыванию.

Главное средство борьбы

Зенитки и корпусные пушки играли важную роль, но только в первых сталкновениях с «Т-34» и «КВ» летом 1941 г. Основным средством борьбы с новыми советскими танками в начальном периоде войны у немцев была 50-мм пушка «ПАК-38». Такое название орудие получило, так как разрабатывалось фирмой «Рейнметалл-Борзиг» с 1938 г. На вооружение оно было принято в 1940 г., а не 1938 г. Бронебойный снаряд «ПАК-38» пробивал 78 мм гомогенной брони на дистанции 500 метров и позволял поражать танки «КВ» и «Т-34» в благоприятных условиях. Основной проблемой было поражение лобовой брони танка «Т-34», от которой снаряды «ПАК-38» просто рикошетировали. Пробитие брони было возможно только при попадании под определенным углом вследствие движения танка по неровностям местности. Штатно орудия «ПАК-38» получили роты противотанковых орудий пехотных полков пехотных дивизий 1-й, 2-й, 5-й, 6-й, 7-й, 8-й и 11-й волн и горнострелковых дивизий. Новыми орудиями вооружался один из четырех взводов роты, роты состояли из 2 50-мм орудий «ПАК-38» в 4-м взводе и 9 37-мм орудий «ПАК-36/37» в 1—3 взводах[1]. Всего в пехотной дивизии такой органи-

---

[1] *Мюллер-Гиллебранд Б.* Сухопутная армия Германии 1933—1945 гг. М.: Изографус. С. 606—625.

зации было соответственно шесть 50-мм и шестьдесят шесть 37-мм противотанковых пушек. В вермахте в целом на 1 июня 1941 г. было 1047 орудий этого типа. По мере увеличения производства «ПАК-38» эти пушки стали получать и противотанковые дивизионы (моторизованная часть, находящаяся в подчинении командира дивизии). В этом случае 50-мм противотанковыми орудиями перевооружалась одна из рот дивизиона. В итоге вместо тридцати шести 37-мм пушек противотанковый дивизион насчитывал двадцать четыре 37-мм и девять 50-мм противотанковых орудий. Несмотря на то что «ПАК-38» было не так уж много, они играли важную роль в борьбе с «Т-34» и «КВ», все возраставшую в первый год войны. По данным НИИ-48, датированным 1942 г., попадания в «Т-34» распределялись по калибрам следующим образом. 54,3% попаданий приходилось на калибр 50 мм, 10% — 37 мм, 10,1% — 75 мм, 4,7% — 20 мм, 3,4% — 88 мм, 2,9% — 105 мм. Если считать только опасные попадания, то таковых 51,6% (от общего числа попаданий) калибра 50 мм, 7% — 37 мм, 7% — 88 мм, 2% — 105 мм. Большая часть попаданий — 81% — пришлись на корпус исследованных НИИ на рембазах танков. Статистика также отразила весьма показательное соотношение между ракурсами, с которых поражались «Т-34». Больше всего попаданий было в борта корпуса (50,5%), на лоб корпуса приходилось более чем в два раза меньше попаданий (22,65%), и в башню попало всего 19,14% снарядов. Башня — это вращающаяся часть танка, и инженеры НИИ справедливо предположили, что разделение попаданий между лбом и бортами башни особого смысла не имеет. Цифры на самом деле весьма красноречивые. Половина попаданий, пришедшихся на борта корпуса, означают тактические просчеты в боевом применении исследуемых подбитых танков. Именно они были основной причиной поражений.

При тактически грамотном использовании танка он подставляет противнику преимущественно свой лоб. По опыту Второй мировой войны даже был выработан принцип дифференцированной защиты танков, когда вместо равномерной по периметру машины защиты танки получили резко усиленное бронирование лба корпуса и башни. Если не нарушаются базовые принципы тактики, большая часть снарядов пойдет именно в лобовую часть танка. В 1941—1942 гг. с тактикой применения танков были определенные проблемы.

Документы

До сих пор я цитировал в основном книги мемуарного или публицистического характера. Как в отечественной, так и в иностранной литературе этого типа можно найти высказывания о несокрушимости «КВ» и «Т-34». Куда более скупыми на похвалы оказываются документы тех лет. Например, в отчете командира 10-й танковой дивизии 15-го механизированного корпуса Киевского особого военного округа по итогам боев июня—июля 1941 г. было сказано следующее:

«IV. Характеристика танков «КВ» в «Т-34»

В основном танки «КВ» и «Т-34» имеют высокие боевые качества: крепкую броню и хорошее оружие. На поле боя танки «КВ» приводили в смятение танки противника, и во всех случаях его танки отступали.

Бойцы и командиры дивизии о наших танках говорят как об очень надежных машинах. Наряду с этими качествами машины имеют следующие дефекты:

1. По танку «КВ»

а) При попадании снаряда и крупнокалиберных пуль происходит заклинивание башни в погоне и заклинивание бронированных колпаков.

260

б) Двигатель-дизель имеет малый запас мощности, вследствие чего мотор перегружается и перегревается.

в) Главные и бортовые фрикционы выходят из строя.

2. По танку «Т-34»

а) Броня машин и корпуса с дистанции 300—400 м пробивается 37-мм бронебойным снарядом. Отвесные листы бортов пробиваются 20-мм бронебойным снарядом. При преодолении рвов вследствие низкой установки машины зарываются носом, сцепление с грунтом недостаточное из-за относительной гладкости траков.

б) При прямом попадании снаряда проваливается передний люк водителя.

в) Гусеница машины слабая — берет любой снаряд.

г) Главный и бортовые фрикционы выходят из строя»[1].

Те же самые недостатки новых танков указал в своем отчете о боевых действиях соединения командир 7-й танковой дивизии Борзилов: «Лично преодолевал четыре противотанковых района машинами «КВ» и «Т-34». В одной машине была выбита крышка люка механика-водителя, а в другой — яблоко «ТПД» (танкового пулемета Дегтярева. — А.И.). Надо отметить, что выводятся из строя главным образом орудия и пулеметы, в остальном машина «Т-34» прекрасно выдерживает удары 37-мм орудий, не говоря уже о «КВ»[2]. Дивизия Борзилова входила в состав 6-го механизированного корпуса Западного фронта и в первые дни участвовала в контрударе конно-механизированной группы И.В. Болдина в районе Гродно.

Яблоко пулеметной установки досталось танку «Т-34» в практически неизменном виде от танков 1930-х гг.

---

[1] Сборник боевых документов ВОВ. Выпуск № 33. С. 208.
[2] СБД. Вып. № 33. С. 118.

«Т-34» с «гайкой» производства завода №183 — «рабочая лошадка»
советских танковых войск с конца 1942 до 1944 года.
Большая башня дала больше простора для работы экипажа.
Люк механика-водителя и установка пулемета усилены.

Рассчитывалась шаровая установка пулемета Дегтярева в свое время преимущественно для защиты от пуль
и осколков. Надежной защиты от снарядов даже 37-мм
калибра она не обеспечивала. Люк в лобовой броне, на
введение которого пришлось пойти в целях ужимания
бронированного объема танка, также стал одним из
недостатков, преследовавших «Т-34» до самого конца
его карьеры.

Точно такая же ахиллесова пята была у танка «КВ».
В указаниях на заклинивание башни танка «КВ» от попаданий снарядов даже небольшого калибра командиры механизированных соединений Красной Армии
1941 г. на редкость единодушны. Например, слова командира 10-й танковой дивизии, воевавшей на Украине, повторяет командир 7-го механизированного корпуса Виноградов, воевавший в Белоруссии. В своем
отчете о боевых действиях корпуса он пишет: «Техническим недостатком танка «КВ» является напуск брони

башни на корпус, что при прямых попаданиях снарядов заклинивает башню»[1].

Было бы странно, если бы эти недостатки не отмечались и не использовались противником. Полковник Роте (в 1941 г. — офицер связи 3-го батальона 25-го танкового полка 7-й танковой дивизии) вспоминает первую встречу с танками «КВ» в более спокойных выражениях, чем мы привыкли слышать: «Днем 7 июля 10-я рота была атакована восточнее Тилицы вражескими танками, включая первые три «КВ-2» со 150-мм орудиями. Два этих танка были уничтожены, а один завяз в болотистой почве. Я очень хорошо помню, как в штабе батальона мы слышали артиллерийскую стрельбу с разными промежутками и командир роты доложил о тяжелых советских танках неизвестного типа перед нашими позициями. Также вспоминается изданный в этот период приказ: стрелять из 37-мм пушек в основание башни танков для ее заклинивания. Поскольку бой был успешным и мы не понесли потерь, «КВ-2» не произвели впечатления на наши танковые экипажи. Конечно, появление «КВ-2» было сюрпризом. К счастью для нас, русские не использовали их с достаточной эффективностью»[2].

Досталось «КВ» и за медлительность. Доклад о боевых действиях механизированных корпусов Западного фронта говорит о них следующее: «Броню танков «КВ» снаряды калибра даже 75 мм не пробивают. Однако танки «КВ» маломаневренны и довольно легко выводятся из строя авиацией путем бомбежки и поливки фосфорной смесью»[3].

Как мы видим, реакция танковых командиров на но-

---

[1] СБД. Вып. № 33. С. 19.
[2] The initial period of war on the Eastern front. 22 junt — august 1941. Frank Cass. London, 2001. P. 388.
[3] СБД. Вып. № 33. С. 76.

вые танки была сдержанной. Несмотря на в целом высокую оценку их технических характеристик, к ним прилагался целый ряд существенных недостатков, снижавших эффективность боевого применения «Т-34» и «КВ». В целом новые танки были заложниками неблагоприятной оперативной обстановки первого периода войны. Внезапные прорывы немецких танковых дивизий вынуждали советское командование бросать свои танковые части и соединения в утомительные марши на перехват танковых клиньев. Фланговые удары советских танковых дивизий, а затем танковых бригад наталкивались на подготовленную противотанковую оборону. Кто-то просто попадал в окружение. Когда танковая часть с «Т-34» и «КВ» обойдена прошедшей в сотне-другой километров танковой дивизией немцев, никак исправить ситуацию самые лучшие и совершенные танки не могут.

Все сломались?

Логическим продолжением легенды о неуязвимости «КВ» и Т-34» стал тезис «все сломались». То есть неуязвимые танки не доехали до боя и были в подавляющем своем большинстве брошены из-за поломок. А уж если доехали бы, то, несомненно, разорвали бы тонкобронные «панцеры» в клочья. Одновременно такая теория стала средством «спасения лица» — быть побежденными бездушными механизмами несколько почетнее, чем потерпеть поражение в открытом бою. С другой стороны, это было перекладыванием вины с непосредственных участников боев на промышленность и комиссаров с «маузерами», заставлявших мехкорпуса наматывать на гусеницы сотни километров в маршах до вступления в бой. Однако если мы обратимся к документам соединений, то, например, в упоминавшейся выше 10-й танковой дивизии распределение потерь «Т-34» по их причинам было следующим. В графе «Разбито и сгорело на поле боя» числилось двадцать «Т-34», один танк вышел из строя при выполнении боевой задачи и остался на территории, занятой противником, три танка не вернулись с экипажами с поля боя после атаки, один «Т-34» был уничтожен на сборном пункте аварийных машин (то есть он скорее всего был подбит в бою, но не сгорел) в связи с невозможностью эвакуировать при отходе, шесть танков было оставлено при отходе по техническим неисправностям и невозможности восстановить и эвакуировать, и, наконец, один танк застрял с невозможностью извлечь и эвакуировать. Таким образом, из 32 потерянных дивизией танков «Т-34» почти две трети были боевыми потерями. Конечно, соотношение «подбили»/«бросили» варьировалось от соединения к соединению, но в целом около половины потерь было вследствие успешного поражения противником «неуязвимых» танков. Небоевые потери были на вполне адекватном для отступающей армии уровне. Во всяком случае, немецкие танковые части в 1943—1945 гг. также теряли немало техники вследствие невозможности ее эвакировать и технических неисправностей.

Ответный ход

Столкнувшись с новыми советскими танками, немецкое командование стало лихорадочно искать временные решения проблемы. Наиболее массовым из них стала переделка французского полевого орудия в противотанковую пушку. Тело трофейного 75-мм французского орудия обр. 1897 г. накладывалось на лафет «ПАК-38» и получало дульный тормоз-«перечницу». Если быть точным, то это было даже не орудие, а своего рода тяжелый гранатомет: боекомплект предусматривал только наличие кумулятивного и осколочно-фугасного снаряда. Стальные бронебойные снаряды для этой пушки попросту не производились и имелись в незначительных количествах из запасов 75-мм снарядов польской армии. Разумеется, такой гипертрофированный гранатомет был половинчатым решением: никаких реальных преимуществ достигнуто не было. Гарантии поражения советских танков в лоб «ПАК-97/38» не давала и использовалась преимущественно для стрельбы в борт, так же как и ее прародитель — «ПАК-38». В ходе первого боевого применения этих пушек на Восточном фронте в июле 1942 г. в 9-й армии В. Моделя ими были подбиты исключительно в борт три «КВ», один «Т-34», один «БТ-7» и два «Т-26». Во всех случаях дистанция стрельбы лежала в диапазоне 180—250 метров. По итогам первых боев был сделан следующий вывод: «Доверие к 75-мм французской противотанковой пушке еще не завоевано, так как эта пушка не дает большого эффекта против лобовой брони мощных танков (см. таблицы для 75-мм противотанковой пушки обр. 97/38 и 97/40). Стрельба из этой пушки снарядами кумулятивного действия не дает решающего эффекта. 75-мм французская противотанковая пушка может быть использована лишь для обстрела борта и кормы танков. [...] Недостаком при стрельбе кумулятивными снарядами из этой пушки является незначительная начальная скорость, порядка 450 м/сек, что приводит к необходимости большого упреждения при стрельбе по танкам, идущим с курсовым углом 90°». Одним словом, задача была сведена к предыдущей, то есть к «ПАК-38», причем в ухудшенном варианте — усложнился расчет упреждения из-за низкой начальной скорости снаряда.

Необходимо заметить, что кумулятивные снаряды

50-мм противотанковая пушка «ПАК-38», захваченная
советскими войсками в ходе зимнего наступления
1941—1942 гг. Это орудие было основным противником
танков «Т-34» и «КВ» в первый год войны.

играли важную роль в танковых войсках вермахта. Они
были впервые применены осенью 1941 г. и с тех пор
стали единственным боеприпасом для 75-мм пушки с
длиной ствола 24 калибра танка «Pz.IV». Это был единственный боеприпас для орудия «четверки», способ-
ный поразить «Т-34» и «КВ». При этом, как ни странно,
на кумулятивные боеприпасы приходилась заметная
доля пораженных танков при небольшом числе машин,
способных применять именно эти боеприпасы. Возьмем в качестве примера 3-ю танковую дивизию, дейст-
вовавшую в мае 1942 г. под Харьковом. III танковый батальон 6-го танкового полка дивизии насчитывал 5
танков «Pz.II», 25 танков «Pz.III» с 50-мм 42-калиберным
орудием, 9 танков «Pz.III» с 50-мм орудием длиной
ствола 60 калибров и 6 «Pz.IV» с 75-мм орудием длиной
ствола 24 калибра. В период с 12 по 22 мая батальон
добился следующих результатов:

5 танков «КВ» подбиты кумулятивными снарядами, но лишь обездвижены, поскольку сквозных пробитий брони достигнуто не было.

36 танков «Т-34» выведены из строя, причем 24 танка поражены 75-мм кумулятивными снарядами, а 12 — бронебойными калибра 50-мм к орудию танка «Pz.III» в 60 калибров.

16 танков «БТ» уничтожены снарядами 50-мм пушек, 12 из них — 60-калиберной и 4 штуки — 42-калиберной.

5 танков «Мк.II» («матильда») выведены из строя, из них 2 кумулятивными снарядами и 3 — 50-мм снарядами из 60-калиберного орудия.

Мы видим, что всего шесть танков «Pz.IV» стали едва ли не основным средством борьбы с «КВ» и «Т-34» в батальоне 3-й танковой дивизии вследствие оснащения их орудий кумулятивными боеприпасами. Ведущую роль здесь скорее всего играла выучка танкистов, воевавших на этих машинах.

Действительно эффективным средством борьбы с советскими танками стали 75-мм противотанковые пушки с кинетическими бронебойными и подкалиберными снарядами — «ПАК-40» и «ПАК-41». Вторая выпускалась в небольших количествах и просуществовала недолго, а «ПАК-40» вскоре стала основой противотанковой обороны пехотных и танковых дивизий вермахта. 75-мм противотанковые пушки были способны поражать «Т-34» с дистанции порядка 1200 м. Но и эти орудия оказались не лишены весьма существенных недостатков. Первое боевое применение показало, что «кругового обстрела можно потребовать только от 37-мм противотанковой пушки, 50-мм противотанковой пушки обр. 1938 г. и от противотанковых пушек на самоходных установках. В то же время поворот тяжелой проти-

75-мм противотанковое орудие «ПАК-40» на позиции. Украина, поздняя осень 1943 г. После нескольких выстрелов это орудие можно будет сдвинуть только трактором и обход с фланга будет смертельным.

вотанковой пушки для стрельбы в новом направлении совершенно невозможен после того, как эта пушка сделала несколько выстрелов. Сошники настолько глубоко зарываются в землю, что вытащить 75-мм противотанковую пушку было возможно лишь при помощи тягача. Отсюда угол горизонтального обстрела тяжелой противотанковой пушки, как правило, не будет превышать 60 градусов». И далее в том же духе: «Опыт показывает, что своевременно повернуть тяжелые противотанковые пушки в сторону фланга после нескольких выстрелов невозможно, в особенности на мягком грунте». Я процитировал «Отчет о боевом опыте за время с 6 по 11 июля 1942 г.», который подписал командир 88-го противотанкового дивизиона майор Рудольф 17 июля 1942 г. Созданием «Т-34» и «КВ» СССР добился не чудо-оружия, но вынудил противника использовать для борьбы с ним тяжелые, малоподвижные орудия, уязвимые для ударов артиллерии, штурмовиков и обходных маневров танков. Легкую 37-мм «ПАК-35/36» можно было легко разворачивать на любое направление. 50-мм «ПАК-38» уже намного тяжелее, а «ПАК-40» забивалась в грунт после первых выстрелов намертво, напрочь лишаясь маневра.

Надрывные рассказы о всемогущих танках сыграли в конечном итоге отрицательную роль. Они возвышали технику, но принижали людей. За вкусной и питательной наживкой: «Русские создали супертанки» — следовал жесткий стальной крючок: «Эти идиоты не смогли их толком применить и отступали до Москвы». Рассказы о малом числе новых танков были не слишком убедительны в силу того, что численность немецкого танкового парка была вполне сравнима с числом «Т-34» и «КВ» в западных округах. Проблема гораздо глубже, чем может показаться на первый взгляд. Средства для борьбы с хорошо защищенными танками всегда найдутся. Это утверждение верно как для «КВ» и «Т-34», так и для «тигра», «пантеры» или «фердинанда» (о которых подробнее — ниже). Всегда есть зенитные орудия с высокой начальной скоростью снаряда и тяжелые корпусные пушки. Наконец, танк всегда можно подкараулить, когда он подставит борт, и выстрелить в упор из штатной противотанковой пушки. Решение задачи обеспечения устойчивости танка на поле боя «в лоб», то есть только бронированием, было ущербным. Более прагматичным был комплексный подход, когда перед танком с умеренной бронезащитой просто выбивалась противотанковая артиллерия, способная его поразить. Основным средством борьбы с противотанковыми пушками в годы Второй мировой войны была гаубичная артиллерия и авиация. При отлаженном взаимодействии с другими родами войск противотанковые пушки противника в массе своей выбивались во время артиллерийской и авиационной подготовки танковой атаки. Именно поэтому советские танковые войска вполне успешно наступали в 1943—1945 гг., несмотря на насыщение вермахта 75-мм противотанковыми пушками. Уже в 1943 г. калибр 75 мм занял лидирующее положение среди средств поражения советских танков. В Орловской операции июля 1943 г. 75-мм танковые и противотанковые пушки дали уже 40,5% попаданий против 23% — 50-мм и 26% — 88-мм. В дальнейшем эта тенденция сохранилась, иногда число попаданий от 75-мм снарядов достигало 69,2% попаданий (1-й Белорусский фронт, Висло-Одерская и Берлинская операции).

Задача создания хорошего танка во Второй мировой войне формулировалась на самом деле не в форме «Оставаться на пьедестале чудо-оружия». Танк «Т-34» вывел борьбу противотанковой артиллерии с танками в новую плоскость, и эта борьба могла уже вестись вне зависимости от возможностей «тридцатьчетверки» держать удары «ПАК-40» на всех дистанциях боя. Утяжеление противотанковых орудий, уменьшение их числа в дивизии вермахта позволяли во взаимодействии с другими родами войск успешно преодолевать противотанковую оборону. Несли они при этом вполне адекватные решаемым задачам потери. Выжившие после артиллерийской подготовки и забиваемые намертво в грунт орудия вскоре себя обнаруживали и подавлялись артиллерией или огнем самих танков.

Дизель и пожар

Еще одной легендой отечественной истории танкостроения является повесть о пожаробезопасном дизеле. Весьма характерный пассаж из книги Д.С. Ибрагимова, уже цитировавшегося выше:

«— Дизель экономичнее, он расходует меньше топлива на единицу мощности. Главное же — применение тяжелого дизельного топлива вместо авиабензина уменьшает опасность пожара в танке, — говорили приверженцы дизеля.

— Но... новый двигатель еще только проходит стендовые испытания, и лишь предполагается опробовать его в танке. А как он себя поведет в нем — бабушка надвое сказала, — возражали скептики.

— Все без исключения иностранные танки имеют бензиновые моторы. Целесообразно ли для наших танков вводить особый сорт горючего? Это затрудняет снабжение войск, машины не смогут заправляться бензином со складов, захваченных у противника... — возражали противники дизеля.

В разгар спора конструктор Николай Кучеренко на заводском дворе использовал не самый научный, зато наглядный пример преимущества нового топлива. Он брал зажженный факел и подносил его к ведру с бензином — ведро мгновенно охватывалось пламенем»[1].

Действительно, на «Т-34» и «КВ» применили дизель-мотор, но при этом расположили топливные баки в боевом отделении. Соответственно при поражении танка танкистов поливало дождичком из соляра. Дизельное топливо трудно загоралось, но если уж загоралось, то потушить его было тяжело. Танкисты с «Т-34» иной раз получали из-за этого более тяжелые ожоги, чем воевавшие на бензиновых «Т-60» и «Т-70». Проблема была в том, что в случае бензина горят в первую очередь его пары, а между пламенем и кожей образуется своего рода «подушка». Напротив, в случае с дизельным топливом горит уже само топливо. Народная смекалка подсказывала механикам-водителям «тридчатьчетверок» расходовать в первую очередь топливо

---

[1] *Ибрагимов Д.С.* Указ. соч. С. 49—50.

из передних баков. Но тут другая беда: при попадании в танк кумулятивного снаряда пустой бак, наполненный парами соляра, детонировал, да так, что вырывал 45-мм лобовой лист брони. В реальности простых и ясных ответов на вопрос «как лучше?» не было. Лучше поставить дизель и расположить баки в боевом отделении или поставить бензиновый мотор и изолировать баки в корме, в моторном отсеке (как на «Pz.III»), куда попадают, по статистике, единицы процентов снарядов и который отделен от боевого отделения противопожарной перегородкой. Тезис о недальновидных или неумных инженерах той или иной страны всегда стоит воспринимать с большой осторожностью. Немцы не применяли дизельных двигателей на танках в частности потому, что дизельное топливо интенсивно потребляло кригсмарине. Дизельные двигатели стояли как на подводных лодках, так и на крупных надводных кораблях. Но главным фактором было другое. В отличие от бензина, дизельное топливо получали из натурального сырья, которое в Третьем рейхе было дефицитом. Соответственно выбор двигателя для танка диктовался целым рядом вполне объективных причин. Чтобы не быть голословным, приведу мнение советских инженеров НИИБТ Полигона:

«Применение немцами и на новом танке, выпущенном в 1942 г., карбюраторного двигателя, а не дизеля может быть объяснено:

а) спецификой топливного баланса Германии, в котором основную роль играют синтетические бензины, бензолы и спиртовые смеси, непригодные для сжигания в дизелях;

б) преимуществом карбюраторного двигателя над дизельным по таким важным для танка показателям, как минимально возможные для данной мощности габариты, надежность запуска в зимнее время и простота изготовления;

в) весьма значительным в боевых условиях процентом пожаров танков с дизелями и отсутствием у них в этом отношении значительных преимуществ перед карбюраторными двигателями, особенно при грамотной конструкции последних и наличии надежных автоматических огнетушителей;

г) коротким сроком работы танковых двигателей из-за крайне низкой живучести танков в боевых условиях, из-за чего стоимость бензина, сэкономленного в случае применения на танке дизеля, не успевает оправдать необходимого для изготовления дизеля повышенного расхода легированных сталей и высококвалифицированного труда, не менее дефицитных в военное время, чем жидкое топливо»[1].

Думаю, прежде всего в глаза бросается: «весьма значительным в боевых условиях процентом пожаров танков с дизелями». Несмотря на опыты с факелом в соляре, дело обстояло именно так. По статистическим данным октября 1942 г., дизельные «Т-34» горели немного чаще, чем бензиновые «Т-70» (23% против 19%).

Но в целом, как мы видим, выбор между карбюраторным и дизельным двигателем был не столь очевидным, как это обычно представляется. Добавлю к сказанному инженерами ГБТУ несколько слов. Разница в стоимости дизеля и бензинового двигателя (по крайней мере в СССР) была весьма существенной. Если бензиновый танковый мотор «М-17Т» стоил 17 тысяч рублей, то дизель «В-2» в начале своего производства обходился государству в сумму свыше 100 тысяч рублей,

---

[1] Конструктивные особенности двигателя «Майбах HL 210 P45» и силовой установки немецкого тяжелого танка «T-VI» («тигр»). ГБТУ КА. 1943 г. С. 93—94.

то есть был более чем в пять раз дороже. Причина этого в технологической сложности дизеля, о чем, собственно, и написали специалисты ГБТУ. В этом кроется причина осторожного отношения к дизельным двигателям в других странах — участницах Второй мировой войны. Остальные страны дизельные танки делали, но в небольших масштабах. Например, «шерманы» с двумя дизелями поставлялись по ленд-лизу в СССР, а в США шли только в корпус морской пехоты.

Недостаток природного сырья и, как следствие, зависимость от заводов синтетического горючего не оставляли немецким танкостроителям выбора. При этом ими предпринимался целый ряд шагов, направленных на повышение живучести танка. Даже в том случае, когда баки все же оказывались в боевом отделении машины («Pz.Kpfw.IV», «королевский тигр»), они располагались на полу и бронировались от осколков. Так или иначе, львиная доля топлива выносилась в корму танка, попадания в которую были менее вероятны. Тем самым обеспечивалась удовлетворительная пожаробезопасность немецких танков.

Произошедший в последний предвоенный год в СССР переход на танковые дизельные двигатели имел как свои достоинства, так и свои недостатки. Экономический фактор высокой стоимости дизеля при этом был не самым главным. Основной проблемой было то, что двигатель «В-2» к началу войны был еще «сырым». До 1943 г. «В-2» был не в состоянии длительное время работать под большой нагрузкой. Следствием этого было то, что общий ресурс «В-2» не превышал 100 моточасов на стенде, а на танке проседал до 40—70 часов. Для сравнения, немецкие бензиновые «майбахи» отрабатывали в танке по 300—400 часов, отечественные «ГАЗ-203» (спаренные агрегаты танка «Т-70») и двигатель «М-17Т» поздних серий — до 300 часов. Двигатель «М-17Т», который широко использовался в отечественном танкостроении в предвоенные годы (он стоял на танках «БТ-5», «БТ-7», «Т-28», «Т-35»), пережил аналогичный период «детских болезней» в начале 30-х годов. В начале 30-х ресурс «М-17Т» не превышал 100 часов. После нескольких лет совершенствования конструкции и технологии производства ресурс вышел на приемлемый уровень — 300 часов. Но в этот момент был осуществлен переход на «В-2» и своего рода шаг назад, к 100 часам моторесурса. С этой точки зрения переход на дизель, несмотря на сомнительную научность экспериментов с ведром и факелом, представляется шагом неочевидной целесообразности.

Зверинец на поле боя

Техника, как правило, развивается не прямолинейно и равномерно, а волнами, скачками. После сильного хода советской стороны в 1941 г., когда на сцене появились «КВ» и «Т-34», пришла очередь делать шаг в сторону чудо-танков немцам. Обычно создание «зверинца» танков, названных в честь хищников семейства кошачьих, связывается с «Т-34», но в действительности это утверждение справедливо лишь частично. Разработка тяжелого танка с орудием с высокой начальной скоростью снаряда велась в Германии с 1935 г. Тогда танк с 75-мм орудием с начальной скоростью 650 м/с требовался для борьбы с тяжелыми французскими танками «2С», «3С» и «D». Дополнительным стимулом стала французская кампания, когда немецким танкистам пришлось столкнуться с английскими «матильдами», французскими Char «B1bis» и «D2». Однако нельзя сказать, что тяжелый танк проектировался для борьбы с себе подобными. Согласно директиве Гитлера от 26 мая 1941 г. «калибр орудия должен быть пригоден для

Г.К.Жуков осматривает один из ранних «тигров», захваченных под Ленинградом на выставке трофейного вооружения.

борьбы с танками, наземными целями и ДОТами». Калибр 88 мм был выбран как раз из соображений повышения возможностей по борьбе с укреплениями, 75-мм орудие имело примерно на 20% большую бронепробиваемость, но от него отказались.

К весне 1942 г. два опытных образца тяжелых танков, один фирмы «Хеншель» и второй фирмы «Порше», были готовы для испытаний. 20 апреля 1942 года, в день рождения Гитлера, оба танка были показаны фюреру в его ставке в Восточной Пруссии. По итогам испытаний, несмотря на расположение Гитлера к машине «Порше», на вооружение был принят «тигр» «Хеншеля». В начале августа 1942 г. началось серийное производство нового тяжелого танка. К 18 августа 1942 г. были выпущены первые 4 «тигра». Пятую и шестую машины 27 августа отправили в Фаллингбостель, где проходило формирование первых частей, вооруженных новым танком.

«Тигр» с самого начала позиционировался как танк качественного усиления, то есть придаваемый пехотным или танковым соединениям на важных участках фронта. Соответственно этому тезису основной тактической единицей был батальон, включавший все необходимые для технического обслуживания танков службы, а также зенитные средства. Собственной пехоты, артиллерии и средств разведки батальон не имел. Предполагалось, что он будет поддерживаться в бою соответствующими подразделениями дивизий, которым он будет придан целиком или поротно. В мае 1942 г. началось формирование первых двух «тигриных» батальонов — 501-го и 502-го. Первоначально батальоны «тигров» имели смешанный состав: помимо собственно «тигров», они вооружались танками «Pz.III» с 60-калиберными 50-мм орудием или 24-калиберным 75-мм орудием. Они должны были оказывать огневую поддержку «тиграм», брать на себя малоценные для тяжелой машины цели. Первым принял участие в боях 502-й батальон тяжелых танков. К моменту вступления в бой этого батальона он состоял из штаба (целиком оснащенного «Pz.III») и одной роты. Рота штатно состоит из взвода управления (три «тигра» и один «Pz.III») и трех взводов по два «тигра» и три «Pz.III» в каждом. В реальности танки с завода поступали медленно, и под Ленинград 29 августа первоначально прибыли всего четыре «тигра». От них с ходу потребовали поддержать огнем атаку пехоты. Во время марш-броска на позиции 3 из 4 танков вышли из строя по техническим причинам. Почти месяц прошел в устранении технических неполадок, пока, наконец, батальон (точнее, сырая часть формируемого батальона) не был придан 21 сентября 1942 г. 170-й пехотной дивизии. К тому моменту «батальон» (это слово приходится брать в кавычки) состоял из четырех «тигров» и нескольких «Pz.III». 170-я пехотная дивизия в составе XXX армейского корпуса 11-й армии Манштейна вела тяжелые бои с окруженной ударной группировкой Волховского фронта в труднопроходимой местности. Использование батальона «тигров» именно здесь по приказу Гитлера было продиктовано тем, что ликвидация «котла» окружения сковывала 11-ю армию и отвлекала ее от главной задачи, ради которой армия была переброшена из Крыма в группу армий «Север» — захвата Ленинграда. Окруженные в болотах части, словно клещами, вцепились в предназначенные для удара по Ленинграду дивизии, и поэтому против них решили бросить новейшие тяжелые танки. Как известно, первый бой стал для «тигров» неудачным: один танк был подбит, а три увязли в болоте. Подбит был «тигр» артиллерийским орудием, по занимаемой им нише аналогичным 10-см корпусным пушкам «К18», о которых мы говорили выше, — 122-мм корпусной пушкой «А-19» обр. 1931 г. С подбитым танком долгое время не знали, что делать: достать его было невозможно, а взорвать разрешения не поступало. Судьба танка была решена только в ноябре 1942 г. 24—25 ноября с танка сняли все ценное оборудование и взорвали его. Принятые меры сыграли свою роль, до января 1943 г. советское командование просто не догадывалось, что в глухих лесах на северном секторе советско-германского фронта принял участие в боях танк, имя которого вскоре станет нарицательным. Лишь в январе 1943 г., в ходе проведения операции «Искра» по прорыву блокады Ленинграда, был захвачен «тигр» в пригодном для изучения состоянии. Надо сказать, что танки свои 502-й батальон терял под Ленинградом вполне буднично, делеко не так, как полагается чудо-воину:

«Pz.Kpfw.VI» (H) фабричный номер 250 003 — застрял в болоте 17 января, взорван после неудачных попыток эвакуировать;

«Pz.Kpfw.VI» (H) фабричный номер 250 004 — поломка двигателя и радиатора, оставлен экипажем;

«Pz.Kpfw.VI» (H) фабричный номер 250 005 — попадание снаряда противотанковой пушки в моторное отделение, танк сгорел;

«Pz.Kpfw.VI» (H) фабричный номер 250 006 — попадание снаряда из противотанкового орудия в башню, поломка трансмиссии, подорван 17 января;

«Pz.Kpfw.VI» (H) фабричный номер 250 009 — застрял в болоте, оставлен экипажем;

«Pz.Kpfw.VI» (H) фабричный номер 250 010 — подбит огнем танка «Т-34», загорелся, взрыв боекомплекта»[1].

Список потерь «тигров», как мы видим, столь же печален, как и список потерянных летом 1941 г. находившихся тогда на положении чудо-танков «КВ» и «Т-34». Именно в этих боях советскими войсками был захвачен первый «тигр».

Весьма интересную картину нам дает использование роты танков «тигр» в дивизии «Великая Германия» в ходе сражения за Харьков зимой 1943 г. Дивизия вступила в бой, имея в наличии 5 «Pz.II», 20 «Pz.III» с 50-мм пушкой в 60 калибров, 10 «Pz.IV» с 75-мм пушкой в 24 калибра, 75 «Pz.IV» с 75-мм пушкой в 43 калибра, 9 «тигров», 2 командирских танка с 50-мм пушкой в 42 калибра и 26 огнеметных танков. С 7 по 20 марта 1943 г. танкисты дивизии заявили об уничтожении 250 «Т-34», 16 «Т-60» или «Т-70» и 3 «КВ-1». Распределение между типами боеприпасов, которыми были поражены эти танки, было следующим:

188 танков из 75-мм пушки «Pz.IV» в 43 калибра
41 из 75-мм орудия в 43 калибра САУ «штурмгешюц».
30 из орудия «тигра»

---

[1] *Коломиец М.* Первые «тигры». М.: Стратегия КМ, 2000. С. 19.

Немецкий тяжелый танк «тигр», подбитый под Курском.

4 из 75-мм буксируемой пушки

4 из 75-мм самоходной пушки

1 прямым попаданием из 150-мм тяжелого пехотного орудия

1 — кумулятивной противотанковой гранатой.

Рассматривая эту статистику, нальзя сказать, что «тигры» проявили какие-то выдающиеся возможности в поражении советской бронетехники. Составляя 12% от числа «Pz.IV», «тигры» подбили ненамного большую долю, 16% от заявленных танкистами «Pz.IV» успехов. При этом стоимость «тигра» в шесть раз превосходила стоимость «Pz.IV». Более того, часто модернизированную «четверку» принимали за «тигр», и в значительной степени его слава — это продукт неверной идентификации «Pz.IV». Общее впечатление от «тигра» как «угловатого танка с дульным тормозом на орудии» вполне могло быть спроецировано (и очень часто это было именно так) на «рабочую лошадку» танковых войск вермахта — «Pz.IV». Отличить с расстояния в километр один танк от другого может только опытный глаз, а учитывая малое количество произведенных «тигров», возможности для тренировки в идентификации были у союзников весьма ограниченны.

Одним из самых значительных эпизодов в карьере «тигра» стало сражение на Курской дуге в июле 1943 г. К тому моменту от смешанного комплектования батальонов отказались, и они состояли целиком из танков «тигр». Действующая на момент начала «Цитадели» штатная структура батальона включала штабную роту и три роты по 14 танков «тигр». По штату от 5 марта 1943 г. внутри роты «тигры» распределялись между взводом управления (две машины) и тремя взводами по четыре танка. Кто являлся основным противником немецких тяжелых танков, можно увидеть на примере 503-го тяжелого танкового батальона «тигров», действовавшего на южном фасе Курского выступа.

6 июля 1943 г. командир 503-го тяжелого танкового батальона писал: «III танковый корпус доложил о потере 13 «тигров» в одной роте, которая начала боевые действия с 14 «тиграми» утром 5 июля. Девять «тигров» вышли из строя вследствие повреждений на минах и требовали от одного до трех дней ремонта каждый.

Причины столь высокой доли потерь на минах следующие:

С самого начала не было ни одной карты, показывающей расположение мин, установленных на плацдарме немецкими войсками. В нашем распоряжении было два противоречивых плана минных полей, и оба были неверны. Поэтому два «тигра» подорвались вскоре после начала движения. Еще два «тигра» подорвались в дальнейшем на местности, обозначенной на картах как совершенно свободная от мин.

Разминирование было проведено небрежно, в результате чего еще три «тигра» вышли из строя в проходах, обозначенных как свободные от мин.

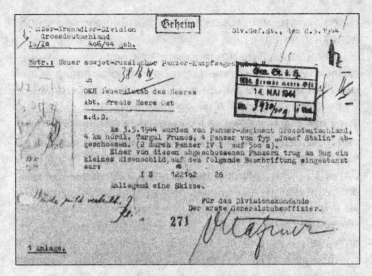

Факсимиле немецкого отчета о встрече с «ИС-2».
Текст гласит, что 3 мая 1944 г. четыре танка этого типа
были подбиты в районе Тыргу-Фумос (Румыния) частями
дивизии «Великая Германии». Два танка были поражены танками
«Pz.IV» в борт с дистанции 500 метров.

Восемь «тигров» попали на мины противника прямо перед позициями русских, несмотря на то что саперы разрешили дальнейшее движение. Девять «тигров» подорвались на минах, когда они попытались выдвинуться на позиции для отражения танковой атаки противника.

По первоначальному плану «тигры» должны были атаковать в прямом контакте с панцер-гренадерами (моторизованной пехотой. — *А.И.*) и за подразделениями разминирования саперов. В реальности «тигры» пошли в бой впереди гренадеров и саперов. К вечеру 5 июля четыре «тигра» стояли в 50—80 метрах перед боевыми порядками пехоты.

Восемь «тигров» вышли из строя на два или три дня

в результате неосторожного и тактически неверного использования»[1].

Мы видим, что целая рота «тигров» была на несколько дней выведена из строя исключительно минами. Развитие событий рисует отчет от 8 июля 1943 г.: «39 «тигров» начали боевые действия 5 июля. Еще 5 «тигров» были в боевой готовности к 6 июля. С 5 до 8 июля из строя вышли 34 «тигра», им требовался ремонт продолжительностью более 8 часов (7 были подбиты, 16 были повреждены минами и 9 вышли из строя по техническим причинам). Два сгоревших «тигра» были потеряны безвозвратно. К настоящему моменту 22 «тигра» отремонтированы. К 12 часам дня 8 июля 1943 г. ситуация была следующей: 33 танка были боеготовы, 8 требовали короткого ремонта (менее 8 дней), 2 требовали длительного ремонта (более 8 дней), 2 числились в безвозвратных потерях»[2]. Мы видим, что лидируют с большим отрывом потери вследствие воздействия минного оружия. «Тигры» были «крепким орешком» для советской артиллерии и танков, поэтому борьба с ними была попросту переведена в другую плоскость. Вместо поражения собственно «тигров» воздействию подвергались группы саперов, которые делали для них проходы в минных полях. Препятствовать работе саперов было проще, чем сражаться собственно с тяжелыми танками. И чудо-танки фактически спасовали, не сыграв решающей роли в прорыве обороны советских войск.

По итогам боевого применения «тигров» 503-го батальона тяжелых танков в «Цитадели» командир III танкового корпуса, генерал танковых войск Брейт выпустил 21 июля 1943 г. следующую директиву:

---

[1] *Jentz T.* Germany's Tiger tanks. Tiger I&II: combat tactics. Schiffer Military History. Atglen, PA. P. 87.
[2] *Jentz T.* Op. cit. P. 87—88.

«Опираясь на опыт прошедших боев, предписываю следующие правила по взаимодействию «тигров» с другими родами войск:

1. Обладая мощной броней и высокими качествами орудия, «тигры» должны в первую очередь использоваться против танков и противотанковых орудий противника и во вторую очередь (а в дальнейшем в виде исключения) — против пехотных целей. Как показал опыт, его оружие позволяет «тигру» бороться с танками на дистанциях 2000 м и более, что оказывает большое моральное воздействие на противника. Обладая мощной броней, «тигр» может сближаться с танками противника без опасения быть пораженным снарядами. Однако «тигр» должен стремиться начинать бой с танками противника на дистанции свыше 1000 м.

БТР, САУ «штурмгешюц», легкие и тяжелые танки должны следовать по пятам за атакующими «тиграми» для того, чтобы прикрывать фланги и расширять и закреплять достигнутый успех. В ходе боя на пространствах, занятых пехотой противника, главной задачей сопровождающих бронированных машин является борьба с отрядами охотников за танками, которые могут бороться с «тиграми». Гренадеры должны немедленно использовать сильный моральный эффект от воздействия «тигров» для прорыва через оборонительные порядки противника. В противном случае существует опасность того, что танки уйдут вперед, а сопротивление вражеской пехоты восстановится и вызовет напрасные потери в рядах нашей пехоты.

Задача прикрытия «тигров» от отрядов охотников за танками возлагается не только на БТР, САУ «штурмгешюц», легкие и средние танки, но является дополнительной обязанностью всех родов войск, особенно саперов и пехотинцев. «Тигры» обычно поражаются на закрытой местности (леса, населенные пункты, овраги) и куда реже на открытых пространствах.

3. В ходе атаки в секторе корпуса 5 июля недостаток сведений о собственных минных полях стал болезненным для «тигров». Многие «тигры» напоролись на мины. Позже, в результате неполного снятия мин саперами, еще несколько «тигров» вновь подорвались на минах. Поэтому направленная в бой рота «тигров» была выведена из строя уже на первой стадии сражения. Потеря роты «тигров», которая была ядром атакующей дивизии, нанесла ущерб развитию боя в течение первых двух дней операции. Особое внимание должно быть уделено подготовке саперов к снятию минных полей и обозначению проходов в них. Передовая боевая группа должна планировать постоянно иметь достаточное количество саперов не только для разрешения препятствий, но и для снятия минных полей, поскольку практика показывает, что противотанковые рвы, населенные пункты и узости в глубине обороны прикрываются минами.

4. Я запрещаю использование танков, включая «тигры», в количестве меньше роты. В обороне танки должны объединяться в атакующие группы для использования в спланированных заранее контратаках. После завершения контрудара танковые группы должны немедленно возвращаться в расположение дивизии. Распыление танков в линию или защита других родов войск днем и ночью недопустимы»[1].

Последняя рекомендация Брейта после неуспеха «Цитадели» стала для подразделений «тигров» более чем актуальной. Немецкие войска вступили в фазу отступления на всех фронтах, и тяжелые танковые батальоны, так же как и соединения с «тигриными» ротами, стали применяться в основном для контратак.

---

[1] *Jentz T.* Op. cit. P. 88—89.

Кошка, не ставшая рабочей лошадкой

Вокруг «пантеры» создано ненамного меньше легенд, чем вокруг «тигра». Одним из наиболее распространенных рассказов о карьере этого танка является неудачный дебют танка в сражении на Курской дуге.

Незадолго до начала операции «Цитадель» были сформированы два батальона, 51-й и 52-й, каждый из которых состоял из 96 новых танков. С организационной точки зрения было создано ядро танковой дивизии, на 100% оснащенной новыми танками. Для превращения этого «скелета» в полноценное танковое соединение нужно было сформировать разведывательный батальон, два панцергренадерских полка, артиллерийский полк, саперный и противотанковый батальоны, вспомогательные части. На выходе получилась бы, например, 28-я танковая дивизия. Кстати говоря, дивизия с таким номером создавалась незадолго до «Цитадели» как фальшивая, с целью введения в заблуждение советской разведки. Никаких видимых причин, препятствующих формированию настоящей дивизии с новой техникой, не наблюдается. С 10 января 1943 г. до начала операции «Цитадель» времени было более чем достаточно. Для создания «пантерной» дивизии можно было использовать части хорошо себя зарекомендовавших танковых или пехотных дивизий. Но всего этого сделано не было. Тем самым в первое боевое применение «пантеры» было заложено противоречие. С одной стороны, предполагалось, что танк станет заменой «Pz.III» и «Pz.IV» в танковых дивизиях. С другой стороны, было сформировано подразделение, выглядевшее как средство качественного усиления, подобное отдельным батальонам танков «тигр». Оба батальона «пантер» были объединены в одну, 10-ю танковую, бригаду. Всю бригаду придали одной дивизии — «Великая Германия». Более логичным представляется разделение двух батальонов

новых средних танков между XLVIII танковым корпусом
и II танковым корпусом СС, с разделением поротно между дивизиями внутри корпуса. Так поступило командование III танкового корпуса в армейской группе
«Кемпф» в том же сражении на Курской дуге. Приданный корпусу 503-й батальон тяжелых танков был поротно разделен между тремя дивизиями корпуса, и
«тигры» по крайней мере получили поддержку пехоты.
В результате необдуманного решения командующего
4-й танковой армии Г. Гота дивизия «Великая Германия» оказалась просто перегружена танками. Перед
сражением в составе соединения было 129 танков, в
том числе 15 «тигров». Добавленные к этим танкам 200
«пантер» превращали «Великую Германию» в неуправляемого монстра. Нет ничего удивительного, что уже в
первых боях «пантеры» понесли тяжелые потери. Танковая или моторизованная дивизия, по сути, является
организационной структурой для обеспечения боевых
действий ее танков. Увеличение числа танков приведет к пропорциональному уменьшению доли приходящихся на один танк пехотинцев, артиллерии, саперов.
Лишившийся поддержки всех этих средств танк неизбежно попадает под удар неподавленной противотанковой артилерии, мин и оружия пехоты.

Так же, как и «тигры», танки «пантера» в сражении
на Курской дуге несли потери преимущественно от минного оружия. Вполне прозрачно это показывает статистика (см. табл. 4).

Таблица 4

**Распределение вышедших из строя
«пантер» по характеру повреждений**

Повреждения	Кол-во «пантер»	
Нуждаются в ремонте	10 июля	12 июля
Подвеска	70	38

Повреждения	Кол-во «пантер»	
Нуждаются в ремонте	10 июля	12 июля
Двигатель	23	25
Башня	19	31
Корпус	15	5
Радиостанция	12 (они же фигурируют в 70 с повреждениями подвески)	10
Трансмиссия	4	3
Орудие	0	4
Всего	131	116

Хорошо видно, что на 10 июля лидируют повреждения подвески, то есть подрывы на минах. В дальнейшем соотношение выравнивается (за счет ввода отремонтированных машин в строй), но все равно на первом месте остаются потери от инженерных заграждений.

Опыт применения новых танков был обобщен генерал-инспектором танковых войск Г. Гудерианом в докладе, поданном им на имя Курта Цейцлера, начальника штаба сухопутных войск, 17 июля 1943 г. Он написал: «В заключение необходимо отметить, что **«пантера» доказала свои положительные качества в бою**. Большое число случившихся поломок вполне можно было ожидать, поскольку растянутая во времени программа тренировок экипажей не была закончена. Кривая количества боеспособных «пантер» на подъеме. После исправления проблем с топливными насосами и двигателями технические поломки должны опуститься до приемлемого уровня. Не рассматривая наши собственные ошибки, непропорционально высокий уровень потерь может быть объяснен жестокими боями»[1]. С мнением

---

[1] *Thomas L.* Jents. The quest for combat supremacy. Development. Modifications. Rare Variants. Characteristics. Combat Accounts. Schiffer Military History. P. 132—133. *(Выделено мной. — А. И.)*

Танк «пантера», подбитый под Будапештом, 1945 г.

Г. Гудериана согласились и советские специалисты, осматривавшие подбитые «пантеры» под Курском: «Все данные говорят о том, что новый тяжелый танк «пантера» **в дальнейшем будет иметь широкое применение** в немецкой армии и, вероятно, вытеснит танк «T-IV» и танк «T-III»[1]. В ходе «Цитадели» новая немецкая «кошка» показала свои острые клыки и когти. Анализ боевой деятельности новых немецких средних танков приводит к выводу, что «пантеры» стали для XLVIII танкового корпуса одним из главных противотанковых средств. Всего подразделениями корпуса фон Кнобельсдорфа было заявлено об уничтожении и захвате до 15 июля 559 советских танков, причем в числе захваченных неповрежденными числится около 100 единиц. На счет «пантер» из этого числа была записана почти половина общего числа, 269 единиц, а если считать только подбитые, то доля «пантеры» возрастает до 60—70%. В сравнении с реальными потерями противостоявшей XLVIII

---

[1] Танкомастер. № 5. 1999. С. 43.

корпусу 1-й танковой армии М.Е. Катукова эти цифры выглядят достаточно правдоподобно.

В дальнейшем новым средним танком стали постепенно перевооружать танковые дивизии вермахта и войск СС. Как правило, новые машины поступали на вооружение одного из двух танковых батальонов соединения. Второй при этом оснащался танками «Pz.IV». Например, в 1-й танковой дивизии в ноябре 1943 г. на Украине было 95 «Pz.IV» с длинноствольной пушкой и 76 «пантер». 1-й танковая дивизия СС «Лейбштандарт Адольф Гитлер» вооружалась 95 «Pz.IV» с длинноствольными орудиями, 96 «пантерами», батальоном «тигров»» (27 единиц) и 8 командирскими танками.

Неудачный дебют под Курском был следствием тактически неграмотного использования новых танков. Правильное применение «пантер» давало намного более впечатляющие результаты. Например, вышеупомянутый I («пантерный») батальон танкового полка «Лейбштандарт» в ноябре 1943 г. действовал в районе Бердичева. «Без технического обслуживания и в непрерывных шестидневных боях батальон прошел 210 километров и уничтожил 40 танков противника. «Пантеры» были оценены всем батальоном как прекрасное оружие. Потери составили 7 танков, подбитых выстрелами в борт и корму»[1]. Из-за непрерывных боев без возможности провести техническое обслуживание танков батальон поредел вследствие поломок новых танков: «22 танка могут быть отремонтированы в течение 6 дней, еще 32 танка требуют ремонта длительностью более шести дней, 35 боеготовых танков имеется на 14 ноября» (Ibid). Еще одна часть, I батальон 1-й танковой дивизии, в марте 1944 г. рапортовал о «пантерах» в еще более вос-

---

[1] *Jentz T.* Panzertruppen. The Complete Guide to the creation & Combat Employment of Germany's Tank Force. 1939—1942. Atglen: Schiffer military history. 1998. P. 116.

Немецкий тяжелый танк «королевский тигр»,
подбитый в боях у озера Балатон в 1945 г.

торженных выражениях: «Последние операции батальона, в ходе которых 30 «пантер» были в непрерывных боях в течение шести полных дней, подтвердили превосходные характеристики «пантеры». Внушительные результаты могут быть достигнуты хорошо подготовленными экипажами, при качественном техническом обслуживании и тактически правильном применении. За шесть дней батальон уничтожил 89 танков и САУ, 150 орудий итп»[1]. Потери батальона составили всего шесть танков.

Однако, так же как и «Т-34» и «КВ», «пантеры» были заложниками общей неблагоприятной для вермахта обстановки на фронте в 1943—1945 гг. Характерный пример: II батальон 23-го танкового полка в сентябре 1943 г. На 96 «пантер» в батальоне было всего четыре 18-тонных тягача. Отступавшая под натиском 6-я армия, в подчинении которой был батальон, не имела возможности эвакуировать вышедшие из строя танки. Из-за этого 28 «пантер» были просто взорваны под угрозой захвата. Бесконечные марши, отходы неизбеж-

---

[1] *Jentz T.* Op. cit. P. 130.

но сказывались на состоянии танков. Из оставшихся 68 «пантер» только 11 (!!!) были боеготовы, еще 11 «пантер» требовали ремонта длительностью три дня, остальные требовали длительного ремонта и были разбросаны на рембазах в районе Запорожья. Судьбу их в связи с форсированием советскими войсками Днепра нетрудно предсказать.

В целом темпы перевооружения танковых войск Германии на новую технику, конечно, оставляли желать лучшего. На 31 мая 1944 г., перед началом летней кампании, из 15 танковых дивизий на Восточном фронте только 6 имели батальон «пантер». Одной из хорошо укомплектованных дивизий был «герой» известного художественного фильма «Звезда» — 5-я танковая дивизия СС «Викинг». Проходивший в районе Ковеля доукомплектование «Викинг» на 31 мая 1944 г. имел 21 САУ «штурмгешюц», 27 танков «Pz.IV» и 78 «пантер». Были и явные аутсайдеры — 16-я танковая дивизия с 10 «пантерами», 48 «Pz.IV» и 19 САУ «штурмгешюц».

«Фердинанды» без пулеметов

Целый сонм легенд о себе породила самоходная установка «фердинанд», в которую были переделаны не востребованные по основному назначению шасси танков «тигр» «Порше».

К этому истребителю танков навсегда приклеились слова Гейнца Гудериана: «Кроме длинноствольной пушки, у танка не было другого оружия, то есть для ближнего боя он был непригоден»[1]. Однако эта претензия представляется ничем не обоснованной. Если проанализировать статистику повреждений «фердинандов» на Курской дуге, то хорошо видно, что не пехотинцы с бутылками зажигательной смеси и противотанковыми

---

[1] *Гудериан Г. Указ. соч. С. 413—414.*

ружьями были их главными врагами. 15 июля 1943 г. места боев были осмотрены комиссией ГАУ и НИИ «БТ» Полигона Красной Армии. Всего в районе северо-восточнее станции Поныри была обнаружена 21 САУ «фердинанд». Больше половины «фердинандов» имели повреждения ходовой части на минах. Еще пять машин имели повреждения ходовой части, вызванные попаданиями 76,2-мм снарядов противотанковых и, возможно, танковых орудий. Одна самоходная установка имела пробоину в левом борту от 76,2-мм бронебойного снаряда. Два безвозвратно потерянных «фердинанда» были уничтожены оружием, доля которого в потерях бронетехники обычно ничтожно мала. Одна самоходная установка была уничтожена прямым попаданием авиабомбы с бомбардировщика «Пе-2», а еще одна была разрушена попаданием в крышу 203-мм снаряда гаубицы «Б-4». Всего один (!!!) «фердинанд» был сожжен бутылкой с зажигательной смесью, то есть стал жертвой пехотинца, от которого теоретически мог спасти пулемет. Только теоретически, поскольку есть немало примеров уничтожения танков, вооруженных не одним, а двумя-тремя пулеметами, но ставших тем не менее жертвой бутылкометателей.

Заметим также, что прошедшие всю войну с вермахтом САУ «штурмгешюц» также не были длительное время вооружены пулеметами, но никто не предъявлял им претензий в беззащитности перед лицом пехоты. Поставленный на поздние серии «штурмгешюцев» пулемет был весьма условной защитой от пехоты, поскольку представлял собой станок на крыше рубки, наводимый изнутри танка через перископический прицел. Более того, сложившаяся практика применения самоходной артиллерии предусматривала применение САУ во второй линии построения танковой атаки, где ведение ближнего боя с пехотой не требовалось вовсе.

Основной проблемой «фердинандов» на Курской дуге было их нештатное использование в качестве тяжелого танка экзотической конструкции. К этому не был подготовлен ни сам «фердинанд», ни экипажи сформированных под эту САУ батальонов. В ходе боев на Курской дуге 653-й батальон безвозвратно потерял 13 самоходок, а 654-й — 26. Экипажи 654-го батальона комплектовались не из танкистов, а из артиллеристов, ранее служивших на орудиях «ПАК-40» или в лучшем случае на САУ «мардер». Поэтому такой печальный результат их первого сражения в качестве танкистов был вполне предсказуем. Несколько лучше выступил 653-й батальон Штейнваца, экипажи которого раньше служили на САУ «штурмгешюц». Претензии Гудериана к «фердинандам» — это в конечном счете претензии к недостаткам самоходной установки в сравнении с танками: «90 танков «тигр» фирмы «Порше», использовавшихся в армии Моделя, также показали, что они не соответствуют требованиям ближнего боя; эти танки, как оказалось, не были снабжены в достаточной мере даже боеприпасами. Положение обострялось еще и тем, что они не имели пулеметов и поэтому, когда врывались на оборонительные позиции противника, буквально должны были стрелять из пушек по воробьям. Им не удалось ни уничтожить, ни подавить пехотные огневые точки и пулеметные гнезда противника, чтобы дать возможность продвигаться своей пехоте. К русским артиллерийским позициям они вышли одни, без пехоты»[1]. Что характерно, Гудериан называет САУ «фердинанд» «тиграми» «Порше», хотя таковыми они уже не были. В отличие от насыщенной новейшими танками 4-й танковой армии Г. Гота на южном фасе дуги, на северном фасе ударная группировка 9-й армии Моделя получила всего две роты тяжелых танков «тигр» (две роты 505-го

---

[1] *Гудериан Г.* Указ. соч. С. 430.

батальона тяжелых танков). Соответственно немецкое командование было вынуждено использовать узкоспециализированные САУ в качестве тяжелых танков. При этом плотность построения советских войск была такой, что вынудила использовать радиоуправляемые танкетки «боргвард» не для расчистки минных полей перед «фердинандами», а для сокрушения узлов обороны. Задекларированные Гудерианом цели просто не были достигнуты — «фердинанды» напарывались на минные поля, плотный огонь артиллерии и существенной роли в сражении не сыграли.

Последнее, что стоит сказать о «фердинанде», — это объяснить в двух словах частоту появления названия этого истребителя танков на страницах отечественной мемуарной, а иногда и исторической литературы. Как правило, за именем «фердинанд» скрывается САУ «StuG III» поздних серий или, если транскрибировать полное название, «штурмгешюц», «штурмовое орудие». Примером, вполне однозначно указывающим на подобную интерпретацию, является отчет старшего офицера Генерального штаба при Воронежском фронте полковника Костина, составленный по итогам сражения на Курской дуге. Полковник, перечисляя ударные группировки немцев, пишет: «911-м отдельным батальоном штурмовых орудий «фердинанд». 911-й батальон, приданный 11-й танковой дивизии XLVIII танкового корпуса, был вооружен как раз «штурмгешюцами».

Охотники за дикими кошками

Что же советские войска могли противопоставить новой немецкой технике? Было бы ошибкой считать, что проблема была решаемой только за счет заваливания противника массой своих танков при ужасающих потерях.

Какие средства борьбы были главными в поединках с новыми немецкими танками, показывает осмотр оставшихся на поле боя под Курском «пантер» комиссией Главного автобронетанкового управления Красной Армии. Всего был осмотрен 31 танк, или, точнее, остатки танков. Один танк был разрушен прямым попаданием авиабомбы калибром 100 кг. Три танка подорвались на минах и фугасах, четыре танка вышли из строя по техническим причинам и были брошены при отходе. Наконец, 22 танка из числа осмотренных были подбиты артиллерией. Всего на 22 танках насчитали 58 попаданий. 10 попаданий пришлись на лоб корпуса танка, все рикошетировали. В башню попали 16 снарядов, все достигли сквозных пробитий. В бортах танка насчитали 24 снаряда, во всех случаях пробивших броню насквозь. Выяснилось, что фатальными для нового среднего танка могут стать все типы противотанковых орудий, состоящих на вооружении Красной Армии. Бортовая броня корпуса и башни поражалась 45-мм, 76-мм и 85-мм бронебойными снарядами. От верхнего лобового листа корпуса рикошетировали все типы бронебойных боеприпасов. Лоб башни и маска пушки пробивались 85-мм бронебойными снарядами и даже 45-мм подкалиберным снарядом. По типам боеприпасов 58 попаданий распределялись следующим образом. Пять попаданий были от 85-мм бронебойных снарядов (выпущенных, очевидно, из 85-мм зенитной пушки обр. 1939 г.), двадцать шесть — от 76,2-мм бронебойных снарядов, семь — от 45-мм бронебойных снарядов и одно — от 45-мм подкалиберного снаряда. Даже если предположить, что хотя бы половина попаданий 76,2-мм снарядов есть результат выстрелов пушек «Т-34», просматривается поражение «пантер» преимущественно противотанковой артиллерией.

Есть и более общие исследования по этому вопросу. Согласно «Отчету по действиям советской артиллерии в боевых действиях на Орловско-Курской дуге», а также «Исследованию боевой эффективности советской артиллерии по новым типам немецких танков» и ряду других, на долю советской противотанковой и дивизионной артиллерии калибра 45—76 мм пришлось от 64 до 81% подбитых и уничтоженных немецких боевых машин (танки, САУ, бронеавтомобили и бронетранспортеры). На долю мин и пехотного оружия (бутылки с зажигательной смесью, ПТР) приходилось 11—13% (на отдельных направлениях до 24%), на долю танковых частей — всего 9—17% (на отдельных направлениях — до 21%).

Факт поражения преимущественно артиллерией подтверждают и сами немцы. Один из последних докладов немецких танковых частей, отчет I батальона 24-го танкового полка, датированный январем 1945 г., гласит: «Противотанковые пушки являются основным противником танков на восточном театре военных действий. Русские используют противотанковые орудия массово в обороне или продуманным подтягиванием их за атакующими, чтобы быстро ввести их в дело. Термин «Pakfront» не отражает полностью условия боя, с которыми столкнулся батальон, поскольку противник использовал это оружие сосредоточенным в так называемых Paknest (противотанковые гнезда. — А.И.) для достижения фланкирования на дальних дистанциях. Иногда Paknest состоял из 6—7 противотанковых пушек на окружности всего в 50—60 метров. Вследствие превосходной маскировки и использования местности — иногда колеса были сняты с орудий для уменьшения их высоты — русские легко добивались внезапного открытия огня на средних и коротких дистанциях. Пропуская двигающиеся в первом эшелоне танки, они старались открыть огонь нам во фланг»[1].

По большому счету основным средством борьбы с «пантерами» и «тиграми» была стратегическая инициатива, которой Красная Армия безраздельно завладела в 1943 г. Советские войска могли выбирать точку удара по растянутому немецкому фронту и наносить удар не по танковой дивизии, оснащенной «пантерами», но по ослабленной предыдущими боями пехотной дивизии, поддержанной в лучшем случае САУ «штурмгешюц». Фронт проламывался, и дивизии с «пантерами» и «тиграми» были вынуждены бросаться в бой по частям на затыкание дыры и восстановление фронта.

Танки с танками не воюют?

Предметом оживленных дискуссий является вопрос дуэльного сравнения танков. Условно говоря, что было бы, если два танка поставить друг против друга в чистом поле. Сравнение в такой форме в общем случае некорректно. Воюют не танки друг против друга, подобно средневековым рыцарям, но подразделения, оснащенные танками. Поэтому в любом случае в танковом сражении участвовала артиллерия, пехота и саперы.

Если рассматривать уровень операции фронта или армии, то танковых сражений наступающий старался избегать, а обороняющийся, напротив, стремился навязать именно такое сражение. Причины вполне прозрачны: нежелание связываться с сильным и опасным противником, с одной стороны, и стремление не допустить прорыва в тыл крупных танковых сил противника, с другой стороны. Поэтому в наступлении танко-

---

[1] *Jentz T.* Op. cit. P. 223.

вые дивизии немцев в 1941—1942 гг. и танковые и механизированные корпуса Красной Армии в 1943—1945 гг. предпочитали выставлять против танковых соединений противника заслон и пробиваться дальше.

Тактически танковые бои рассматривались как неотъемлемая часть действий танков еще с 30-х годов. Был даже введен тип танка-истребителя со скорострельной пушкой с большой начальной скоростью снаряда. Таковым, в частности, должен был стать танк «БТ». Сопровождать им предполагалось «Т-26» с двумя пулеметными башнями. В ходе войны отношение к танковому бою у сторон варьировалось в зависимости от текущей ситуации в поединке брони и снаряда. Танковые войска Красной Армии на «Т-34» и «КВ» в 1941—1942 гг. стремились навязать танковый бой, а панцерваффе, напротив, стремились от него уклониться. Напротив, в 1943—1945 гг. немцы в наставлениях и методичках рекомендовали ведение танкового боя.

Следует поэтому избегать попыток представления в качестве ответа на немецкий «зверинец» танков «ИС-2». Хотя они были в одной «весовой категории» с «пантерой» — 45 тонн, — сравнение этих двух танков некорректно. «ИС-2», как и «тигр», — это танк качественного усиления. Из «ИСов» комплектовали структуры, по сути аналогичные тяжелым танковым батальонам «тигров», — тяжелые танковые полки прорыва. Напротив, «пантеры» шли на вооружение танковых батальонов линейных дивизий. Разница в данном случае принципиальная: в одном случае танк придается пехоте или танковой дивизии на острие главного удара, во втором — неотъемлемая часть соединения. Орудие «ИС» могло поражать новые танки немцев с дистанции до 2000 м, но, как правило, тяжелые танковые полки действовали в прорыве обороны пехотных дивизий. В «Отчете по результатам боевого применения танков «ИС-122», действовавшем в октябре 1944 г. в Прибалтике, читаем: «Наиболее распространенным противником танков на участке 75-го танкового полка была 75-мм противотанковая пушка, стрелявшая снарядом-болванкой». Полк поддерживал атаку 271-й стрелковой дивизии. Задача «ИС» была не столько «бороться», сколько «противостоять» по мере необходимости. Боролась с танками немцев преимущественно артиллерия.

* * *

Чудо-танки как явление на поверку чаще всего оказывается не более чем химерой. Примеры эффективного использования малочисленной, но формально превосходящей все и вся техники с лихвой компенсируются примерами бездумного и бесполезного расходования ценного вооружения в малозначительных тактических эпизодах.

Баланс средств защиты и нападения всегда крайне шаток. Особенно ярко это проявляется в отношении танков. Ассортимент артиллерийского вооружения армии Второй мировой войны был настолько широк, что практически с любой новинкой было чем бороться. Во всех армиях мира были 76,2—90-мм зенитные орудия с высокой начальной скоростью снаряда, способные бороться практически с любой бронетехникой тех лет. Обычными для большинства стран были также корпусные орудия, предназначенные изначально для борьбы с артиллерией противника на дальних дистанциях. Поэтому «неуязвимость» любого тяжелого или не очень танка была весьма условной. Во второй половине войны, с введением дифференцированного бронирования, проблема решалась еще проще, у тяжелых танков наличествовали борта, пробиваемые штатной противотанковой артиллерией. При малом числе новых машин и соответствующей стратегической обстановке перемолоть их не составляло труда. К моменту появления значительных количеств танков нового типа против них находили соответствующее противоядие.

Наиболее прагматичным подходом было создание

массового танка, пусть не обладающего ореолом чудо-оружия. У «Т-34» хватало недостатков, но вполне очевидные достоинства в поднятии планки требований средств борьбы у него тоже были. Аналогичную задачу выполнила «пантера». Но нельзя требовать от любого, даже самого совершенного танка радикального изменения стратегической обстановки на фронте. В условиях столкновения многомиллионных армий на фронте в тысячи километров отдельные танки или даже подразделения танков любого типа теряются среди масс пехоты и артиллерии. Когда приходится латать дыры на фронте, то неизбежно много танков теряется в маршах, бросается из-за нехватки топлива или бесславно гибнет в изолированных контратаках. Танки были лишь одним из инструментов борьбы, часто не самым весомым.

Глава 8

352 сбитых как путь к поражению

Шок

Когда в небольшой заметке в газете «Аргументы и факты» за 1990 г. были впервые в отечественной печати опубликованы данные о личных счетах немецких летчиков-истребителей, для многих трехзначные цифры стали шоком. Выяснилось, что белобрысый 23-летний майор Эрих Хартманн претендовал на 352 сбитых самолета, в том числе 348 советских и четыре американских. Его коллеги по 52-й истребительной эскадре люфтваффе Герхард Баркхорн и Гюнтер Ралль заявили о 301 и 275 сбитых соответственно. Эти цифры резко контрастировали с результатами лучших советских пилотов-истребителей, 62 победами И.Н. Кожедуба и 59 — А.И. Покрышкина. Более подробная информация об асах люфтваффе оказалась еще более шокирующей. Выяснилось, что асами в терминологии союзников (то есть сбившими 5 и более самолетов противника) у немцев было более 3000 пилотов. Хартманн и Баркхорн с более чем тремястами побед были лишь вершиной айсберга. Еще 13 летчиков-истребителей люфтваффе одержали от 200 до 275 побед, 92 — между 100 и 200, 360 — между 40 и 100. Сразу же разгорелись жаркие дискуссии о методике подсчета сбитых, подтверждениях успехов пилотов-истребителей наземными службами, фотопулеметами и т. п. Главным тезисом, предназначенным снять столбняк от трехзначных цифр, стал: «Это были неправильные пчелы, и они делали неправильный мед». То есть асы люфтваффе все наврали о своих успехах, и в реальности они сбили не больше самолетов, чем Покрышкин и Кожедуб. Однако мало кто задумался о целесообразности и обоснованности лобового сравнения результатов боевой деятельности летчиков, воевавших в разных условиях, с разной интенсивностью боевой работы. Никто не попытался проанализировать ценность такого показателя, как «наибольшее число сбитых», с точки зрения организма военно-воздушных сил данной конкретной страны в целом. Что такое сотни сбитых, обхват бицепса или температура тела больного лихорадкой?

Ответ на этот вопрос совсем не так очевиден, как может показаться на первый взгляд. Как правило, выше индивидуальные счета пилотов у стороны, которая проигрывает воздушную войну. Подчеркну, не один, два или три боя, а войну в воздухе как цепочку сражений. Проявился этот феномен уже в Первую мировую войну. Например, немецкий летчик Манфред фон Рихтгоффен сбил 80 самолетов союзников — самый высокий результат среди летчиков-истребителей 1914—1918 гг. Во Вторую мировую войну все это повторилось, причем не только на советско-германском фронте. На Тихом океане тоже были свои хартманны. Лейтенант японской морской авиации Тетцуго Ивамато сбил семь истребителей «F4F» «Уалдкэт», четыре «P-38» «Лайтнинг», сорок восемь «F4U» «Корсар», два «P-39» «Аэрокобра», один «P-40», двадцать девять «F6F» «Хеллкет», один «P-47» «Тандерболт», четыре «Спитфайра», сорок восемь бомбардировщиков «SBD» «Даунтлесс», восемь бомбардировщиков «В-25». Только над Рабаулом ас одержал 142 победы в воздушных боях, а всего на его счету 202 (!!!) сбитых самолета лично, 26 — в группе, 22 неподтвержденные победы. И это на фоне довольно вялого интереса японской пропаганды к индивидуальным счетам летчиков-истребителей морской авиации. Вышеуказанный список — это фактически личные записи пилота о результатах боев, которые он вел по личной инициативе. Еще один японский летчик-истребитель, лейтенант Хиройоши Нишизава, сбил 103 (по другим данным — 86) американских самолета. Самый результативный американский летчик на том же театре военных действий, Ричард Айра Бонг, сбил в 2,5 раза меньше, чем его оппонент из Страны восходящего солнца. На счету Бонга даже меньше самолетов, чем у И.Н. Кожедуба, — 40. Абсолютно идентичную картину демонстрирует и «конфликт низкой интенсивности» — советско-японский пограничный инцидент у реки Халхин-Гол. Японец Хиромичи Синохара претендовал на 58 сбитых советских самолетов с мая 1939 г. до своей гибели 28 августа того же года. Лучший советский пилот Халхин-Гола, Сергей Грицевец, имел на своем счету 12 японских самолетов.

Именно этот эффект заслуживает пристального анализа. Однако, прежде чем обратиться к анализу счетов асов как показателя деятельности ВВС той или иной страны, имеет смысл разобраться с животрепещущим вопросом подтверждения побед.

«Правильные пчелы»

Попытки объяснить разницу в числе сбитых порочной методикой подсчета не выдерживают никакой критики. Серьезные промахи в подтверждении результатов летчиков-истребителей обнаруживаются и у одной, и у другой стороны конфликта. Проиллюстрировать этот факт можно на примере боев на Халхин-Голе в 1939 г. Несмотря на сравнительно скромные силы сухопутных войск СССР и Японии, вовлеченных в бои на территории Монголии, в воздухе развернулось одно из самых напряженных воздушных сражений Второй мировой войны. Это была масштабная воздушная баталия с участием сотен самолетов, развернувшаяся над сравнительно небольшим участком соприкосновения войск сторон. Причем большая часть усилий авиации, свыше 75% вылетов, была направлена на борьбу за господство в воздухе, то есть собственно воздушные бои и удары по аэродромам. Армии Японии и СССР еще не были втянуты в широкомасштабные боевые действия и могли бросить в бой значительные силы авиации, причем в кабинах самолетов сидели подготовленные еще в мирное время пилоты. По итогам конфликта японская сторона заявила об уничтожении в воздушных боях 1162 советских самолетов и еще 98 — на земле. В свою очередь, советское командование оценило потери японцев в 588 самолетов в воздушных боях и 58 боевых самолетов — на земле. Однако реальные потери обеих сторон на Халхин-Голе оказываются куда скромнее. Боевые потери советских ВВС составили 207 самолетов, небоевые — 42. Японская сторона отчиталась о 88 сбитых самолетах и 74 списанных вследствие боевых повреждений. Таким образом, советские данные о потерях противника (и как следствие личные счета пилотов) оказались завышенными в четыре раза, а японские в шесть раз. Практика показала, что «халхингольский коэффициент» 1:4 завышения потерь противника сохранился в ВВС РККА и в дальнейшем. От него были отклонения как в сторону увеличения, так и в сторону уменьшения данного соотношения, но в среднем

«Абшуссмелдунг» — заполненный немецкий бланк
донесения о сбитом и его перевод с комментариями.

его можно принять как расчетный при анализе действительной результативности советских асов.

Причина подобных расхождений лежит на поверхности. Сбитым считался самолет противника, который, например, по донесению претендовавшего на его уничтожение летчика-истребителя, «беспорядочно падал вниз и скрылся в облаках». Часто именно наблюдаемое свидетелями боя изменение параметров полета самолета противника, резкое снижение, штопор стали считаться признаком, достаточным для зачисления победы. Нетрудно догадаться, что после «беспорядочного падения» самолет мог быть выровнен летчиком и благополучно вернуться на аэродром. В этом отношении показательны фантастические счета воздушных стрелков «Летающих крепостей», записывавших на свой счет «Мессершмитты» всякий раз, когда они выходили из атаки, оставляя за собой дымный след. След этот был следствием особенностей работы мотора «Ме.109», дававшего дымный выхлоп на форсаже и в перевернутом положении.

Какие у летчика были средства определить уничтожение самолета противника, помимо изменения параметров полета? Фиксация одного, двух, трех или даже десяти попаданий в самолет противника совсем не гарантировала его вывода из строя. Попадания пулеметов винтовочного калибра времен Халхин-Гола и начального периода Второй мировой войны легко переносились собранными из алюминия и стальных труб самолетами 30—40 гг. Даже выклеенный из шпона фюзеляж «И-16» выдерживал до нескольких десятков попаданий. Цельнометаллические бомбардировщики возвращались из боя покрытые, словно оспинами, сотнями пробоин от пуль винтовочного калибра. Все это не лучшим образом сказывалось на достоверности заявленных пилотами стран-участниц результатов. Последовавшая за Халхин-Голом финская война вновь продемонстрировала ту же тенденцию. Советские пилоты, по официальным данным, сбили в воздушных боях 427 финских самолетов ценой потери 261 своих. Финны заявили о 521 сбитом советском самолете. В реальности ВВС Финляндии выполнили 5693 боевых вылета, их потери в воздушных боях составили 53 самолета, еще 314 машин сбила советская зенитная артиллерия. Как мы видим, «халкингольский коэффициент» сохранился.

Подтверждение побед в ВВС КА

Когда разразилась Великая Отечественная война, никаких принципиальных изменений не произошло. Если в люфтваффе существовал стандартный бланк, заполняемый пилотом после боя, то в ВВС РККА подобной формализации процесса не наблюдалось. Летчик в вольном стиле давал описание воздушного боя, иногда иллюстрируя его схемами эволюций своего и вражеского самолета. В люфтваффе подобное описание было лишь первым этапом в информировании командования о результатах боя. Сначала писался Gefechtsbericht — донесение о бое, затем заполнялся на пишущей машинке Abschussmeldung — бланк отчета об уничтожении самолета противника. Во втором документе пилот отвечал на ряд вопросов, касающихся расхода боеприпасов, дистанции боя, и указывал, на основании чего он сделал вывод об уничтожении самолета противника.

Естественно, что, когда выводы о результатах атаки делались на основании общих слов, проблемы возникали даже с фиксацией результатов воздушных боев, проведенных над своей территорией. Возьмем наиболее характерный пример, ПВО Москвы, пилотов хорошо подготовленного 34-го истребительного авиаполка. Вот строки из доклада, представленного в конце июля 1941 г. командиром полка майором Л.Г. Рыбкиным командиру авиакорпуса:

«...При втором вылете 22 июля в 2.40 в районе Алабино — Наро-Фоминск на высоте 2500 м капитан М.Г. Трунов догнал «Ju88» и атаковал с задней полусферы. Противник снизился до бреющего. Капитан Трунов проскочил вперед и потерял противника. Можно полагать самолет сбитым».

«...При втором взлете 22 июля в 23.40 в районе Внуково мл. лейтенантом А.Г. Лукьяновым был атакован «Ju88» или «Do215». В районе Боровска (в 10—15 км севернее аэродрома) по бомбардировщику выпущено три длинные очереди. С земли были хорошо видны попадания. Противник вел ответный огонь, а затем резко снизился. Можно полагать самолет сбитым».

«...Мл. лейтенант Н.Г. Щербина 22 июля в 2.30 в районе Наро-Фоминска с дистанции 50 м выпустил две очереди в двухмоторный бомбардировщик. В это время по «МиГ-3» открыла огонь зенитная артиллерия, и самолет противника был потерян. Можно полагать самолет сбитым».

Нетрудно догадаться, что «две очереди» или даже «три длинные очереди» из одного 12,7-мм пулемета «БС» и двух 7,62-мм пулеметов «ШКАС» истребителя «МиГ-3» — маловато для гарантированного поражения двухмоторного бомбардировщика класса «Ju88» или «Do215» (скорее это был все же 217-й «Дорнье»). Тем более не был указан расход боезапаса, и термин «длинная очередь» никак не раскрывался в штуках пуль двух калибров. «Полагать сбитыми» самолеты противника во всех этих трех случаях было неоправданным оптимизмом.

Вместе с тем доклады подобного рода были типичными для советских ВВС начального периода войны.

И хотя в каждом случае командир авиадивизии отмечает, что «подтверждений нет» (отсутствуют сведения о падении вражеских самолетов), во всех этих эпизодах на счет летчиков и полка заносились победы. Результатом этого было весьма значительное несовпадение числа заявленных пилотами ПВО Москвы сбитых бомбардировщиков люфтваффе с их реальными потерями. За июль 1941 г. ПВО Москвы было проведено 89 боев в ходе 9 налетов немецких бомбардировщиков, в августе — 81 бой в ходе 16 налетов. Было заявлено об 59 сбитых «стервятниках» в июле и 30 — в августе. Документами противника подтверждается 20—22 самолета в июле и 10—12 в августе. Число побед пилотов ПВО оказалось завышено примерно в три раза.

Подтверждение побед «у них»

В том же духе выступали оппоненты наших летчиков по другую сторону фронта и союзники. В первую неделю войны, 30 июня 1941 г., над Двинском (Даугавпилсом) состоялось грандиозное воздушное сражение между бомбардировщиками «ДБ-3», «ДБ-3Ф», «СБ» и «Ар-2» трех авиаполков ВВС Балтийского флота и двумя группами 54-й истребительной эскадры 1-го воздушного флота немцев. Всего в налете на мосты у Даугавпилса приняли участие 99 советских бомбардировщиков. Только немецкими пилотами-истребителями было заявлено 65 сбитых советских самолетов. Эрих фон Манштейн в «Утерянных победах» пишет: «За один день наши истребители и **зенитная артиллерия** сбили 64 самолета». Реальные же потери ВВС Балтийского флота составили 34 самолета сбитыми, и еще 18 были повреждены, но благополучно сели на свой или ближайший советский аэродром. Вырисовывается не менее чем двукратное превышение заявленных летчи-

Кто из асов «Зеленых сердец» нарисовал на киле «абшуссбалкен» по результатам боя с этим «Як-1», благополучно вернувшимся на свой аэродром? На снимке самолет сержанта Ткачева из 21-го истребительного авиаполка ВВС КБФ после боя 11 сентября 1942 г. (РГА КФД)

ками 54-й истребительной эскадры побед над реальными потерями советской стороны. Запись на свой счет пилотом-истребителем самолета противника, благополучно дотянувшего до своего аэродрома, была рядовым явлением. Например, один из известнейших немецких асов, Вернер Мельдерс в полигонных условиях «странной войны» 26 марта 1940 г. обстрелял «Харрикейн» сержанта Н. Ортона, дотянувший, несмотря на повреждения, до своего аэродрома. Проблема была прежде всего в том, что летчику-истребителю было чем заняться в воздухе, помимо наблюдения за поведением своей жертвы после стрельбы по ней. Не будем забывать, что скорость самолетов начала 40-х гг. уже измерялась сотнями километров в час, и любые эволюции сразу резко изменяли положение противников в пространстве до полной потери визуального контакта. Летчик, только что стрелявший по самолету противника, мог подвергнуться атаке другого истребителя и не увидеть реальных результатов своего огня. Тем более странно надеяться, что за сбитым будут пристально следить другие летчики. Даже ведомые-«качмарики» были заняты в первую очередь защитой хвоста своего ведущего. Необходимость вразумительно освещать детали боя в Gefechtsbericht и Abschussmeldung кардинально проблемы не решала. Характерный пример — эпизод из книги Р. Толивера и Т. Констебля о Хартманне:

«Остальные пилоты эскадрильи потащили счастливого Белокурого Рыцаря в столовую. Пирушка шла полным ходом, когда ворвался Биммель (техник Хартманна. — *А.И.*). Выражение его лица моментально погасило ликование собравшихся.

— Что случилось, Биммель? — спросил Эрих.

— Оружейник, герр лейтенант.

— Что-то не так?

— Нет, все в порядке. Просто вы сделали всего 120 выстрелов на 3 сбитых самолета. Мне кажется, вам нужно это знать.

Шепот восхищения пробежал среди пилотов, и шнапс снова полился рекой»[1].

Восхищение восхищением, но противником Хартманна в том бою были штурмовики «Ил-2», довольно прочные самолеты. Задачей пунктов «расход боеприпасов» и «дистанция стрельбы» в Abschussmedlung было установление вероятности уничтожения самолета противника. Всего 120 выстрелов на три сбитых должны были настораживать. Правил воздушной стрельбы

---

[1] *Толивер Р. и Констебль Т.* Эрих Хартманн — белокурый рыцарь рейха. Екатеринбург, 1998. С. 126.

и низкой вероятности попадания с подвижной платформы никто не отменял. Однако подобные приземленные соображения не могли испортить людям праздник и помешать рекой литься шнапсу.

Сражения между «Летающими крепостями», «Мустангами», «Тандерболтами» США и истребителями ПВО рейха порождали совершенно идентичную картину. В ходе достаточно типичного для Западного фронта воздушного сражения, развернувшегося в ходе налета на Берлин 6 марта 1944 г., пилоты истребителей эскорта заявили о 82 уничтоженных, 8 предположительно уничтоженных и 33 поврежденных истребителях немцев. Стрелки бомбардировщиков доложили о 97 уничтоженных, 28 предположительно уничтоженных и 60 поврежденных истребителях ПВО Германии. Если сложить эти заявки вместе, то получается, что американцы уничтожили или повредили 83% германских истребителей, принявших участие в отражении налета! Число заявленных как уничтоженные (то есть американцы были уверены в их гибели) — 179 машин — более чем вдвое превышало реальное число сбитых, 66 истребителей «Ме.109», «ФВ-190» и «Ме.110». В свою очередь, немцы сразу после битвы доложили об уничтожении 108 бомбардировщиков, 20 истребителей эскорта. Еще 12 бомбардировщиков и истребителей числились среди предположительно сбитых. В действительности ВВС США потеряли в ходе этого налета 69 бомбардировщиков и 11 истребителей. Заметим, что весной 1944 г. у обеих сторон были фотопулеметы.

Фотопулеметы

Они действительно несколько улучшали ситуацию с фиксацией сбитых самолетов противника. Это были камеры, приводившиеся в действие при нажатии летчиком гашетки стрельбы из пушек и пулеметов. Первоначально они предназначались исключительно для учебных целей, «разбора полетов» после тренировочных боев. В учебном воздушном бою боевая стрельба была просто невозможна, и единственным способом фиксации результатов боя был фотопулемет. При тренировках воздушных стрелков фотопулемет устанавливался даже не в качестве дополнения к пулемету, а вместо него. Использование фотопулемета было также продиктовано экономическими соображениями. Осколочно-фугасный снаряд пушки «ШВАК» стоил в 1936 г. 20 рублей, и пилот-истребитель мог в учебных целях запросто расстрелять свою годовую зарплату за один вылет. Анализ отснятой пленки позволял установить, правильно ли пилот определил дистанцию до воздушной или наземной цели, правильно ли взял упреждение, сколько пуль или снарядов он выпустил (это определяли по длительности съемки). На отечественных самолетах фотопулемет «ПАУ-22» начали устанавливать еще до войны. Например, на «И-16» он монтировался в специальном обтекателе на гаргроте самолета. Незначительное ухудшение из-за этого летных характеристик в учебном бою было вполне допустимым. Однако первоначальное предназначение фотопулемета отрицательно сказалось на его возможностях для фиксации реального воздушного боя. Несмотря на внешнее сходство кадров фотопулемета и кинокамеры, он снимал с куда меньшим темпом, около 8—10 кадров в секунду. И что самое главное — фотопулемет прекращал работу после отпускания гашетки управления огнем. Соответственно поражение цели последним или даже предпоследним снарядом он зафиксировать не мог, он переставал снимать до того, как снаряд долетал до цели. Тем более он не фиксировал поведение самолета противника после попаданий. Что произошло после очереди, развалился самолет противника в

Один из немногих примеров удачной работы фотопулемета: несколько кадров сбития немецкого истребителя «Me.109G», 1944 г.

ВОЙНА и МЫ

Борис Сафонов позирует перед фотокорреспондентами на фоне своего истребителя «И-16» тип 24. Над гаргротом хорошо виден фотопулемет «ПАУ-22» («Авиамастер»).

воздухе или спокойно скрылся из виду, установить было невозможно. При отсутствии ярких пиротехнических эффектов вроде взрыва баков уже в процессе стрельбы анализ пленки фотопулемета мог позволить только зафиксировать правильность прицеливания и не более того. Особенно это касается американцев, основным оружием на истребителях которых были 12,7-мм пулеметы. Одного попадания пули такого пулемета было достаточно, чтобы убить пилота, но разрушения конструкции самолета можно было достичь только попаданиями большой массы пуль. В полигонных условиях очереди крупнокалиберных пулеметов отпиливали плоскости, как циркулярная пила, но достичь того же в скоротечном бою было затруднительно. Ухудшала результаты стрельбы установка пулеметов в крыльях с точкой схождения трасс в 300 м перед самолетом. При меньшей или, напротив, большей дистанции стрельбы на цель могла воздействовать только часть пулеметов. Не все было гладко и с пушечными истребителями ВВС Красной Армии. Начиная с модификации «Bf.109F-4» на «худом», как называли «Мессершмитт-109» наши летчики, устанавливалась за бензобаком в фюзеляже 20-мм дюралевая броня. Она представляла собой пакет из 27 листов толщиной 0,8 мм каждый. Крупнокалиберный пулемет и бронебойные снаряды такую преграду, конечно, пробивали, но эта перегородка заставляла срабатывать раньше времени взрыватели 20-мм осколочно-фугасных снарядов. Вместо взрыва снаряда в бензобаке следовало лишь вспарывание нескольких слоев алюминия. Так что попадание с задней полусферы в «Мессершмитт» одного-двух 20-мм снарядов никак не гарантировало его уничтожения. Одним словом, фотопулеметы были крайне несовершенным средством фиксации результатов воздушного боя. Ни использование их всю войну союзниками и немцами, ни массовая установка «ПАУ-22» с августа 1943 г. на советских самолетах принципиально ситуацию с подтверждением сбитых не изменили. Характерный пример — бой 28 июля 1940 г. в районе Дувра между «Мессершмиттами» 51-й истребительной эскадры, сопровождавшими бомбардировщики, и «Спитфайрами» 41-й и 74-й эскадрилий Королевских ВВС. В этом бою был тяжело ранен и вынужден сажать «на брюхо» свой самолет известный немецкий ас Вернер Мельдерс. При этом на сбитие его «Мессершмитта» претендовали три (!) пилота. Один из них, флайт-лейтенант Т. Уэбстер, привез весьма удачные снимки фотопулемета. Но сравнение всех обстоятельств боя заставило уже после войны приписать победу над Мельдерсом другому пилоту — пилот-офицеру Г.-Х. Бэннионсу. Основную проблему, фиксацию падения самолета противника, фотопулемет в общем случае никак не решал.

«Баллы» и «победы»

Иногда делаются попытки объяснить высокие счета немецких асов некоей системой, в которой двухмоторный самолет засчитывался за две «победы», четырехмоторный — аж за четыре. Это не соответствует действительности. Система подсчета побед летчиков-истребителей и баллы за качество сбитых существовали параллельно. После сбития «Летающей крепости» летчик ПВО рейха рисовал на киле одну, подчеркиваю, одну полоску. Но одновременно ему начислялись баллы, которые впоследствии учитывались при награждениях и присвоении очередных званий. Точно так же в ВВС Красной Армии параллельно системе учета побед асов существовала система денежных премий за сбитые самолеты противника в зависимости от их ценности для воздушной войны.

Эти убогие попытки «объяснить» разницу между 352 и 62 свидетельствуют лишь о лингвистической безграмотности. Пришедший к нам из англоязычной литературы о немецких асах термин «победа» суть продукт двойного перевода. Если Хартманн одержал 352 «победы», то это не означает, что он претендовал на 150—180 одно- и двухмоторных самолетов. Оригинальный немецкий термин — это abschuss, который «Военный немецко-русский словарь» 1945 г. интерпретирует как «сбитие выстрелами». Англичане и американцы переводили его как victory — «победа», что впоследствии перекочевало в нашу литературу о войне. Соответственно отметки о сбитых на киле самолета в форме вертикальных полосок назывались у немцев «абшуссбалкенами» (abschussbalken).

Самый простой путь к снятию шока — это внимательное рассмотрение всех обстоятельств, а не создание новых мифов, падение которых может оказаться еще более шокирующим.

Кто падал с неба?

Остается последняя соломинка, за которую можно ухватиться, — это подтверждение наземными службами. Но и здесь все оказывается из рук вон плохо. Во-первых, посты ВНОС (воздушного наблюдения, оповещения и связи) наблюдали за боем с большой дистанции и с большим трудом могли опознать тип сбитого и упавшего самолета визуально. Серьезные ошибки в идентификации собственных сбитых испытывали сами летчики, видевшие самолеты противника если не с десятков, то с сотен метров. Что тогда говорить о красноармейцах ВНОС, куда набирали бойцов, непригодных для строевой службы. Часто просто выдавали желаемое за действительное и определяли падающий в лес самолет неизвестного типа как вражеский. Исследователь воздушной войны на Севере, Юрий Рыбин, приводит такой пример. После боя, произошедшего под Мурманском 19 апреля 1943 г., наблюдатели постов ВНОС доложили о падении четырех самолетов противника. Четыре победы были подтверждены летчикам пресловутыми «наземными службами». Кроме того, все участники боя заявили о том, что гвардии капитан Сорокин сбил пятый «Мессершмитт». Хотя он не был подтвержден постами ВНОС, его также записали на боевой счет советского летчика-истребителя. Отправившиеся на поиски сбитых группы спустя некоторое время обнаружили вместо четырех сбитых вражеских истребителей... один «Мессершмитт», одну «Аэрокобру» и два «Харрикейна». То есть посты ВНОС флегматично подтвердили падение четырех самолетов, в число которых попали сбитые обеих сторон. Никто, разумеется, задним числом исправления в счета пилотов вносить не стал. Во-вторых, правило подтверждения побед летчиков наземными службами попросту игнорировалась. Воспользуемся еще одним примером, приведенным Ю. Рыбиным. Один из прославленных на Севере авиаполков, 20-й гвардейский истребительный авиаполк ведет тяжелый воздушный бой. Погибает пять летчиков, еще три получили ранения. Потери составили семь «Киттихауков» сбитыми, три получили повреждения (из них два впоследствии прошли капитальный ремонт). На фоне больших собственных потерь было заявлено об уничтожении восьми «Ме.109». Два немецких истребителя было записано на счет гвардии майора Громова, в то время командира 1-й эскадрильи полка, руководившего боем. Однако наземные службы не подтвердили ни одного из восьми «Мессершмиттов». Не подтверждают потери в этот день хотя бы одного самолета и ставшие доступными в наши дни данные 5-й истребительной эскадры немцев «Эйсмеер», действовавшей в этом районе. Но на фоне больших потерь полка командование подтверждает пилотам их ничем не подтвержденные, кроме устных докладов, победы. Руководивший боем майор Громов был представлен к ордену Ленина, получили награды другие участвовавшие в том бою пилоты. Конечно, в данном случае мы имеем дело с исключительными обстоятельствами. Многие летчики получали вполне адекватные подтверждения своим сбитым в виде донесений от постов ВНОС с указанием заводского номера сбитого немецкого самолета. Но говорить об этом как о жесткой системе было бы наивностью. Этого не наблюдалось даже при статичном фронте и сравнительно спокойной обстановке.

Хотелось бы подчеркнуть красным карандашом, что все вышесказанное относится к обеим сторонам конфликта. Несмотря на теоретически более совершенную систему учета сбитых, асы люфтваффе сплошь и рядом докладывали нечто невообразимое. Возьмем в качестве примера два дня, 13 и 14 мая 1942 г., разгар битвы за Харьков. 13 мая люфтваффе заявляет о 65 сбитых советских самолетах, 42 из которых записывает на свой счет III группа 52-й истребительной эскадры. Документально подтвержденные потери советских ВВС за 13 мая составляют 20 самолетов. На следующий день пилоты III группы 52-й истребительной эскадры докладывают о сбитых за день 47 советских самолетах. Командир 9-й эскадрильи группы Герман Граф заявил о шести победах, его ведомый Альфред Гриславски записал на свой счет два «МиГ-3», лейтенант Адольф Дикфельд заявил о девяти (!) победах за этот день. Реальные потери ВВС РККА составили 14 мая втрое меньшее число, 14 самолетов (5 «Як-1», 4 «ЛаГГ-3», 3 «Ил-2», 1 «Су-2» и 1 «Р-5»). «МиГ-3» в этом списке просто отсутствуют. Не остались в долгу и «сталинские соколы». 19 мая 1942 г. двенадцать истребителей «Як-1» только что прибывшего на фронт 429-го истребительного авиаполка ввязываются в бой с крупной группой «Мессершмиттов» и после получасового воздушного сражения заявляют об уничтожении пяти «Хе-115» и одного «Ме.109». Под «Хе-115» следует понимать модификацию «Bf.109F» сильно отличавшегося зализанным фюзеляжем с гладким переходом между коком винта и капотом мотора от более привычного нашим пилотам угловатого «Bf.109E». Однако данные противника подтверждают потерю только одного «Хе-115», то бишь «Bf.109F-4/R1» из 7-й эскадрильи 77-й истребительной эскадры. Пилот этого истребителя, Карл Стефаник, пропал без вести. Собственные потери 429-го полка составили четыре «Як-1», три пилота успешно приземлились на парашютах, один погиб. Все как всегда, потери противника были заявлены несколько больше своих собственных потерь. Это часто было одним из способов оправдания высоких потерь своих самолетов перед лицом командования. За неоправданные потери могли отдать под трибунал, если же эти потери оправдывались столь же высокими потерями противника, эквивалентным разменом так сказать, то репрессивных мер можно было благополучно избежать.

Эффект масштаба

Обсуждать достоверность заявленных результатов можно до бесконечности. Факт остается фактом, официальное число побед в воздушном бою для пилота любой страны есть числовой показатель, пересчитываемый с неким коэффициентом в реальное число сбитых самолетов противника. Это не плохо и не хорошо, это факт. Если мы, имея на то веские причины, поставим под сомнение результаты немецких асов, то такие же сомнения могут возникнуть и в отношении советских асов и асов союзников СССР по антигитлеровской коалиции. Соответственно в любом случае остается значительный разрыв между счетами немецких летчиков-истребителей и асов союзников. Поэтому имеет смысл просто разобраться в причинах данного феномена, а не городить мифы о некоей особой технике подсчета сбитых. Причина высоких счетов асов люфтваффе кроется в интенсивном использовании ВВС немцами (по 6 вылетов в день на одного пилота в крупных операциях) и наличии большего числа целей вследствие количественного превосходства союзников — выше была вероятность встретить в небе самолет противника. У немецкого топ-аса, Эриха Хартманна, было 1425 боевых вылетов, у Герхарда Баркхорна — 1104 вылета, у Вальтера Крупински (197 побед) — 1100 вылетов. У И.Н. Кожедуба было всего 330 вылетов. Если разделить число вылетов на число сбитых, то и у немецких топ-асов, и у лучшего советского летчика-истребителя получается примерно 4—5 вылетов на одну победу. Нетрудно догадаться, что, если бы Иван Никитич выполнил 1425 боевых вылетов, число сбитых у него могло запросто зашкалить за три сотни. Но практического смысла в этом не было. Если требуется выполнить 60 самолето-вылетов в день на решение задач прикрытия своих бомбардировщиков, наземных войск, перехват бомбардировщиков противника, то можно их сделать десятком самолетов, выматывая пилотов шестью вылетами в день, а можно шестьюдесятью самолетами по одному вылету в день на пилота. Руководители ВВС РККА выбирали второй вариант, командование люфтваффе — первый. Фактически любой немецкий ас делал нелегкую работу за себя и «того парня». В свою очередь, «тот парень» в лучшем случае попадал на фронт в 1944 г. с мизерным налетом и сбивался в первом бою, а в худшем случае погибал с фаустпатроном в руках под гусеницами советских танков где-нибудь в Курляндии.

Пример микро-ВВС с высокой номинальной результативностью дает нам Финляндия. Характерным для этой страны самолетом стал «Брюстер Модель 239», поставленный в количестве 43 единиц, а применявшийся в составе полка из четырех эскадрилий по восемь машин в каждой, то есть в количестве 32 самолетов. Американский истребитель не блистал техническими характеристиками, но имел хороший обзор из кабины и радиостанцию на каждой машине. Последний фактор облегчал наведение истребителей с земли. С 25 июня 1941 г. по 21 мая 1944 г. пилоты финских «Брюстеров» заявили о 456 сбитых ценой потери 21 машины (в том числе 15 сбитых в воздушных боях и 2 уничтоженных на аэродроме). Всего в 1941—1944 гг. финские ВВС уничтожили в воздухе 1567 советских самолетов. Эти победы одержали всего 155 пилотов, из них 87 — больше половины (!), самый высокий процент среди ВВС мира — получили титул аса. Самыми результативными оказались: Эйно Юутилайнен (94 победы, из них 36 на «Брюстере»), Ханс Винд (75, из них 39 на «Брюстере») и Эйно Луукаанен (51, большей частью на «Ме.109»). Но, несмотря на столь благостную картину со счетами асов, нельзя сказать, что финны эффективно защищали территорию своей страны от воздействия ВВС Красной Армии и оказывали действенную поддержку наземным войскам. Кроме того, у финнов не блистала система подтверждения побед. Один из финских асов заявил об уничтожении в воздушном бою самолета «П-38» «Лайтнинг» (!!!) с советскими опознавательными знаками. Здесь уже впору поразмыслить о смелых экспериментах с напитком викингов из мухоморов.

Шесть вылетов в день

Высокая интенсивность использования авиации люфтваффе была следствием стратегии высшего руководства Третьего рейха покрывать огромный фронт явно недостаточными для этой задачи средствами. Немецкие летчики воевали практически беспрерывно. В зависимости от обстановки их тасовали между разными участками фронта сообразно с проводившимися оборонительными или наступательными операциями. За примерами далеко ходить не требуется. В ходе своего боевого дебюта на Восточном фронте осенью — зимой 1942 г. истребителю «FW-190» пришлось поучаствовать сразу в трех крупных операциях. Новыми истребителями была перевооружена I группа 51-й истребительной эскадры, выведенная с фронта в августе 1942 г. и вернувшаяся обратно на «Фокке-Вульфах» уже 6 сентября. Первыми боями группы на новых самолетах стали бои сентября—октября 1942 г. под Ленинградом. В этот период немцы, перебросив 11-ю армию

«Фокке-Вульф-190» атакует...

Э. фон Манштейна из Крыма, пытались штурмом взять город, а восстановленная советская 2-я ударная армия — прорвать блокаду. Результатом этого было окружение части сил 2-й ударной армии силами XXX корпуса армии Манштейна. Сражение проходило в условиях напряженной борьбы в воздухе. Следующим номером программы для пилотов «Фоккеров» стала операция «Марс», начавшаяся в конце ноября 1942 г. После завершения «Марса» в декабре 1943 г. 51-я истребительная эскадра перебазировалась на ледовый аэродром озера Иван. Здесь до января 1943 г. I и II группы эскадры вели бои в районе окруженных советскими войсками Великих Лук вплоть до захвата города Красной Армией. В этих боях 12 декабря 1942 г. погиб командир группы Генрих Крафт (78 побед). Потом последовала операция «Баффель» — отвод 9-й армии Моделя из ржевского выступа. В марте 1943 г. в I группе 51-й эскадры осталось всего восемь боеспособных «FW-190». Еще больший размах приняли переброски с одного участка фронта на другой в 1943 г. Возьмем в качестве примера I и II группы 54-й истребительной эскадры «Зеленые сердца», которая начала войну с СССР в группе армий «Север». Продвигаясь вместе с ГА «Север» к Ленинграду, обе группы эскадры застревают там до 1943 г. В мае 1943 г. они попадают в ГА «Центр» и ведут бои в районе Орла в период «Цитадели» и последовавшего за провалом операции отхода на «линию Хаген». В августе 1943 г. I группа попадает в полосу ГА «Юг», в Полтаву, и остается там до октября. После этого она перебазируется в Витебск, а затем в Оршу, то есть ведет в бои в подчинении ГА «Центр». Только летом 1944 г. она возвращается в ГА «Север» и заканчивает войну в Курляндии. Схожий путь проделала II группа эскадры «Зеленые сердца». В августе 1943 г. группа попадает на Украину, в распоряжение ГА «Юг», и остается там до марта 1944 г., после чего снова возвращается в ГА «Север», в Прибалтику. Схожие танцы выполняли другие немецкие истребительные авиасоединения. Например, I и III группы 51-й истребительной эскадры воевали в ГА «Центр», в августе 1943 г. попали под Полтаву, а в октябре вернулись под Оршу. В 1942 г. под Харьковом немцы первую половину мая сосредотачивали усилия своих ВВС в Крыму, а затем были вынуждены бросить их на отражение советского наступления под Харьковом. Советские же летчики больше были привязаны к своему участку фронта. А.И. Покрышкин в мемуарах с некоторой досадой писал: «Но вот грянула битва на курской земле. Мы услыхали о ней в тот же день, когда началось наше наступление. На картах обозначались стрелы, вклинившиеся в оборону врага. Теперь все мысли, все чувства были там —

под Курском. Нас звали тяжелые бои в районах Орла и Харькова. Газеты сообщали о больших воздушных сражениях. Вот бы где нам, гвардейцам, развернуться во всю силу! Но там летчики успешно делали свое дело и без нас». Напротив, Э. Хартманн, как и большая часть 52-й истребительной эскадры, был переброшен на южный фас Курской дуги и активно участвовал в боях. Только в оборонительной фазе сражения под Курском счет Э. Хартманна возрос с 17 до 39 сбитых. Всего же до 20 августа, момента завершения наступательной операции, о которой написал А.И. Покрышкин, счет возрос до 90 «побед». Если бы Покрышкину и его 16-му гвардейскому истребительному авиаполку дали возможность поучаствовать в сражении на Курской дуге в июле—августе 1943 г., то он бы, несомненно, увеличил количество сбитых на десяток, а то и полтора десятка. Рокировка 16-го гвардейского авиаполка между различными фронтами юго-западного направления могла без труда нарастить счет Александра Ивановича до сотни немецких самолетов. Отсутствие необходимости рокировать авиаполки между фронтами привело к тому, что А.И. Покрышкин миновал даже сражение под Харьковом в мае 1942 г., оставаясь в этот период на сравнительно спокойном участке 18-й армии Южного фронта.

Боевая работа только в периоды активных действий «своего» фронта усугублялась для советских асов периодическим выводом их авиаполков в тыл на переформирование. Авиаполк прибывал на фронт, в течение 1—2 месяцев терял матчасть и убывал на переформирование в тыл. Система переформирования полков активно использовалась вплоть до середины 1943 г. (приказом ГКО от 7 мая 1943 г.). Только позже стали вводить пополнение прямо на фронте, как это делали немцы. Система полного переформирования была вредна еще и тем, что полки на фронте «стачивались» до «последнего пилота». Страдали от этого не только новички, которые проходили жесткий отбор в ВВС любой страны, но и «середнячки». После переформирования опытные летчики держались, а новички вновь выбивались вместе со «середнячками». Переформирования проходили в результате самые успешные части, такие как «полк асов», 434-й истребительный авиаполк майора Клещева. Он с мая по сентябрь 1942 г. переформировывался три раза, каждый раз улетая с фронта в тыл для получения матчасти и пополнения. Такие же «простои» вызывало перевооружение полка. При переходе на новый тип самолета советский полк тратил время до шести месяцев на прием матчасти и переобучение пилотов. Например, вышеупомянутый 16-й гвардейский авиаполк А.И. Покрышкина был выведен на переобучение на «Аэрокобры» в конце декабря 1942 г., полеты начал 17 января 1943 г., а на фронт попал только 9 апреля того же года. Все это сокращало период пребывания советских асов на фронте и соответственно суживало их возможности по наращиванию своего личного счета.

Стратегия люфтваффе позволяла наращивать счета асов, но в дальней перспективе это была стратегия поражения. Один из участников сражения на Халхин-Голе, японский пилот-истребитель Ивори Сакаи вспоминал: «Я совершал по 4—6 вылетов в день и под вечер уставал так, что, заходя на посадку, почти ничего не видел. Вражеские самолеты налетали на нас, подобно огромной черной туче, и наши потери были очень тяжелы». То же могли сказать о себе пилоты люфтваффе, воевавшие и на Западном и на Восточном фронте во Второй мировой войне. Их называли «самые усталые люди войны». Рисование «абшуссбалкенов» было, по сути, игрой молодых людей, у которых еще детство не отыграло в одном месте. 87% летчиков-истребителей люфтваффе были в возрасте 18—25 лет. Нет ничего удивительного в том, что они гонялись за внешними атрибутами успеха.

Асы Восточного фронта проигрывали на Западе?

Поскольку соотношение наилучшего результата пилота-истребителя на Западном фронте было столь же шокирующим, как и на Восточном, в период холодной войны была введена в оборот легенда о «ненастоящих» асах люфтваффе на Востоке. Согласно этой легенде, сбивать «рус фанер» могли посредственные пилоты, а с благородными джентльменами на «Спитфайрах» и «Мустангах» воевали истинные профессионалы. Соответственно, попав на Западный фронт, приобщившиеся на Востоке к зипунам, сохе и огуречному рассолу по утрам асы «Зеленых сердец» молниеносно гибли. Жупелом сторонников данной теории был Ханс Филипп, ас 54-й истребительной эскадры с 176 победами на Востоке и 28 на Западе. Ему приписывают высказывание «лучше сражаться с двадцатью русскими, чем с одним «Спитфайром». Опыт борьбы со «Спитфайрами» он, заметим, имел и до Восточного фронта. В 1943 г. Филипп возглавил 1-ю истребительную эскадру ПВО рейха, и возвращение на Западный фронт стало для него роковым. Его настигла очередь пилота «Тандерболта» через несколько минут после того, как он сам сбил свой первый и последний четырехмоторный бомбардировщик. За шесть месяцев командования 1-й эскадрой «эксперт» сумел сбить один «В-17», один «Тандерболт» и один «Спитфайр».

Действительно, есть несколько примеров, когда пилоты-истребители, блиставшие на Восточном фронте, оказывались куда менее результативными после переброски их на Запад, на защиту рейха. Это сам Эрих Хартманн, имевший на своем счету всего 4 американских «Мустанга». Это Гюнтер Ралль, сбивший 272 самолета на Востоке и всего 3 на Западе. Это пилот, первый достигший рубежа в 200 сбитых, Герман Граф с 212 победами на Восточном фронте и всего 10 — на Западе. Это Вальтер Новотны, заявивший об уничтожении 255 советских самолетов и 3 самолетов союзников. Последний пример, кстати, сразу можно назвать наименее удачным. Новотны осваивал реактивные истребители и фактически большую часть времени на Западе боролся с техническими недостатками реактивного «Ме.262» и отрабатывал тактику его боевого применения. Фактически для Вальтера Новотны первые полгода на Западе были не боевой работой, а предоставленным командованием отдыхом с целью сохранения пилота с наивысшим на тот момент счетом. Не слишком убедителен при ближайшем рассмотрении пример с Хартманном — четыре «Мустанга» он сбил всего в двух боях.

Однако даже если принять эти примеры безоговорочно, они с лихвой компенсируются данными о других пилотах. Ветеран 3-й истребительной эскадры «Удет» Вальтер Даль имел на своем счету 129 побед, из них 84 на Восточном фронте и 45 — на Западном. Его первой жертвой стал биплан «И-15бис» 22 июня 1941 г., а с декабря того же года он уже воевал на Средиземноморье. Два года спустя, 6 декабря 1943 г., он сбивает свою первую «Летающую крепость» в ПВО рейха. Меньший счет на Западном фронте компенсируется качественным составом сбитых. Среди 45 побед Вальтера Даля на Западе 30 четырехмоторных бомбардировщиков (23 «Б-17» «Летающая крепость» и 7 «Б-24» «Либерейтор»). Равномерное распределение побед было вообще характерно для ветеранов люфтваффе. Антон Хакль, ас 77-й истребительной эскадры, свою первую победу одержал 15 июня 1940 г. в небе Норвегии. Это были два «Хадсона» Королевских ВВС. Кампанию 1941 г. и большую часть 1941 г. провел на Восточном фронте, где перешел рубеж в 100 сбитых. Затем до весны 1943 г. воевал в небе Северной Африки, а с осени 1943 г. — в ПВО рейха. Общий счет Хакля составил 192 самолета, из которых 61 были сбиты на Западе. Как и в случае со сбитыми Вальтера Даля, у Хакля заметную долю составляют тяжелые бомбардировщики. Из 61 победы на Западе больше половины, 34 единицы, это четырехмоторные бомбардировщики «Б-17» и «Б-24». Другой известный пилот-истребитель, Эрих Рудорфер, из 222 сбитых самолетов 136 заявил на Восточном фронте. То есть на Восточном фронте им было одержано чуть больше половины, 61% побед. Почти идеальным в плане баланса успехов на Западе и Востоке является счет Херберта Илефильда. Ветеран легиона «Кондор», он открыл свой счет еще в Испании, где его жертвами стали 4 «И-16», 4 «И-15» и 1 «СБ-2» ВВС республиканцев. Во Второй мировой войне первую победу он одержал во французской кампании. Летом 1941 г. Илефильд попал на Восточный фронт, где в апреле 1942 г. сбил свой 100-й самолет. Командовал 11-й истребительной эскадрой на Западе, погиб в новогоднюю ночь 1945 г. в ходе операции «Боденплятте». Общий счет аса составил 132 самолета, из которых 56 были сбиты на Западном фронте, 67 — на Восточном и 9 — в Испании. Из 56 побед на Западе 17 машин составляли «Б-17» «Летающая крепость». Были в люфтваффе универсалы, одинаково успешно воевавшие на всех театрах военных действий и на всех типах самолетов. Хайнц Бэр прибыл с Восточного фронта в Северную Африку в октябре 1942 г. и сбил 20 истребителей противника в течение двух месяцев — примерно тот же уровень, с которым он воевал до этого на Восточном фронте. Общий «африканский счет» этого аса составил 60 самолетов союзников. В дальнейшем столь же успешно он воевал в ПВО рейха, одержав в небе над Германией 45 побед, в том числе сбил 21 четырехмоторный бомбардировщик. На этом энергичный Бэр не остановился и стал первым (!) по результативности «реактивным» асом (16 побед на «Ме.262»). Общий счет Бэра составил 220 сбитых. Менее известные пилоты также демонстрируют внушительные успехи на Западе. Например, лидер в люфтваффе по числу сбитых четырехмоторных бомбардировщиков (44 единицы), Герберт Ролльвейг, из 102 своих побед всего 11 одержал на Востоке. В большинстве случаев опыт войны на Восточном фронте в 1941 г., полученный большинством указанных пилотов, способствовал повышению летного мастерства и тактики истребителя.

Есть также примеры пилотов, успешных на Западе и не слишком удачно выступивших на Востоке. Это командир II группы 54-й истребительной эскадры майор Ганс «Асси» Хан. Он продолжительное время служил во 2-й истребительной эскадре, был одним из ведущих асов битвы за Британию, на Западе Хан одержал 68 побед. На Восточный фронт Хана перевели осенью 1942 г., в должность командира группы он вступил 1 ноября. 26 января 1943 г. Ганс Хан сбил свой сотый самолет. В течение последующего месяца «Асси» сбил еще восемь самолетов. 21 февраля из-за отказа двигателя Хан был вынужден приземлиться в тылу советских войск южнее озера Ильмень. Последующие семь лет Ганс Хан провел в советских лагерях. Еще более яркий пример — это командир 27-й истребительной эскадры Вольфганг Шелльманн, второй по результативности ас в «Легионе Кондор» в период Гражданской войны в Испании. Он был сбит в первый же день войны, 22 июня 1941 г., хотя считался признанным специалистом по маневренному воздушному бою. Йоахим Мюнхеберг после трех лет на Западном фронте (первую победу он одержал 7 ноября 1939 г.) прибыл в состав 51-й истребительной эскадры на Восточный фронт в августе 1942 г. В течение четырех недель он был сбит дважды, хотя считался специалистом по борьбе с воспетыми Х. Филипом «Спитфайрами» — их на счету Мюнхеберга было аж 35, на два больше, чем его общий счет на Востоке, 33 советских самолета. Зигфрид Шнелль, одержавший 87 воздушных побед против Королевских ВВС и американцев, прибыл в состав 54-й истребительной эскадры на Восточный фронт в феврале 1944 г. — две недели спустя он погиб в бою с советскими истребителями.

Причины гибели асов Восточного фронта на Западе стоит искать в изменении общей обстановки в ПВО рейха. В этот период гибли летчики, ставшие признанными асами Западного фронта, а не только «гастролеры» с Востока. Это тоже были асы, занимавшие посты командиров групп и эскадр. Осенью 1943 г. во главе 1-й истребительной эскадры был поставлен ветеран воздушной войны над Ла-Маншем подполковник Вальтер Оесау. Оесау начал свой боевой путь в Испании, где записал на свой счет восемь побед. К моменту назначения командиром эскадры на счету кавалера Рыцарского креста с дубовыми листьями и мечами Оесау числилось 105 побед, более половины из которых он одержал на Западе. Но ему было суждено руководить эскадрой менее полугода. Истребитель «Bf.l09G-6» «Оесау» был сбит над Арденнами 11 мая 1944 г. после 20-минутного воздушного боя с «Лайтнингами». Таких примеров немало. Подполковник Эгон Майер, будучи командиром III группы 2-й истребительной эскадры, провел первую успешную лобовую атаку «Летающей крепости» еще в ноябре 1942 г. Так была введена тактика, позже ставшая базовой для истребителей ПВО рейха. В июне 1943 г. Майер сменил Вальтера Оесау на посту командира 2-й истребительной эскадры. 5 февраля 1944 г. Эгон стал первым летчиком, сбившим 100 самолетов на Западном фронте. Менее чем через месяц после юбилейной победы Майер погиб в бою с «Тандерболтом» над франко-бельгийской границей. На момент гибели ас считался ведущим специалистом люфтваффе по американским тяжелым бомбардировщикам: на его счету было 25 «Б-17» и «Б-24». Всего Эгон Майер одержал на Западе 102 победы.

Сравнивая асов Востока и Запада, следует обратить внимание на принципиально различные условия ведения войны. На растянутом на сотни километров фронте группе истребительной эскадры где-нибудь между Великими Луками и Брянском всегда было чем заняться. Например, бои за Ржевский выступ в 1942 г. шли практически непрерывно. Шесть вылетов в день были нормой, а не чем-то исключительным. При отражении налетов «Летающих крепостей» характер боев был принципиально другим. Достаточно типичный налет, удар по Берлину 6 марта 1944 г., проходил с участием 814 бомбардировщиков и 943 истребителей. Первый самолет поднялся в воздух в 7.45 утра, береговую линию бомбардировщики пересекли только в одиннадцатом часу, последний сел в 16.45. Бомбардировщики и истребители находились в воздухе над Германией всего несколько часов. Сделать даже два вылета в таких условиях было большой удачей. Более того, вся масса истребителей сопровождения находилась в воздухе на сравнительно небольшом пространстве, сводя поединок с ПВО к своего рода «генеральному сражению», реализуя на практике свое численное преимущество. На Восточном фронте бои шли вокруг сравнительно небольших групп ударных самолетов. Альфред Грислявски, ведомый Германа Графа, говорил, что «у русских была другая тактика — основной их задачей была штурмовка наших наземных войск, и поэтому нам часто удавалось атаковать их при большом преимуществе с нашей стороны». Действительно, когда противником является восьмерка «Пе-2» с истребительным прикрытием из восьми «Яков», на нее можно бросить сразу целую эскадрилью из 12 самолетов, три Schwarm по четыре самолета, а через час атаковать такую же группу «Ил-2» с аналогичным истребительным прикрытием. В обоих случаях атакующие «эксперты» люфтваффе будут иметь численное преимущество. Достигалось это использованием наведения по радио. В ПВО рейха пилотам приходилось атаковать сразу крупную массу бомбардировщиков, прикрываемую столь же крупной массой истребителей. Все равно что столкнуться на Востоке на 7 тыс. метров с несколькими советскими воздушными армиями. На Восточном фронте крупные «генеральные сражения» в воздухе были редкостью, в ПВО рейха каждый налет становился таким сражением. При этом не сами тяжелые бомбардировщики были главной проблемой. Часто цитируемые западными авторами ужасы о Западном фронте в исполнении Ханса Филиппа весьма красочно описывают атаку строя «Б-17»: «Когда же атакуешь строй из 40 «Крепостей», пред глазами в миг проносятся яркой вспышкой все твои последние грехи. С такими ощущениями мне все тяжелее требовать от каждого летчика эскадры, особенно от самых юных унтеров, чтобы они воевали так же, как я». Однако эти страшилки не подтверждаются статистикой. Имеется крайне мало достоверных при-

меров гибели асов или хотя бы командиров групп/
эскадр от оборонительного огня четырехмоторных бомбардировщиков. Довольно быстро «эксперты» люфтваффе разработали тактику атаки строя тяжелых бомбардировщиков в лоб, что позволяло избегать массированного огня оборонительных пулеметов. Сам Филипп
погиб от очереди пилота истребителя сопровождения.
Напротив, можно с ходу назвать несколько имен немецких асов, ставших жертвами воздушных стрелков на
Восточном фронте. Наиболее известным из них является Отто Киттель, четвертый в списке лучших асов люфтваффе. Его карьеру прервала очередь стрелка «Ил-2»
14 февраля 1945 г. Другой хорошо известный пример — это перспективный молодой ас, 20-летний бер-
линец Ганс Штрелов (67 побед), в марте 1942 г. ставший жертвой стрелка «Пе-2». Командир II группы 53-й
истребительной эскадры гауптман Бретнец 22 июня
1941 г. был тяжело ранен из «ШКАСа» стрелком «СБ-2»,
позднее умер в госпитале. Одним словом, великие и
ужасные стрелки «Летающих крепостей» выступали не
сильно лучше стрелков штурмовиков и ближних бомбардировщиков. Один фактор компенсировал другой:
«коробка» тяжелых бомбардировщиков создавала плотный оборонительный огонь, а более компактные одно-
и двухмоторные самолеты заставляли атакующих сближаться с ними на меньшую дистанцию.

Война на Западе представляла собой, по сути, ловлю
истребителей люфтваффе на гигантского «живца» —
растянутую на десятки и сотни километров «кишку» из
«коробок» «Б-17» и «Б-24» под прикрытием истребителей. В этих условиях американцам было легче реализовывать свое численное преимущество, чем ВВС Красной Армии.

Виражи деревянной авиации

Во всей истории с асами есть только один аспект, который не вписывается в общие для Западного и Восточного фронта рамки. Вполне очевиден эффект числа целей, соотношение между числом побед и количеством проведенных боев или боевых вылетов. Но советская истребительная авиация отличалась от других стран тем, что почти полностью состояла из деревянных самолетов. Деревянная конструкция была менее прочной, долговечной, чем цельнометаллическая. Соответственно если стоит задача построить два самолета — один деревянный, а другой из алюминиевых сплавов — с равными характеристиками, то деревянный будет в чем-то неизбежно проигрывать. Если это будет конструкция, равная по прочности, она будет тяжелее. Если она будет равной по весу, то придется пожертвовать прочностью или полезной нагрузкой. Поэтому советские бомбардировщики вследствие большей нагрузки на конструкцию делались все же из дюралюминия. Истребителям досталось дерево и отставание в технических характеристиках.

Еще одним действующим фактором было то, что СССР недавно стал индустриальной державой. Известный летчик-испытатель Василий Алексеенко писал: «Когда мы в 1940 г. испытывали немецкие боевые самолеты, то обратили внимание, что немцы резиной тщательно герметизируют каждый лючок, каждый проем. Сначала нам это казалось бессмысленным, и только потом мы догадались, что перетоки воздуха внутри самолета забирают мощность у двигателя, снижают скорость. А у нас над этим никто и не думал потому, что просто некому было по тем временам думать, — по воспоминаниям авиаконструктора А.С. Яковлева, только на фирме «Мессершмитт» конструкторов работало больше, чем во всех КБ СССР». Отставала и нефтехимическая промышленность СССР, которая не позволяла перейти на 100-октановое горючее к 1941 г. Для этого нужно было создавать с нуля целые производства каталитического крекинга. В 1931 г. И.В. Сталин сказал: «Мы отстали от капиталистических стран на 50—100 лет. Мы должны пробежать это расстояние в десять лет. Либо мы сделаем это, либо нас сомнут». В тот год каждый второй взрослый житель Советского Союза еще не владел грамотой, а число инженеров и техников было в десятки раз меньше, чем в Англии, Германии или США. Несмотря на большие капиталовложения (в 1940 г. ассигнования на развитие авиационной промышленности составили 40% военного бюджета страны), достигнуть уровня европейских стран за 10 лет не удалось. Кроме того, были факторы, которые за 10 лет не пробегают. В Великобритании у рабочих, собиравших двигатели «Мерлин», были десятки лет (!!!) стажа. Поэтому попытки воспроизвести «Мерлин» везде, кроме США, проваливались. Вообще весь «Спитфайр» с его овальным в плане крылом был пригоден для производства только в Великобритании, больше нигде достаточного количества столь квалифицированных рабочих не было. Немцы от овального в плане крыла на «Хе.111» довольно быстро отказались, «спрямив» его кромки. В СССР должны были собирать самолеты и двигатели вчерашние крестьяне или их дети, закончившие фабзавуч. Поэтому создание «сердца» самолета — авиадвигателя — было трудной задачей. Самый распространенный двигатель советских истребителей в начале 1942 г. — «М-105П» — недобирал мощности, выбрасывал масло, забрызгивая самолет от кока до хвоста.

К началу лета 1942 г. была выпущена форсированная модификация мотора «М-105П» — «М-105ПФ», которым были оснащены советские истребители «Як-1», «Як-7» и «ЛаГГ-3». Теоретически установка заметно более мощного мотора должна была уравнять скорость «Як-1» и «Як-7Б» с «Bf.109F». Но «суха теория», эксплуатация самолетов в частях приводила к заметному просаживанию их характеристик.

Процитирую приказ ВВС Красной Армии от 5 октября 1942 г. за № 200: «Воздушный бой летный состав ведет на 2200—2400 оборотах в минуту, а не 2550—2700 оборотах в минуту, на которых истребители с мотором «М-105ПФ» имеют наилучшие взлетные свойства, скороподъемность, маневренность и максимальную скорость. Номинальные обороты мотора «М-105ПФ» — 2700 оборотов в минуту — некоторые летчики и инженеры авиачастей рассматривают как недопустимую раскрутку винта. На многих истребителях ограничители максимального числа оборотов на регуляторе «Р-7» установлены не на положенные 2700 оборотов, а произвольно на меньшее число оборотов, вследствие чего летчик лишен возможности в случае необходимости облегчить винт и тем самым увеличить скорость, улучшить скороподъемность и маневренность самолета»[1]. Модифицированный мотор в шаловливых руках рядовых пилотов и техников терял свои выстраданные в КБ и на заводе характеристики. Масла в огонь подливали сами пилоты уже в воздухе, когда просто не следили за положением створок радиаторов. Створки открывались по максимуму вне зависимости от режима полета, хотя приказы и наставления рекомендовали ставить их по потоку, минимизируя лобовое сопротивление истребителя. У немцев же к моменту оснащения советских истребителей «М-105ПФ» появилась очередная модификация их основного истребителя «Bf.109G-2» с бо-

---

[1] ЦАМО. Ф. 336. Оп. 5233. Д. 2. Л. 79.

лее мощным двигателем, которая свела на нет даже формальное равенство технических характеристик истребителей.

В этих условиях фронтовая «самодеятельность» по снижению летных качеств самолетов могла обернуться в бою настоящей трагедией. Пилот «Яка» или «ЛаГГа» просто лишался возможности уйти от атаки, превратившись в «сидячую утку» на самолете с искусственно ухудшенными характеристиками. При численном превосходстве противника летчику оставалось только с достоинством встретить смерть, постаравшись утащить за собой кого-то из «экспертов» или их «качмариков». Фактически пилоты своими руками готовили себе гибель. Уменьшались и возможности летчиков реализовывать свое численное преимущество в столкновении с противником. Если вечер вдруг переставал быть томным и на аса с многочисленными «абшуссбалкенами» на киле наваливались сразу несколько советских истребителей, он мог запросто отжать от себя рукоятку управления двигателем и покинуть поле боя. Эрих Хартманн вполне откровенно описывал свою «стратегию» успеха: «Я никогда не придавал большого значения воздушному бою. Я старался не ввязываться в воздушные бои с русскими. Моей тактикой была внезапность. Подняться выше, если это возможно, зайти со стороны солнца... девяносто процентов моих атак были внезапными. Если я сбивал один самолет, я выходил из боя, делал перерыв и вновь наблюдал за ситуацией. Поиск противника зависел от того, где шла борьба на земле, и от визуального обнаружения целей. Наземные станции сообщали нам по радио о позиции противника, давая координаты по карте. Поэтому мы могли искать в нужном направлении и выбирать наилучшую высоту для атаки. Если я патрулировал, то предпочитал атаку на полной скорости со стороны солнца снизу, потому что вы можете заметить противника очень далеко на фоне покрытого облаками неба. Тот пилот, который увидит другого первым, уже наполовину одержал победу»[1]. У многих советских летчиков просто не было возможности выходить из боя по своей воле.

Последним гвоздем в процесс превращения самолета в гроб для его пилота был открытый колпак кабины. Согласно приказу командования ВВС Красной Армии № 078 от 12 мая 1942 г., при преследовании противника и вынужденном уходе от него фонарь кабины нужно было держать закрытым. Это требование сплошь и рядом игнорировалось. Самолет терял скорость, и шансы пилота выжить в столкновении с противником становились все меньше. Поэтому нет ничего удивительного в том, что счета немецких асов сделали не «ишачки» и «чайки», а, казалось бы, вполне современные самолеты. Герман Граф, первый пилот, достигший отметки в 200 сбитых, к 24 января 1943 г. мог похвастаться только 42 победами. Уже к 17 мая он достигает отметки в 104 победы, а 27 сентября 1942 г. он сбивает свой 200-й самолет. Весной и летом 1942 г. основную массу авиации составляли уже не устаревшие самолеты, а «Як-1» и «ЛаГГ-3». Только вот створки радиаторов у них стояли не по потоку, фонарь кабины открыт и чистотой поверхности фюзеляжа давно никто не занимался.

Но если даже пилоту везло и он возвращался из боя «на честном слове и одном крыле» с посадкой с убранным шасси, следующей «волчьей ямой» на его пути был ремонт самолета. Полевой ремонт производился небрежно, согнутые в вынужденных посадках винты не выправлялись как следует, заделка пробоин проводилась неаккуратно, посадочные щитки, зализы крыла не подгонялись, покраска не возобновлялась. В результа-

---

[1] *Spick M.* Luftwaffe Fighter Aces. Montana, 1998. S. 203.

Эрих Хартманн в кабине своего «Bf.109G-6».

те скорость истребителей снижалась на 40—50 км/ч. В бою это уже была существенная проблема, препятствующая выходу из боя в невыгодных условиях (становившемуся краеугольным камнем выживаемости асов) и реализации своего численного преимущества против истребителей противника.

Кстати говоря, не следует думать, что отставание серийных машин от данных опытного образца было характерно исключительно для советских самолетов. Когда разочарованные первыми боями с участием свежезакупленных «Аэрокобр» англичане спросили у фирмы «Белл», почему самолет не разгоняется до заявленной скорости, ответ был убийственным. Американцы, потупив глазки, сообщили, что в рекламных проспектах была указана скорость самолета с тщательно отполированной поверхностью и почти на тонну легче серийных образцов. Поэтому не стоит удивляться высоким счетам немецких пилотов ни на Востоке, ни на Западе.

Место асов в ВВС Красной Армии

С одной стороны, высокая результативность пилотов поддерживалась командованием ВВС Красной Армии. Были назначены денежные премии за сбитый самолет противника, за определенное число сбитых летчики-истребители представлялись к наградам. Но, с другой стороны, было проявлено непонятное равнодушие к формализации процесса учета сбитых и личных счетов пилотов. В документооборот отчетности советских авиачастей не были введены какие-либо бланки по учету сбитых, заполняемые пилотом после удачной «охоты». Это выглядит довольно странно на фоне все возрастающей формализации отчетности начиная уже с 1942 г. Были введены отпечатанные типографским способом бланки боевого и численного состава частей, учета потерь (так называемая форма № 8). Даже о состоянии конского состава докладывали, заполнив специальную форму. В 1943 г. все эти формы отчетности получили дальнейшее развитие, бланки все в большей степени усложнялись и совершенствовались. Попадались настоящие шедевры канцелярской живописи, рядом с которыми «Черный квадрат» Малевича выглядит жалкой поделкой ремесленника. Но среди всего этого разнообразия форм отчетности начисто отсутствуют бланки для заполнения летчиками в качестве донесений о сбитых самолетах. Пилоты по-прежнему писали в меру своих литературных способностей и познаний в орфографии и пунктуации, описывая воздушный бой в вольной форме. Иногда из-под пера боевых офицеров выходили весьма развернутые отчеты с указанием дистанций ведения огня и схемами маневрирования, значительно превосходившие по информативности «абшуссмелдунги» немцев. Но в целом командование высшего звена, похоже, не слишком интересовали

А.И.Покрышкин в окружении своих однополчан у «Аэрокобры».
На носу самолета видны отметки о воздушных победах.

доклады о сбитых самолетах противника. Достоверность этих докладов «наверху» оценивали достаточно скептически, периодически вниз метали молнии, когда статистика выглядела совсем уж неубедительной. Все это говорит о том, что статистика побед была нужна прежде всего самим летчикам. Напомню, что первоначально термин «ас» был введен французами в Первую мировую войну. Целью газетной шумихи вокруг имен лучших летчиков было привлечение молодых людей в военную авиацию. Часто весьма рутинной и опасной работе военного летчика придавали спортивный дух, пробуждали охотничий азарт.

Еще один интересный факт можно заметить, если произвести анализ достоверности заявленных пилотом побед постфактум, с использованием данных противника. Такой анализ, например, провел вышеупомянутый Ю. Рыбин в отношении нескольких летчиков-североморцев, в частности одного из известнейших советских асов, после войны главкома ВВС П.С. Кутахова. Выясняется, что у многих асов первые две, три, а то и шесть побед не подтверждаются. При этом в дальнейшем все идет гораздо бодрее, подтверждение находят уже по несколько побед подряд. И здесь мы подходим к тому главному, что давали нарисованные на самолете отметки о сбитых. Они давали пилоту уверенность в своих силах. Представим себе на минутку, что вместо реальной системы учета побед у нас занудная, многоступенчатая проверка с поиском тушки заявленного «мессера» в лесной чаще. Если окажется, что «ушедший со снижением» или «беспорядочно падавший» самолет противника на самом деле не был сбит, это будет большим ударом для начинающего летчика. Напротив, нарисованная после «ухода со снижением» метка прибавит задора летчику. Он будет увереннее маневрировать, не бояться вступать в бой с опасным противником. Он перешагнет главную преграду — ощущение неуязвимости противника. Если завтра послать его сопровождать штурмовики, он уже будет уверенно шарить взглядом по небу. Не животный страх неизвестности затаится в его сердце, но азарт охотника, ждущего жертву. Вчерашний курсант становится полноценным пилотом-истребителем.

В Полевом уставе Красной Армии задачи авиации описывались вполне однозначно: «Главнейшая задача авиации заключается в содействии успеху наземных войск в бою и операции» (ПУ-39. С. 23). Не уничтожение авиации противника в воздухе и на аэродромах, но содействие наземным войскам. В сущности, деятельность истребительной авиации направлена на обеспечение деятельности ударных самолетов и прикрытие своих войск. Соответственно определенное число ударных самолетов требовало равного или даже чуть большего числа самолетов-истребителей. Почему — вполне очевидно. Во-первых, ударные самолеты требуется прикрывать, а во-вторых, у истребителей всегда есть самостоятельные задачи по прикрытию войск и важных объектов. Для каждого из этих истребителей нужен пилот.

Основной тезис, на который нужно обратить внимание, — это сравнение реальной эффективности ВВС и счетов асов. Например, советские штурмовые авиаполки в Румынии в 1944 г. могли делать тысячи самолето-вылетов, сбрасывать многие тонны бомб и вообще не встречать истребители люфтваффе и Хартманна в частности. Сбитые Хартманном и Баркхорном самолеты при этом давали несколько процентов от общего числа самолето-вылетов советских ВВС на этом направлении, заметно уступая потерям вследствие ошибок пилотирования и технических неисправностей. Работа в режиме мегаасов, делающих по шесть вылетов в день и покрывающих большой фронт, — это ненормальная ситуация. Да, они могут легко набрать счета, но ВВС в целом не будут при этом решать задачу прикрытия своих войск, воздействия на ведение операций ударами с воздуха. Просто потому, что самолето-вылеты небольшой группы «экспертов» физически не смогут покрыть все эти задачи. Напротив, обеспечение численного превосходства своих ВВС над противником совершенно не благоприятствует быстрому наращиванию личного счета. Летчики делают по один-два вылета в день, и в случае массирования усилий ВВС на направлении главного удара сухопутных войск вероятность встретить самолет противника уменьшается в геометрической прогрессии. Поясню этот тезис простым расчетом. Пусть у «синих» пять истребителей и пять бомбардировщиков, а у «красных» двадцать истребителей и двадцать пять бомбардировщиков и штурмовиков. Допустим, в ходе нескольких воздушных боев «синие» теряют все пять бомбардировщиков и один истребитель, а «красные» — пять истребителей и пять бомбардировщиков и штурмовиков. В этом случае возможности «синих» воздействовать на наступающих «красных» оказываются равными нулю, а «красные» сохраняют 75% своих первоначальных ударных возможностей. Более того, оставшиеся 20 бомбардировщиков и штурмовиков «красных» в 100 боевых вылетах сбрасывают на противника 2 тыс. тонн бомб, в то время как 5 бомбардировщиков «синих» до сбития успевают выполнить по 50 вылетов и сбросить 250 тонн бомб. Соответственно потеря десяти самолетов «красных» приводит к наращиванию личного счета аса Х. «синих» на 30 единиц (с учетом обычного в таких случаях завышения реальных результатов боев). Шесть реально сбитых самолетов «синих» увеличивают личный счет асов К. и П. на пять побед каждому, а еще по две победы записывают на свой счет начинающие асы В. и Л. По итогам войны вполне возможно, что пилот Х. «синих» наберет 352 сбитых, а пилоты К. и П. «красных» — 62 и 59 соответственно. Результативность же действий ВВС в целом оказывается явно не в пользу «синих», они сбрасывают меньше бомб и незначительно снижают ударную мощь авиации противника действиями своих истребителей.

Столкновение равных сил не привело бы к резкому наращиванию личных счетов одного пилота, результат боев в воздухе неизбежно размазывался бы на многих летчиков. Путь к высоким личным счетам лежит через войну с превосходящими силами противника малым числом своих пилотов. Если бы в данном примере пяти истребителям и пяти бомбардировщикам «синих» противостоял один бомбардировщик и один истребитель «красных», то у пилота «красных» К. были бы все шансы получить не жалкие две победы, а все три или четыре. Особенно при постановке задачи в виде «бей и убегай». Напротив, асы «синих» с трудом делили единственный сбитый бомбардировщик. Одним словом, стоит выбор между ездой и «шашечками», внешней атрибутикой в лице звездочек на фюзеляже или полосок на киле и достигаемыми ВВС результатами. Организовать трехзначные счета асов, в сущности, не составляло технической проблемы. Для этого нужно было бы отказаться от массового выпуска самолетов и массовой подготовки пилотов-истребителей. Немногим счастливчикам вручались бы изготовленные по индивидуальному заказу самолеты, детали двигателей которых вручную притирались друг к другу изготавливали для этих самолетов лабораторным способом, как для «АНТ-25», на котором В.П. Чкалов летал в Америку через полюс. Можно было бы даже не мучиться и вооружаться «Спитфайрами», собранными вручную «дядями Джонами», за плечами которых десятилетия, проведенные у станка. А. Покрышкин и И. Кожедуб на таких штучных самолетах атаковали бы немецкие эскадры, нанося удары по принципу «бей и убегай» и выполняя по шесть вылетов в день. В этом случае за два года для них было бы вполне реально набрать по 300 сбитых на брата. Закончилось бы это остановкой немцев на линии Архангельск—Астрахань. Для наземных войск это грозило анекдотической ситуацией «а воздушной поддержки не будет — летчик заболел». Почти в духе этого бессмертного анекдота развивались события в Курляндии зимой 1945 г. Тогда после гибели Отто Киттеля, аса из 54-й истребительной эскадры, пехотинцы впали в уныние: «Киттель погиб, теперь нам точно конец». Зато после войны можно будет гордиться 267 победами этого самого Киттеля. Нет ничего удивительного, что от такого сомнительного счастья в ВВС РККА отказались.

В СССР был совершенно сознательно сделан выбор в пользу массовых военно-воздушных сил с неизбежным для любого массового мероприятия проседанием среднего уровня. Самолеты массовой серии, изготовлявшиеся «фабзайчатами», теряли технические характеристики опытных машин из-за нарушения геометрии, качества отделки. Необходимость обеспечить массу машин горючим приводила к снижению требований к топливу, вместо лабораторного 100-октанового бензина, на литр которого уходила бочка сырой нефти, поставлялся бензин каталитического крекинга с октановым числом 78. Худшее топливо снижало мощность и без того посредственно изготовленного двигателя, снижая летные качества планера с нарушенной геометрией. При этом сам самолет изначально проектировался под массовое производство с заменой дефицитных материалов на дерево и сталь. Однако наличие большой массы самолетов позволяло дать в руки лучшим молодым людям нации не винтовку или пулемет, а мощное и маневренное средство ведения войны. Они уже могли защитить пехотинцев от бомбардировщика с тонной бомб, обеспечить действия своего более опытного коллеги в воздушном бою и в конце концов самому получить шанс стать асом.

Есть известное высказывание И.В. Сталина: «незаменимых у нас нет». В этих словах была вся материалистическая философия советского руководства. Для него было бы абсурдным базировать стратегию на личностях. Боеспособность ВВС, действующих на фронте в сотни километров над головами сотен тысяч людей, не должна зависеть от настроения и морально-физического самочувствия одного или даже десяти человек. Если мегаас допустит ошибку и его собьют, то эта потеря будет, во-первых, очень чувствительной, а во-вторых, трудновосполнимой. Формирование мегааса, подобного Хартманну, Баркхорну или Новотны, — это дело нескольких лет, которых в нужный момент просто не будет. На войне неизбежны потери как людей, так и техники. Особенно это касается ВВС — в советском мобилизационном плане 1941 г. потери летчиков вполне справедливо предполагались самыми высокими среди родов войск. Соответственно задачей командования является формирование механизма эффективного восполнения этих потерь. С этой точки зрения массовые ВВС более устойчивы. Если у нас триста истребителей, то даже потеря нескольких десятков пилотов не станет для нас фатальной. Если у нас десять истребителей, среди которых половина мегаасы, то потеря пяти человек может оказаться тяжелым ударом. Причем тяжелым ударом прежде всего по наземным войскам, пресловутое «Киттель погиб, и теперь нам крышка».

* * *

Число заявленных сбитых не является сколь-нибудь объективным показателем при сравнении ВВС двух стран. Число нарисованных на хвосте «абшуссбалкенов» или «звездочек» на фюзеляже есть объективный показатель мастерства пилота внутри ВВС данной конкретной страны, не более того. Добиться трехзначных счетов асов можно, сознательно выбрав ведение воздушной войны при численном превосходстве противника и постоянных рокировках авиационных частей и соединений с пассивных участков фронта в пекло боев. Но подход этот оружие обоюдоострое и скорее всего приведет к проигрышу воздушной войны. Вкратце причину разницы в счетах пилотов можно объяснить следующим:

1) Эффектом масштаба, или, если угодно, «эффектом охотника». Если один охотник входит в лес с пятью фазанами, то у него будет шанс принести домой 2—3

птицы. Если, напротив, пять охотников идут в лес за одним фазаном, любое мастерство даст в результате всего одну тушку несчастной птицы. То же самое в войне в воздухе. Число сбитых прямо пропорционально числу целей в воздухе.

2) Интенсивным использованием ВВС немцами. Выполняя шесть вылетов в день при постоянном перемещении вдоль линии фронта для парирования кризисов или проведения наступательных операций, нетрудно сбить больше за длительный период, чем выполняя по одному вылету в день, оставаясь все время на одном и том же участке фронта.

Глава 9

Пехота против танков

Кинематограф в значительной мере определил отношение, пожалуй, уже нескольких поколений людей к некоторым образцам вооружения и техники Второй мировой войны. Наиболее ярким примером такого воздействия на умы и сердца является образ противотанковых ружей. На экране герой без особого труда один за другим расстреливал вражеские танки, и возникал закономерный вопрос: «Почему это замечательное оружие отсутствовало до начала войны, а было спешно разработано и принято на вооружение в первые месяцы войны?» Иногда этот тезис усиливается, и в качестве всемогущего средства борьбы с дошедшими до Москвы и Ленинграда немецкими танками представляется реактивный противотанковый гранатомет, который якобы мог появиться на вооружении Красной Армии, если бы не репрессии.

Пушки Курчевского

Последний образ наиболее яркий, поэтому разберем в первую очередь его. При словах «реактивный противотанковый гранатомет» воображение молниеносно рисует нечто похожее на «РПГ-7»: трубу на плече бойца и надкалиберную кумулятивную гранату. Однако такая конструкция была в 30-е гг. просто нереализуемой. Разработки велись совсем в другой области. Во-первых, разрабатывавшиеся в СССР динамореактивные пушки были нарезными, под калиберные боеприпасы. Соответственно выстреливали они не привычную нам сегодня гранату, а снаряд калибром 37 мм. Причем выстреливали через нагруженный (то есть нарезной) ствол. Превращение в динамореактивное орудие заключалось в установке сопла Лаваля и простом увеличении порохового заряда, ствол оставался в практически неизменном виде в сравнении с обычной пушкой. Давление в стволе пушек Курчевского достигало 3200 кг/см^2, что равно классическим артсистемам. Соответственно динамореактивное орудие калибром более 37 мм ни один боец удержать на плече, как «РПГ», был не в состоянии — масса зашкаливала за 100 кг. Во-вторых, разработанные инженером Л.В. Курчевским 37-мм динамореактивные пушки имели еще одну интересную особенность. Они были... дульнозарядными. Снаряд и заряд подавались в ствол со специального лотка. Надежность такой системы нетрудно себе представить. Были, конечно, конструкции с заряжанием с казенной части. Но они не устроили военных по другой причине — большой вес. Например, 37-мм безоткатная пушка Кондакова на вооружение принята не была, хотя М.Н. Кондакова никто не репрессировал, он был руководителем КБ Артакадемии до самой смерти, до 1954 г. Орудие Кондакова тоже было создано по схеме с нагруженным стволом и поэтому весило 63 кг в боевом положении. Наконец, третий и самый главный фактор: 37-мм динамореактивные пушки уступали в бронепробиваемости обычным 45-мм орудиям и не давали надежного поражения основных танков потенциального противника. Например, 37-мм динамореактивное ПТР завода № 8 пробивало всего 20 мм брони на дистанции 500 м. Роль репрессий в истории с динамореактивными пушками не следует преувеличивать. Действительно, Л.В. Курчевский был арестован в 1937 г. и выпущен в 1939 г. Но его пушки были приняты на вооружение и даже выпущены небольшой серией. Основной причиной отказа от них были технические характеристики, надежность и бронепробиваемость. Кумулятивные боеприпасы были разработаны к 1938 г. немцами и впервые применены на 75-мм легком пехотном орудии «leIG-18». В сколь-нибудь заметном количестве кумулятивные боеприпасы появились на советско-германском фронте только осенью 1941 г. В значительной степени внедрение кумулятивных боеприпасов сдерживалось необходимостью осваивать производство взрывчатого вещества для них, гексогена и октогена. Поэтому появление до войны чего-либо подобного современному «РПГ» попросту нереально в силу отсутствия в СССР кумулятивных боеприпасов и разработок динамореактивных пушек с ненагруженным стволом.

Оружие слабейших

Противотанковые ружья с момента своего появления на свет считались полумерой. Немецкое 13-мм противотанковое ружье считалось переходным образцом до появления 13-мм пулемета «TuF». В СССР лишь с приходом Г.И. Кулика начали рассматривать ПТР как вариант для принятия на вооружение в дополнение к противотанковым пушкам. До этого М.Н. Тухачевский открыто называл ПТР оружием слабейших армий и с 1925 по 1937 г. ни одно ПТР до испытаний допущено не было. Справедливости ради нужно сказать, что во французской армии, считавшейся в 30-е гг. наиболее сильной европейской армией, с производством ПТР тоже связываться не стали. У французов была замечательная легкая 25-мм противотанковая пушка, на нее и возлагались задачи по защите войск от танковых атак.

Простота и эффективность противотанковых ружей всего лишь миф, навеянный кинематографом. В реальности обеспечение сколь-нибудь приемлемой бронепробиваемости ПТР было нетривиальной задачей. При освещении перипетий принятия на вооружение в 1939 г. ПТР Рукавишникова (с последующим снятием с него в августе 1940 г.) часто забывают о проблеме боеприпаса. Обычно приводят цифру 20 мм брони на дистанции 500 м, предоставляя читателю самому додумывать ТТХ патрона на дистанции 100 или 200 м. На полигонных испытаниях в 1940 г. ПТР Рукавишникова с 400 м действительно пробило по нормали броневой лист толщиной 22 мм. Но на дистанции 200 м и 100 м при испытаниях лист толщиной 30 мм пробит не был вообще (хотя должен был быть пробитым). Проблема была в 14,5-мм патроне с пулей «Б-32» со стальным сердечником. Патрон с пулей «БС-41» с металлокерамическим сердечником был принят на вооружение только в августе 1941 г. (а производство его началось только в октябре), и отсутствие эффективного боеприпаса было существенным аргументом против противотанковых ружей в предвоенный период. Кроме того, ПТР Рукавишникова было на колесном лафете (мотоциклетные колеса) и с расчетом из четырех человек. Вариант на сошках, фотографии которого кочуют по страницам книг и журналов, был, но стрелять из него вследствие большого веса ружья было невозможно. Неудивительно, что армия от такого «сокровища» с невысокой бронепробиваемостью отказалась. Немудрено, что в 1941 г. писали в рекомендациях по использованию ПТР: «Патрон с пулей «БЗ-39» к 14,5-мм ружью и патрон «Б-32» к 12,7-мм ружью пробивает только нижнюю боковую часть корпуса между первым и вторым катками, поражая водителя, и между пятым и шестым катками, пробивая радиатор». И не надо думать, что появление «БС-41» радикально решило проблему, оно лишь дало возможность бронебойщикам уверенно поражать немецкие танки в борт и корму. Невысокие пробивные возможности ружей заставляли вести огонь с минимальных дистанций, что было очень тяжело психологически. При этом заброневое действие их пуль в общем случае было ничтожным. В танк мало было попасть, мало было пробить броню, нужно было поразить экипаж или жизненно важные части танка. В общем случае немецкие танки и сопровождающие их пехотинцы безнаказанно расстреливали из пулеметов выдававших себя облаками пыли или снега от дульных тормозов ПТР бронебойщиков. Вполне типичным был случай, когда из бронебойной роты после первой же атаки немецкой танковой роты (10 танков) в живых не осталось ни одного человека, причем три немецких танка отступили невредимыми. Бойцы откровенно не любили свои «удочки», говоря: «Ствол длинный, жизнь короткая». Скорострельная 37-мм или 45-мм противотанковая пушка была намного лучше. Во-первых, она обладала устойчивым лафетом с оптическим прицелом, во-вторых, имела осколочно-фугасный снаряд, пригодный для поражения пулеметных гнезд, и, наконец, в-третьих, не оснащалась демаскирующим дульным тормозом. Единственным достоинством ПТР по сравнению с противотанковой пушкой были дешевизна и простота производства. Однако по мобилизационному плану 1941 г. МП-41 РККА была полностью укомплектована 45-мм противотанковыми пушками и 76-мм дивизионными пушками, и потребности в сверхштатных противотанковых средствах не было.

Автоматические пушки

В условиях сомнительной эффективности противотанковых ружей высшее руководство РККА считало целесообразным принять на вооружение стрелковых рот нечто более совершенное, чем ПТР. В 1940 г. взгляды военных обратились к автоматическим пушкам. Конкурентом ПТР Рукавишникова стала 23-мм пушка Таубина-Бабурина. Она весила ненамного больше, 78 кг, и монтировалась на том же колесном станке, что и ружье Рукавишникова. Было принято решение работы над ПТР приостановить, поскольку «результаты с пехотной пушкой Таубина-Бабурина с приемником на 9 патронов более предпочтительны». Идея витала в воздухе, немцы разработали для аналогичных целей «2-cm Erd Kampf Geraet» (буквально — «устройство для наземной борьбы»), созданное на базе 20-мм зенитного автомата. Еще одной аналогичной разработкой был автомат «2-cm-MG. С/34» фирмы «Рейнметалл», весивший всего 45 кг. Однако перспективная ротная зенитно-противотанковая пушка до начала войны в СССР доведена не была.

Решение искали на поле пушек, в частности вследствие того, что требовалась хотя бы минимальная универсализация противотанкового оружия. Например, по наступающей и обороняющейся пехоте из противотанкового ружья стрелять практически бесполезно. Напротив, из противотанкового орудия калибром 37—50 мм стрелять по пехоте осколочно-фугасными гранатами вполне возможно, и этой возможностью достаточно часто пользовались. Например, в 1942 г. немцами из 50-мм противотанковой пушки «ПАК-38» было выпущено осколочно-фугасных снарядов более чем в два раза больше, чем бронебойных и подкалиберных, вместе взятых. Осколочно-фугасных выпустили

1 323 600, бронебойных — 477 450, а подкалиберных — 113 850. Соответственно автоматическая пушка калибром 20—23 мм обладала достаточно могущественным осколочно-фугасным снарядом, чтобы вести огонь по пехотинцам противника. Стрелять по пехотинцам из противотанкового ружья, конечно, можно, но это будет непроизводительным расходом сил и средств.

ПТР как панацея?

Глубоким заблуждением представляется тезис, что принятие на вооружение и производство ПТР перед войной могло уберечь СССР от немецких мотоциклистов в Химках. Перед летней кампанией 1941 г. у РККА было более чем достаточно противотанковых средств, превосходящих по своим возможностям противотанковые ружья: 12 470 45-мм пушек образца 1937 г. и 4900 45-мм пушек образца 1932 г. Противотанковыми свойствами обладали также свыше 8 тыс. 76-мм дивизионных пушек. Если бы к этому количеству прибавилось несколько тысяч ПТР, то судьба у них была бы та же самая, они были бы потеряны в боях лета 1941 г. с сомнительным эффектом воздействия на панцерваффе. Точно так же, как не помогли Польше в сентябре 1939 г. 7610 7,92-мм противотанковых ружей Марошека образца 1935 г. Причины успехов танковых войск Германии в 1941 гг. и в 1939 лежат в плоскости тактики и оперативного искусства, а не в плоскости системы вооружения их противников.

Причиной, побудившей начать массовое производство противотанковых ружей, была отнюдь не эффективность этого оружия, осознанная после начала войны, а необходимость восполнять огромные потери лета 1941 г. Сходные причины побудили начать производство ПТР Германию. Войну вермахт в сентябре 1939 г. встретил с... 62 штуками 7,92-мм ПТР «Pz.B.38», что выглядит скорее как эксперимент с данным средством борьбы с бронетехникой. Необходимость быстро насытить войска противотанковыми средствами вынудила производить ПТР в огромных количествах. В 1940 г. было выпущено 9645 «Pz.B.39» и 705 «Pz.B.38», в 1941 г. — 29 587 «Pz.B.39». В 1940—1941 гг. к ним прибавились тяжелые ПТР «Pz.B.41» с коническим стволом. На смену «Pz.B.41» было даже разработано тяжелое ружье «Pz.B.42» с коническим стволом калибра 27/37 мм, доставшееся впоследствии в небольших количествах эсэсовцам. В 1942—1943 гг. продолжали производиться «Pz.B.41» и «2Gr.B.39» (ружье-гранатомет, выстреливавшее из мортирки на конце ствола противотанковую гранату холостым патроном калибра 7,92 мм). В войсках это оружие находилось до 1945 г.

Однако вернемся в 1941 г. Катастрофическое развитие событий вынудило советское руководство пойти на шаги, которые до войны не могли привидеться даже в «тяжком сне после обеда». К таким решениям относятся, в частности, производство копий немецкого противотанкового ружья Первой мировой войны под патрон калибра 12,7 мм (так называемое ПТР Шолохова) и попытка скопировать «Pz.B.39» в сентябре 1941 г. За этими импровизациями последовали вполне полноценные «эрзацы» — 14,5-мм противотанковые ружья Дегтярева и Симонова. Приписывать ПТР успехи Красной Армии под Москвой было бы ошибкой: куда более значимым фактором были установленные на прямую наводку 76-мм и 85-мм зенитки ПВО Москвы, способные поражать любые немецкие танки на дистанции свыше 1000 м.

Место ПТР в Красной Армии

Если мы попробуем проследить место ПТР в организационной структуре стрелковой дивизии, то довольно четко проглядывает роль этого оружия как замены противотанковых пушек. Если до войны ПТР рассматривали как оружие роты, то в декабре 1941 г. в штате № 04/750 взвод ПТР был введен на полковом уровне. Всего в дивизии по штату было 89 ПТР, а 45-мм пушки были исключены из батальона еще в июле 1941 г. Расцветом «молотых шишек» стал 1942 г. По мартовскому штату № 04/200 на уровне полка была рота ПТР (27 ружей), по роте ПТР получил также каждый из батальонов стрелкового полка (вместо довоенных 45-мм ПТП), еще одна рота ПТР была в противотанковом дивизионе. Всего штат предусматривал 279 ПТР. 45-мм противотанковых пушек было 30 единиц вместо 54 орудий по предвоенному штату. Впрочем, почти три сотни ПТР в стрелковой дивизии не помешали немцам дойти до Волги и Кавказа. К 1943 г. звезда ПТР в Красной Армии начала клониться вниз. По декабрьскому штату № 04/550 1942 г. стрелковая дивизия получала сорок восемь 45-мм пушек, «сорокапятки» вернулись в батальоны, а количество ПТР просело до 212 единиц. Это количество ПТР осталось в дивизии и по штату № 04/550 июля 1943 г. Доведение количества 45-мм пушек до довоенных 54 штук в декабре 1944 г. привело к уменьшению числа ПТР до 111 единиц. И это несмотря на то, что на поле боя формально было вполне достаточно целей для противотанковых ружей, в частности БТРы.

Противотанковые ружья были в большей степени средством психологической защиты личного состава, чем реальным средством борьбы. Достаточно объективной характеристикой востребованности оружия является расход боеприпасов. Например, в 1-й танковой армии в сражении на Курской дуге ПТР были лидером снизу с большим отрывом. За период оборонительной фазы сражения было израсходовано всего 0,5 боекомплекта 14,5-мм патронов. Винтовочных патронов было израсходовано 1,2 боекомплекта, 76-мм выстрелов — 2,1 боекомплекта, а 45-мм выстрелов всех типов — 1,5 боекомплекта. Аналогичная картина наблюдается и в вермахте. Начав войну с 25 тысячами ПТР и 14 тысячами 37-мм противотанковых пушек, немцы к концу 1941 г. израсходовали боеприпасов к «Pz.B.39» в 2,4 раза меньше, чем к 37-мм «ПАК-35/36». Расход боеприпасов к «Pz.B.41» за тот же период равнялся расходу выстрелов к... 305-мм трофейной французской мортире. Комментарии, как говорится, излишни.

Фаустпатрон

Это оружие, как и противотанковые ружья, тоже стало своего рода символом эпохи. Однако почему-то забывают, что, несмотря на выпуск огромной партией, свыше 8 млн. штук, фаустпатрон устойчиво занимал нижние строчки в статистике потерь советских танков. Как правило, доля потерь от фаустпатрона не поднималась выше 10% от общего числа потерянных танков, даже в такой операции, как Берлинская. Максимум был достигнут только во 2-й гвардейской танковой армии в Берлинской операции — 22,5% потерь от фаустпатронов. В операциях на открытой местности доля пораженных фаустпатронами танков падала до 5%. Заметим, что в графе «фаустпатроны» нередко фигурировали ручные кумулятивные противотанковые гранаты.

Что характерно, в ходе прорыва немецких оборонительных рубежей в операции «Багратион» и Львовско-Сандомирской операции 1944 г. наши войска находили

Противотанковое ружье ПТРС в городском бою.
Легкая автоматическая пушка была бы куда более эффективна
по таким целям, как пехота в городе, чем ПТР.

большое количество фаустпатронов, брошенных в окопах неиспользованными. Был сделан вывод, что мо-
рально очень тяжело применить такое оружие против
танка с дистанции 30—50 м (тут, конечно, сыграло
свою роль снижение общего уровня подготовки солдат
вермахта в последний год войны). В связи с этим был
даже отменен приказ о поголовной установке экранов.

На самом деле, несмотря на внешнюю схожесть с
современными гранатометами, фаустпатрон сущест-

венно от них отличался. Прежде всего, отличие состояло в отстутствии реактивного двигателя на гранате. Современный гранатомет, например «РПГ-7», — это система с реактивной гранатой. Пороховой заряд низкого давления выбрасывает гранату «ПГ-7В» со скоростью 120 м/с, которая затем разгоняется за счет собственного реактивного двигателя до 300 м/с. Вращение осуществляется истечением струи газов под углом к оси гранаты. В фаустпатроне был лишь заряд для выбрасывания гранаты из ствола, то есть ни о каких 300 м/с и стрельбе на дистанции более 100 м для самых поздних образцов речи не было. Причины появления в немецкой армии фаустпатрона вполне понятны, если посмотреть на ситуацию с легирующими добавками, сложившуюся к 1943—1944 гг. Ствол противотанковой пушки требует марганца, ванадия, никеля и хрома. Бронебойный снаряд — опять же марганца и никеля. А подкалиберный снаряд — супердефицитного карбида вольфрама. Фаустпатрон требует низколегированных сталей и продукции химической промышленности, в меньшей степени зависящей от природного сырья.

* * *

Если бы у нас была третьесортная армия вроде польской или финской, которой в мирное время нужны противотанковые ружья вместо противотанковых пушек, то останавливать немецких мотоциклистов в Химках уже не пришлось бы, они бы сами остановились на линии Архангельск—Астрахань. Если бы война повременила или началась в более благоприятных обстоятельствах, то Красная Армия вместо убогих «удочек»-ПТР получила бы 23-мм противотанково-зенитную пушку. Интерес к ПТР был осторожным, и в большинстве случаев (Германия, СССР) их начинали производить только после начала войны как мобилизационный вариант противотанкового средства. Точно таким же мобилизационным оружием были фаустпатроны.

Не нужно выдавать нужду за добродетель. Отказаться от многих предвоенных решений вынудило не запоздавшее тактическое «прозрение», а жестокая экономическая необходимость. Эта же экономическая необходимость вынудила уже в ходе войны наладить массовое производство одноразового оружия для борьбы с танками на коротких дистанциях. Когда мы видим на фотографиях времен войны бойцов с ПТР или фаустпатроном, мы должны помнить, что это не чудо-оружие, с которым немцев остановили бы на старой границе, а всего лишь мобилизационные образцы эпохи тотальной войны. Противотанковые пушки по определению лучше и эффективнее.

Глава 10

Реактивное чудо-оружие

Несущий смерть

«В этом вылете я действовал как командир одной из машин. Мы находились глубоко в воздушном пространстве Германии, когда справа промелькнул очень быстроходный самолет. «Что это было?» — крикнул мой второй пилот. «Мессершмитт 262» — реактивный истребитель», — ответил я. Видим, что три «В-24» в пламени уже идут к земле. Их экипажи, по-видимому, ничего не поняли, такой неожиданной была атака немецких реактивных самолетов. Стрелки сообщили, что видят «Ме.262», летающие вокруг нас. Где, к черту, наше истребительное прикрытие? В этот момент бомбардировщик затрясся от пулеметной пальбы, и кабина заполнилась дымом горелого пороха. Один «Ме.262» пролетел над нашими головами; пулеметы бортовых стрелков палили как бешеные. [...] «Ме.262» атаковали нас дважды. При второй атаке мы потеряли еще два «В-24». Около пятидесяти наших летчиков тогда погибло» — так описывал свою встречу с реактивным истребителем немцев 5 апреля 1945 г. Ч. Бэимэн, пилот американского четырехмоторного бомбардировщика «Б-24» «Либерейтор». Американские бомбардировщики были в этот день атакованы «Ме.262» из

«Ягдфербанд 44», элитного соединения люфтваффе, в котором были собраны многие асы Западного и Восточного фронтов. Возглавлял это подразделение генерал-инспектор истребительной авиации Адольф Галланд, сам являвшийся одним из известнейших асов люфтваффе.

Неприятные рандеву с «Ме.262» пережили многие летчики авиации союзников. Несмотря на весьма короткую боевую карьеру этого реактивного истребителя, летавшие на нем пилоты претендовали на уничтожение 467 самолетов союзников, в том числе более 300 тяжелых бомбардировщиков. Одновременно реактивный истребитель Мессершмитта представляют оружием, способным изменить ход воздушного сражения над Германией, но ставшим жертвой «бесноватого фюрера». Основной ошибкой Гитлера считается приказ о выпуске «Ме.262» в качестве бомбардировщика, промахом руководства люфтваффе в целом — затягивание процесса создания реактивного истребителя.

Легенда

Характерный пример созданных вокруг «Ме.262» мифов и легенд дают нам мемуары Альберта Шпеера. Министр вооружений и боеприпасов Третьего рейха пишет: «По мере того как положение ухудшалось, Гитлер становился все более нетерпимым и еще более неприступным для любого довода, который оспаривал принятые им решения. Его ожесточение имело самые серьезные последствия и в области военной техники, они грозили обесценить наше как раз самое ценное достижение из арсенала «чудо-оружий» — истребитель «Ме.262», самый современный, с двумя реактивными двигателями, перешагнувший скорость в

800 км/час, с вертикальным набором высоты, какого не было ни у одного самолета противника. Еще в 1941 г., будучи архитектором, при посещении авиазаводов Хейнкеля в Ростоке я услышал оглушительный рев одного из первых реактивных двигателей, установленного на испытательном стенде. Конструктор, профессор Хейнкель, усиленно настаивал на использовании этого революционного изобретения в самолетостроении. Во время конференции по вопросам вооружений на испытательном аэродроме люфтваффе в Рехлине в сентябре 1943 г. Мильх протянул мне молча только что доставленную телеграмму. Это был приказ Гитлера о немедленном снятии с серийного производства истребителя «Ме.262». Мы решили как-то обойти запрет. Но работы велись теперь уже по другой категории срочности — совсем не с той, которая была бы настоятельно нужна. Примерно месяца через три, 7 января 1944 г., Мильху и мне было срочно приказано прибыть в ставку. Вырезка из английской газеты, сообщавшая о приближении успешных испытаний английских реактивных самолетов, все перевернула. Полный нетерпения, Гитлер потребовал, чтобы в самые краткие сроки было изготовлено максимально возможное количество самолетов такого типа. Поскольку же все подготовительные работы были тем временем позаброшены, то мы смогли пообещать выпуск таких машин не ранее июля 1944 г. и в количестве не более шести десятков в месяц»[1]. Это стало едва ли не общим местом рассказов о крахе Третьего рейха.

В том же духе описывает историю «Ме.262» известный немецкий летчик-истребитель Адольф Галланд: «...фюрер, при обсуждении чрезвычайной программы,

---

[1] *Шпеер А.* Воспоминания. Смоленск: Русич, 1997. С. 484—485.

перевел разговор на «Ме.262». После того как были обсуждены вопросы с испытанием и конструированием, он внезапно спросил, сколько из законченных самолетов способны нести бомбы. Мильх, который из-за ссоры с Герингом не присутствовал на совещании в Инстербурге, где Гитлер развивал свои идеи по поводу блицбомбардировщика, честно ответил: «Ни один, мой фюрер. «Ме.262» построен исключительно как истребитель». Гитлер пришел в бешенство. Офицеры из его окружения потом рассказывали мне, что никогда прежде они не были свидетелями такой яростной вспышки. Он орал на Мильха, Геринга и на люфтваффе в целом, обвиняя их в неверности, непослушании, измене. Вскоре Мильх был смещен со своего поста. [...] Мы ощутили на себе последствия вспышки ярости фюрера, когда несколько часов спустя Мильх, Боденшац, Мессершмитт, начальник испытательных станций и я лично были вызваны к рейхсмаршалу. Он передал нам приказ фюрера, касавшийся переделки и перевооружения целой серии «Ме.262» в бомбардировщик. Для того чтобы избежать какого-либо недопонимания, никому впредь не позволялось относиться к «Ме.262» как к истребителю, даже как к истребителю-бомбардировщику, а только как к блицбомбардировщику. Это все равно что отдавать приказ называть лошадь коровой!»[1]. Надо сказать, что лошадей, названных коровами, точно так же, как и коров, названных лошадьми, было предостаточно. Ночное небо Германии защищали истребители, представляющие собой модификации бомбардировщиков Юнкерса и Дорнье. Место фугасок в бомбоотсеках занимали баки, в носу монтировалась

---

[1] *Галланд А.* Первый и последний. Немецкие истребители на Западном фронте. 1941—1945 гг. М.: ЗАО «Центрполиграф», 2003. С. 405.

батарея 20-мм и 30-мм пушек, и на «корове» «Ю-88» оказывалось возможным сбить больше самолетов, чем Галланд сбил на обычных истребителях (ас немецкой ночной авиации Шнауфер). Причем Галланд позиционирует «Ме.262» ни много ни мало как средство выигрыша воздушной войны над Рейхом. Он пишет: «Я и сегодня по-прежнему считаю, что ожидать от массового применения в бою истребителей «Ме.262» коренного перелома в системе воздушной обороны Германии, даже в столь критический момент, отнюдь не было преувеличенным оптимизмом»[1].

Рассказы о технических достижениях Германии неизбежно вызывали вопрос: «Если ты такой умный, то почему такой бедный (войну проиграл)?» Соответственно, кратчайшим путем к оправданию были рассказы о глупом и недальновидном Адольфе Гитлере, который к моменту написания мемуаров участниками событий уже превратился в бесформенную груду головешек.

Рождение реактивной авиации

Освещение полудетективной истории с «Ме.262» требует объяснения некоторых общих принципов. Переход к реактивным двигателям действительно был революционным событием в военной авиации. Кризис поршневого двигателя наметился уже в 30-е гг. Рекордные самолеты тех лет наглядно продемонстрировали «потолок» развития поршневой авиации. Увеличение мощности двигателя не приводило к пропорциональному увеличению скорости. Рост мощности на 1000 л. с. вызвал прирост скорости всего на 50—60 км/час. Рекордный самолет «Bf109V13» 11 ноября

---

[1] *Галланд А.* Указ. соч. С. 397.

1937 г. достиг средней скорости 610,95 км/час. Полтора года спустя — 30 марта 1939 г. — творение фирмы «Эрнст Хейнкель АГ» «Не 100 V8» превысил это достижение более чем на 130 км/час, достигнув 746,606 км/час. Вилли Мессершмитт поднял эту перчатку, и в предпоследний месяц, когда было еще актуально регистрировать рекорды — в июле 1939 г., рекордный «Ме.209V1» летал со скоростью 755,14 км/час. Рекордных скоростей удавалось достичь только резким наращиванием мощности двигателя. Мотор «DB-601R-III», установленный на «Bf.109V13», развивал мощность 1700 л. с., а «DB-601R-V» на двух других самолетах — 2770 л. с. Расчеты показали, что для одноместного истребителя, развивающего скорость 1000 км/час, необходим мотор мощностью 12 200 л. с.! Только масса самого двигателя составила бы свыше шести тонн, а вес всей машины — 15 тонн. Проблема была в резко снижающемся на больших скоростях КПД винта. Альтернативой винту была реактивная тяга. Это было понятно еще в то время, когда в бой шли бипланы и самолеты с гофрированной обшивкой. Поэтому задолго до Второй мировой войны началась гонка за создание боевого реактивного самолета. Уже в конце 1938 г. Вилли Мессершмитт получил официальный контракт на истребитель с реактивным двигателем. Заметим, что в 1938 г. не существовало ни одного летающего реактивного самолета, а опытный реактивный двигатель «HeS 2A» Ханса фон Охайна развивал на стенде могучую тягу в 80 кг. Только год спустя в воздух поднялся первый в истории летающий реактивный самолет — одноместный «Не.178», оснащенный двигателем «HeS 3B» с тягой 510 килограммов. Первый исторический полет состоялся в пять утра в воскресенье, 27 августа 1939 г. Он был засекречен настолько, что итальянцы, подняв в

воздух в августе 1940 г. реактивный самолет «Капро-
ни-Кампини», громко заявили о своем приоритете в
создании реактивной авиации на весь мир. Однако
итальянский самолет был реактивным в современном
понимании этого слова весьма условно. Компрессор,
нагнетавший воздух в камеры сгорания, приводил-
ся в действие поршневым мотором, а не газовой турбиной. По тому же пути пытались идти в СССР. Самолет «И-250» ОКБ Микояна и Гуревича, а также «Су-5»
ОКБ Сухого оснащались двигателем «ВК-107Р» с при-
водом на воздушный винт и компрессор реактивного
двигателя. Но это был тупик. Комбинация двух двигателей делала силовую установку тяжелой и неэконо-
мичной. Задачей конструкторов реактивных двигателей тех лет было создание самодостаточной системы,
в которой компрессор приводится в действие газовой
турбиной, стоящей на пути исходящих из камеры сгорания газов. Такой двигатель, подобно Мюнхгаузену,
тащил себя из болота за волосы и требовал раскрутки
компрессора от внешнего источника только в период
запуска. Фактически решали две задачи — создание
эффективной газовой турбины и реактивного двигателя в целом.

Основной проблемой конструкторов первых реактивных самолетов была небольшая тяга реактивных
двигателей того периода. 500—600 килограммов —
это довольно мало. Достаточно сказать, что двигатель
«ВК-107А» мощностью 1700 л. с., стоявший на истре-
бителе «Як-3», давал тягу в 3000 кг (три тонны!). Разница была только в том, что КПД винта поршневого самолета не позволял использовать эту тягу в полной мере
на больших скоростях полета. Поэтому реактивные самолеты могли развивать большую скорость, превышая
порог, у которого воздушный винт бессильно молотил

воздух. В остальном первые реактивные двигатели уступали поршневым моторам, достигшим в 40-х вершин своего развития. Первый реактивный самолет, «Не.280», из-за этого был максимально ужат. Диаметр фюзеляжа у кабины пилота составлял всего 800 мм, минимально возможный размер для сколь-нибудь комфортного расположения летчика.

Весной 1942 г. состоялся первый учебный воздушный бой реактивного самолета. Противником «Не.280» выступил новейший «Фокке-Вульф-190А». Реактивный истребитель без труда выиграл бой у своего поршневого оппонента. Причины этого вполне очевидны: реактивный двигатель позволял быстро набирать высоту, разворачиваться и догонять противника, заходя ему в хвост.

Однако дальность полета «Не.280» — около 600 км — была недостаточной для эффективного использования в качестве самолета-перехватчика. Причем дело было не столько в дальности в километрах («Ла-5» или «Ме.109» имели схожую дальность), сколько во времени нахождения в воздухе в полете. Полетное время составляло менее получаса, едва ли не половина которого тратилась на взлет и посадку. Несмотря на попытки запустить «Не.280» в серию, более перспективной машиной был «Ме.262». Самолет Мессершмитта, точнее, его третий «ферзух» (прототип), «Ме.262V3», летом 1942 г. впервые поднялся в воздух с использованием только реактивной тяги. Собственно «Ме.262V3» постоянно попадал в аварии начиная с августа 1942 г., пока его не разбили окончательно весной 1943 г. Но к апрелю 1943 г. был готов очередной прототип — «Ме.262V4», и работы продолжились.

Галланд садится за штурвал «Ме.262»

22 мая 1943 г. полет на прототипе нового реактивного истребителя выполнил инспектор истребительной авиации легендарный летчик-истребитель, герой «Битвы за Британию» генерал-майор Адольф Галланд. Он по личной просьбе Мильха посетил завод Мессершмитта, чтобы оценить самолет. После прибытия на аэродром его познакомили с машиной и приборами в кабине реактивного истребителя. С помощью механиков Галланд запустил двигатели. Первая попытка чуть было не кончилась катастрофой. Галланд чересчур быстро увеличил обороты турбины, образовалась переобогащенная смесь, и из одного из двигателей полыхнуло пламя. Огонь быстро погасили, но двигатель должен был подвергнуться осмотру. Для инспектора истребительной авиации подготовили вторую машину — «Ме.262V4». Теперь он запускал моторы осторожнее и взлетел без особых проблем.

Полет на реактивном самолете произвел на Галланда неизгладимое впечатление. После приземления, в телефонном разговоре с Мильхом, генерал сказал: «Это похоже на полет к ангелам!» Свое мнение он отразил и в официальном рапорте, суть которого приводится ниже:

Главнокомандование люфтваффе
Инспектор истребительной авиации
Берлин, 25 мая 1943

Дорогой рейхсмаршал.

В прошедшую субботу совершил в Аугсбурге в присутствии нескольких представителей RLM испытательный полет на «Ме.262». В отношении этой машины могу утверждать следующее:

Самолет является громадным шагом вперед, гарантирующим нам превосходство в воздушной войне, пока противник будет использовать машины с поршневыми моторами.

С точки зрения пилота летные характеристики самолета производят очень хорошее впечатление.

Двигатели работают хорошо, за исключением фазы взлета и посадки.

Самолет ставит перед нами новые требования, если говорить о тактике его применения.

Обращаюсь с просьбой рассмотреть нижеследующую проблему:

Истребитель «Fw 190 D» постоянно улучшается и в дальнейшем будет сравним с «Me.209» по большинству параметров. Оба самолета, однако, не будут в состоянии настичь неприятельские бомбардировщики на больших высотах.

Необходимая эффективность может быть обеспечена только тогда, когда в области вооружения и скорости наших самолетов будет достигнут значительный прогресс.

Окончательно предлагаю:

а) прекратить работы над «Me.209»;

б) сконцентрироваться на усовершенствовании «Fw 190» с моторами «BMW801», «Jumo 213» и «DB 603»;

в) освобожденные производственные мощности сконцентрировать на «Me.262».

По возвращении представлю отчет лично.

(подписано) *Адольф Галланд*

Доклад этот, базируясь на котором А. Галланд в дальнейшем усиленно продвигал «Me.262» в качестве реактивного истребителя, представляется весьма интересным документом. Это субъективные ощущения пилота-истребителя, причем от весьма поверхностного знакомства с новым самолетом. В тот же день проходили испытания нового четырехмоторного самолета («Me.264»), и первоначально Галланд попросил одного из пилотов сопровождать его на «Me.109». Однако и план учебной атаки тяжелого бомбардировщика, и учебный бой с истребителем были забыты. Впечатления были составлены в ходе простого ознакомительного полета. Если бы Галланду пришлось вести хотя бы учебный воздушный бой, он бы столкнулся с тем же явлением, что и в пробном пуске двигателя. Резкие движения рукояткой управления двигателем, столь привычные для летчиков-истребителей, вызывали пожар двигателя.

Механизм этого явления прост. Газовая турбина довольно инертна, и увеличение оборотов компрессора происходит сравнительно медленно. Соответственно при быстром движении сектора газа количество впрыскиваемого топлива растет гораздо быстрее, чем объем воздуха, подаваемого компрессором двигателя. Температура сгорания топлива повышается, и начинают прогорать лопатки турбины. После прогорания нескольких лопаток возникает неуравновешенность ротора и как следствие тряска двигателя. От тряски ломаются топливные трубопроводы, топливо заливает горячий двигатель. Возникает пожар. На ранних «Ме.262» двигатель не отделялся от крыла противопожарной перегородкой, и пожар двигателя мог привести к прогоранию силового набора крыла. Самолет бы просто развалился в воздухе.

Еще один момент, который заслуживает внимания в докладе Галланда, — это тезис о том, что поршневые истребители не смогут «настичь неприятельские бомбардировщики на больших высотах». Он имел некоторый смысл весной 1943 г., когда основным противником ПВО рейха были английские ночные бомбардировщики (с которыми в целом справлялись) и одиночные полеты на больших высотах «Летающих крепостей» американцев. Уже летом и осенью 1943 г. ситуация принципиально изменилась. Основной угрозой стали массовые дневные налеты американских тяжелых бомбардировщиков с сильным истребительным прикрытием. В таких боях было важно количественное соотношение сил, а не высотность. Адольф Галланд, однако, не озаботился наращиванием числа пилотов-истребителей, видимо, надеясь на новое чудо-оружие. Логика была вполне незатейливой: осенью 1943 г. появляется чудо-оружие, и вместо рутинной работы по подготовке крупных масс пилотов можно будет снова рисовать абшуссбалкены на хвосте. Такой же была логика Шпеера как руководителя военно-промышленного комплекса Германии. Создание чудо-оружия избавляло от необходимости резкого наращивания производства уже состоящих на вооружении образцов. Однако осенью 1943 г. реактивный истребитель в ПВО Германии не появился.

Черный сентябрь?

Что же происходило с «Ме.262» в тот месяц, когда, по утверждению Шпеера, Гитлер распорядился снять реактивный истребитель с производства? В сентябре 1943 г. самолет проходил вполне рутинную программу испытаний. 20 сентября 1943 г. прототипом «Ме.262V3» была достигнута на высоте 5000 м скорость 960 км/час. При этом обнаружилось, что при увеличении скорости усиливаются вибрация хвостовой части фюзеляжа и общая неустойчивость самолета. Причиной этого посчитали неравномерное обтекание воздуха за фонарем пилотской кабины. Чтобы подтвердить или опровергнуть такую версию событий, «Ме.262V3» в декабре выполнил несколько полетов, оклеенный хлопчатобумажными ленточками. Вид ленточек в полете снимался на пленку, что позволило увидеть фактическую картину прохождения воздушных потоков по гребню фюзеляжа между кабиной и вертикальным оперением. Одним словом, в сентябре ничего, кроме странного поведения самолета на больших скоростях, не произошло. «Ме.262» был революционной машиной, и подобные странности встречались на каждом шагу. Например, воздушный поток вырывал остекление кабины пилота из переплета фонаря. Некоторые вещи носили просто мистический характер. В электрических указателях положения шасси постоянно перегорали магнитные катушки. Анализ схемы показывал, что катушки рассчитаны правильно, и на наземном стенде они работали совершенно нормально. Но на самолете они таинственным образом раз за разом выходили из строя. Причиной считали характер вибрации самолета на больших скоростях.

Однако, постепенно продираясь через множество трудностей, самолет становился полноценной боевой машиной. 17 октября 1943 г. поднялся в воздух «Ме.262V6». Самолет нес заводской номер новой серии (W.Nr. 130001), который фактически обозначал первую предсерийную машину. Это происходило спустя месяц после мифического приказа Гитлера о прекращении производства «Ме.262», о котором пишет Шпеер. На самом деле в октябре 1943 г. «Ме.262» наконец приобрел привычный нам вид. Самолет получил трехстоечное шасси с передним колесом. В отсеке вооружения были смонтированы пушечные лафеты, но сами пушки еще отсутствовали. На самолете были установлены двигатели «Jumo 004B-0», которые размещались в новых гондолах с улучшенной аэродинамикой.

Фюреру самолет был показан 26 ноября 1943 г. в

Инстербурге (Восточная Пруссия). Гитлер, разумеется, в конце концов задал вопрос о возможности подвески бомб. Мессершмитт, зная, что фюрера удовлетворит только один ответ, уверенно ответил: «Да!» Тогда Гитлер заявил: «Никто из вас даже не подумал, что это именно тот скоростной бомбардировщик, который мы ждем десять лет!»

При разговоре присутствовали, кроме прочих, Адольф Галланд и пилоты-испытатели Линднер и Баур. Высказывание фюрера захватило всех врасплох. Галланд вспоминал, что он был поражен перспективой изменения предназначения «Ме.262» с истребителя на бомбардировщик. Подобное же впечатление произвело на него позднейшее высказывание Гитлера, что этим самолетом остановят вторжение союзников.

Карл Баур рассказал о своих впечатлениях жене Изольде, которая, кстати, была сотрудником отдела, разрабатывавшего бомбардировщик «Ме.264».

Изольда вспоминала: «Муж по возвращении домой сказал мне: «Ты не поверишь, но он хочет сделать из «Ме.262» бомбардировщик!» В этот момент мы поняли для себя, что Гитлер, должно быть, сумасшедший. В фирме Мессершмитта все отдавали себе отчет в том, что для таких заданий нужен совершенно новый самолет, поскольку «Ме.262» с самого начала проектировался как истребитель. Но Гитлер не хотел никого слушать».

Заметим, что самодовольно крутят пальцем у виска люди, которые имеют весьма отдаленное отношение к оперативному использованию ВВС. А. Галланд был выдвинувшимся после нарисованных на киле нескольких десятках абшуссбалкенов летчиком-истребителем. Баур был летчиком-испытателем. Его жена — инженером. Все эти могучие мыслители от авиации вкупе с самим Вилли Мессершмиттом были весьма узкими специалистами. Перед нами не слова седовласых командиров воздушных флотов, которых часто слушал Гитлер. Их слова о том, что самолет разрабатывался в качестве истребителя и потому не может быть использован как бомбардировщик, тем более неубедительны. Есть целый ряд примеров, когда истребители по рождению впоследствии применялись в роли ударных самолетов, и наоборот. Например, «Фокке-Вульф-190» изначально был истребителем, но уже на втором году его боевого применения появились его модификации «Фридрих» и «Густав», штурмовик и бомбардировщик соответственно. Истребители Мессершмитта «Bf.109» имели возможность нести бомбы и часто использовались в роли бомбардировщиков, в истребительных эскадрах создавались специальные эскадрильи, предназначенные только для бомбовых ударов. Советский бомбардировщик «Пе-2» вырос из высотного истребителя «100» КБ Петлякова. Большинство американских истребителей вполне успешно выполняли функции ударных самолетов.

После отъезда Гитлера могучие умы долго размышляли, как поступить, и в конце концов приказ фюрера в дипломатичной форме проигнорировали. «Швальбе» остался истребителем. Единственным «бомбовым» испытанием был полет инспектора бомбардировочной авиации полковника Дитриха Пельца на «Me.262V6», состоявшийся в конце 1943 г. По некоторым данным, самолет временно получил, главным образом для удовлетворения желания Гитлера, бомбодержатели для подвески 250-кг бомб под фюзеляжем. Сам Гитлер упорно гнул свою линию, несмотря на упорство конструкторов и бывшего аса. 5 декабря его адъютант от люфтваффе передал Герингу телеграмму, гласившую: «Фюрер в очередной раз обращает наше внимание на **необычайную важность производства** самолетов с реактивным двигателем, которые могут использоваться как истребители-бомбардировщики. Существует необходимость, чтобы люфтваффе получили готовые к бою новые самолеты весной 1944 г. Все проблемы, возникающие из-за нехватки рабочей силы или недостаточного снабжения сырьем, будут решаться с помощью стратегических запасов, пока ситуация не нормализуется. Фюрер отдает себе отчет, что опоздание в программе постройки наших реактивных истребителей было бы равнозначно преступному легкомыслию. Фюрер распорядился, чтобы каждые два месяца ему представляли отчет о ходе работ на «Ме.262» и «Аr.234» (выделено мной — *А. И.*). «Арадо-234» был еще одним реактивным самолетом Третьего рейха. Это был чистый бомбардировщик.

Сказать, что слова Гитлера о весне 1944 г. были провидческими, — значит не сказать ничего. Именно к высадке союзников в Нормандии нужны были «неуязвимые» скоростные бомбардировщики для выполнения чрезвычайно важных миссий. Дело в том, что союзники спланировали операцию «Оверлорд» на тезисе о том, что нельзя высаживаться в портах. Порты на побережье Франции были хорошо защищены береговой артиллерией, заграждениями, около них базировались наиболее боеспособные соединения вермахта. Но высадившиеся войска требовали безостановочного снабжения топливом, боеприпасами и подкреплениями. Организовать все это было возможно только при наличии в зоне высадки полноценного порта с пирсом и волноломом. Осуществлять выгрузку с помощью шлюпок с транспортов было бы просто смешно. Подойти к берегу достаточно близко транспорты не могли, так как их осадка была намного больше глубины у пляжей Нормандии. Соответственно союзниками было принято решение создавать порт с нуля на голом побережье. Волнолом решили соорудить путем затопления кораблей, в том числе устаревших линкоров. Но главной изюминкой инженерного обеспечения высадки в Нормандии были наплавные пирсы, названные «Малбери-1» и «Малбери-2». Они должны были обеспечить разгрузку транспортов аналогично обычному порту. Защита этих хлипких сооружений должна была быть гарантирована господством союзнической авиации в воздухе. Единственным самолетом, способным прорвать оборону воздушного пространства над зоной высадки, был бы реактивный бомбардировщик. И что самое главное, удар в самое сердце «Оверлорда» не требовал массированного использования авиации. Достаточно было нескольких самолетов, едва перешедших границу между экспериментальными машинами и серией. Отсутствие на «Ме.262» бомбардира со специальным прицелом не было существенным препятствием для этой акции. К тому моменту уже был накоплен достаточный опыт боевого применения одноместных штурмовиков и бомбардировщиков на базе «Фокке-Вульфа-190». Пирсы «Малбери» были достаточно массивными, чтобы поразить их крупной бомбой с пологого пикирования. Такая задача была вполне по силам «Ме.262» с опытным пилотом-бомбардировщиком за штурвалом. Вполне перспективными могли также оказаться удары по транспортам в зоне высадки методом топмачтового бомбометания. Эта технология бомбовых ударов также не требовала специального бомбового прицела. Применимость топмачтовых ударов с помощью реактивных самолетов вполне красноречиво продемонстрировали аргентинские летчики в конфликте за Фолклендские (Мальвинские) острова в мае—июне 1982 г.

Еще более эффективным использование «Ме.262» в качестве бомбардировщика могло быть в случае подготовки самолета к миссии ударного самолета заранее. А. Гитлер озвучил свое пожелание получить не истребитель, а истребитель-бомбардировщик еще до того, как «Ме.262» поднялся в воздух на реактивной тяге. Это могло позволить смонтировать на нем телевизионную систему прицеливания, оснастить реактивный бомбардировщик управляемым оружием.

Дебют

Первые атаки немецких реактивных истребителей осуществлялись против беззащитных разведчиков. В большинстве случаев это были безоружные поршневые самолеты, летевшие в гордом одиночестве над Германией. Их спасением была большая высота полета и сравнительно высокая скорость. В поединке с реактивным самолетом и то и другое преимущество над перехватчиками Третьего рейха улетучивалось. Поэтому истребители из Erprobungskommando 262 (Испытательная команда 262) могли действовать совершенно безнаказанно. Первый подобный расстрел безоружного разведчика состоялся 26 июля 1944 г., когда лейтенант Альфред Шрейбер на своем «Ме.262» первым в Ekdo 262 сбил вражескую машину. Это был вообще первый в истории авиации самолет, сбитый истребителем с реактивным двигателем. Жертвой Шрейбера стал разведывательный «Москито» из 544-й эскадрильи Королевских ВВС (RAF) — экипаж флайт-лейтенант (капитан) Волл и пилот-офицер (лейтенант) Лоббан. Через шесть дней — 2 августа — расстрел безоружного повторился, и Шрейбер одержал вторую победу, на этот раз уничтожив «Спитфайр» PR IX. Следующий разведчик «Москито» (540-я эскадрилья, экипаж флайт-лейтенант Мэтьюмен и флайт-сержант Стопфорд) стал жертвой «Ме.262» менее чем неделю спустя, 8 августа. Отличился лейтенант Иоахим Вебер, настигший своего противника над Ольштадтом.

Тем временем развернулось серийное производство «Ме.262» (см. табл. 5).

Таблица 5

Производство «Ме.262»*

1944 г.	май	июнь	июль	август	сентябрь	октябрь	ноябрь	декабрь
«Ме.262» истребитель	—	—	—	5	19	52	101	124
«Ме.262» бомбардировщик	7	28	59	15	72	65	—	—

*Данные приведены по Vajda&Dancey. German aircraft industry.

Хорошо видно, что первоначально действительно большая часть выпуска «Ме.262» шла в бомбировочном варианте. Это, впрочем, не отменяет того факта, что в Испытательной команде 262 были сконцентрированы истребители. Из 84 «Ме.262», имевшихся в наличии на 10 августа 1944 г., 33 самолета принадлежали I группе 51-й бомбардировочной эскадры, 15 — «Испытательной команде 262», 14 — испытательному центру в Рехлине, 11 — испытания на фирме Мессершмитта, 1 — на фирме «Юнкерс» для испытания двигателей и, наконец, 10 — на переделке в двухместные на «Блом и Фосс».

Вместе с тем нельзя не отметить, что производство «Ме.262» тормозилось, прежде всего, недостатком двигателей. Из-за этого в апреле 1944 г. люфтваффе получили 16 машин, а в мае — только 7. По мнению английского историка авиации Альфреда Прайса: «Недостаток двигателей, более чем какой-либо другой фактор, сдерживал готовность «Ме.262» до середины 1944 г.»[1]. Ресурс двигателя «ЮМО-004» весной 1944 г. составлял всего 10 часов. Для сравнения, до предела форсированные поршневые двигатели того же периода имели ресурс порядка 25 часов, и это считалось довольно низким показателем. Что хуже всего, двигатель «Юнкерс Моторен» часто вспыхивал без видимых причин.

Блицбомберы идут в бой

В середине мая 1944 г. Гитлер принял решение, что все выпущенные к тому времени «Ме.262» (за исключением выделенных в испытательную команду 262) должны направляться в бомбардировочные части. Согласно его мнению, реактивные самолеты, используемые как скоростные фронтовые бомбардировщики, должны были оказать необходимую поддержку вермахту. Ведение боевых действий в условиях господства союзников в воздухе фактически лишало немецкое командование возможности воздействовать на ход сражений самым маневренным средством войны — авиацией. Любые попытки атаковать наступающие дивизии союзников бомбардировщиками или штурмовиками могли превратиться в избиение немецкой авиации вездесущими «Мустангами». Реактивные бомбар-

---

[1] Price A. Ethell J. The German jets in combat. London: Jane's publishing company. 1979. P. 15.

дировщики могли действовать в столь сложных условиях с куда меньшим риском. В связи с этим 29 мая Геринг собрал в рейхсканцелярии в Берлине совещание, в котором приняли участие генералы Галланд, Боденшатц, Кортен и полковник Петерсен. Несмотря на их ставшие уже общим местом возражения, рейхсмаршал приказал укомплектовать «Ме.262» бомбардировочные эскадры, а испытания «Ме.262» как истребителя отложить на более поздний срок или проводить в ограниченном масштабе. Благоприятствовало такому решению наличие подготовленных кадров пилотов-бомбардировщиков. Их переучивание на истребители, как правило, ни к чему хорошему не приводило.

Через пять дней после совещания в Берлине — 3 июня 1944 г. — полковник Вольф-Дитрих Мейстер, в то время командир III группы 51-й бомбардировочной эскадры, получил приказ сдать использовавшиеся до сих пор двухмоторные бомбардировщики «Ю-88» и отправиться вместе с летчиками и наземным персоналом на базу Лехфельд с целью переобучения на реактивные «Ме.262». Известная как эскадра «Эдельвейс», 51-я бомбардировочная эскадра обладала обширным боевым опытом, полученным в ходе операций против Великобритании в 1940 г., ударов по отчаянным контратакам советских танков под Бродами и Дубно, налетов на Москву. Фактически пилоты эскадры были «универсалами», способными наносить удары как по целям на поле боя, так и по объектам в глубоком тылу противника. По плану III группа должна была достигнуть оперативной готовности в августе, а остальные группы эскадры решено было перевооружать по мере поступления самолетов из сборочных цехов заводов Мессершмитта. Таким образом, IV группа начала цикл переподготовки в августе на аэродроме «Мюнхен-Рием», а I и II группы — в начале октября на аэродроме «Рейн-Хопстен». Изменилось и название эскадры. Отныне вместо 51-я бомбардировочная эскадра во всех документах она именовалась 51-я бомбардировочная (истребительная) эскадра. Когда 6 июня 1944 г. союзники высадились в Нормандии, один из руководителей министерства вооружения, Отто Заур на совещании у Гитлера сказал даже, что «Ме.262», используемые как бомбардировщики, просто сбросят войска вторжения в море». Однако принятые меры по превращению «Ме.262» из игрушки асов в действительно эффективную боевую машину запоздали. Должно было пройти еще несколько недель, пока 51-я эскадра достигла полной готовности. Боевое крещение названные «Альбатросами» истребители-бомбардировщики «Ме.262» прошли только 27 июля, когда десять первых машин, составлявших 3-ю эскадрилью под командованием гауптмана Вольфганга Шенка, провели налет на все еще пребывавшие на пляжах Нормандии союзные войска. Атака не произвела заметного воздействия, не вызвав серьезных потерь в рядах противника. Немецкие самолеты (в основном нулевой серии) еще не имели установленных бомбардировочных прицелов, и пилоты должны были сбрасывать бомбы, пользуясь прицелами бортового стрелкового вооружения и собственным опытом. До момента завершения перевооружения III группы на реактивные бомбардировщики 3-я эскадрилья действовала независимо и вошла в историю под названием «Команда Шенка» (Kommando Schenk).

12 августа, ввиду начавшегося наступления войск союзников, 51-я эскадра перебазировалась на аэродром Этамп вблизи Шартра, а через четыре дня — на аэродром Крейль под Парижем. Там она находилась до 27 августа, когда снова сменила базу, на этот раз на

Ювенкур, откуда уже на следующий день из-за угрозы со стороны британских истребителей направлена в Шиевр в Бельгии. 28 августа «Ме.262» атаковали наземные цели в Мелюне, вблизи Парижа, куда уже успели добраться американцы. В этот день группа понесла первые потери. Около 19.15 возвращавшийся на аэродром обер-фельдфебель Иеронимус Лауэр был атакован «Тандерболтами». Головной «Р-47» открыл огонь по снижающемуся «Ме.262». Тот зацепил крылом за землю и разбился. Череда перебазирования продолжилась 30 августа, когда 51-я эскадра переместилась на аэродромы «Фолькель» и «Эйндховен» в Голландии, откуда она должна была использоваться для остановки вражеских войск на рубеже канала Альберта у Антверпена и Лурена. Командование союзников было весьма озабочено деятельностью новых немецких реактивных бомбардировщиков. В связи с этим 3 сентября несколько десятков ночных «Ланкастеров» и «Галифаксов» провело налет на аэродром Фолькель. Неизвестно, сколько «Ме.262» было там уничтожено или повреждено, но в любом случае с территории Голландии больше не выполнялось никаких операций. Оставшиеся же машины были отведены на аэродромы «Рейн-Хоэрстел» и «Рейн-Хопстен».

Осенью 1944 г. проявились качества «Ме.262» как высокоэффективного оружия для уничтожения особо важных объектов. Начиная с 26 сентября пилоты «Ме.262» 51-й истребительно-бомбардировочной эскадры бомбили захваченный англичанами неповрежденным мост в Нимвегене. В первый день потерян только один самолет, подбитый зенитной артиллерией. Попытки перехвата реактивных бомбардировщиков истребителями, как правило, заканчивались провалом. 30 сентября, около 09.30, патруль из шести «Спитфайров» встретил в тех же окрестностях два «Ме.262» с подвешенными бомбами, направлявшихся к мосту. Канадцы немедленно кинулись на немецкие бомбардировщики, которые сразу сбросили свой груз и вышли из-под атаки на полной скорости. Только 13 октября англичанам удалось одержать первую победу над «Ме.262». Пилот-офицер Роберт Коул, летавший на «Темпесте», записал на свой счет реактивный «Мессершмитт».

Истребители и зенитные орудия не могли оказать практически никакого противодействия реактивным бомбардировщикам. «Ме.262» действовали поодиночке, выходя днем к цели на высоте 8000 м, и сбрасывали бомбы с пологого пикирования с высоты 6000 м. При такой большой скорости полета и изменении высоты зенитные орудия были бесполезны. Реактивные «Мессершмитты» могли действовать практически безнаказанно, что вызывало ярость противоборствующей стороны. Никакое воздушное прикрытие моста не могло решить эту проблему. Для патрулирования вокруг моста были привлечены новейшие «Спитфайры» «Мк.XIV» и «Темпесты», но и они не достигли сколь-нибудь заметных успехов.

За ударами по мосту последовало несколько дерзких атак на аэродромы английской авиации. 1 октября 1944 г. группа «Ме.262» нанесла удар по аэродрому «Граве» под Нимвегеном. В результате молниеносного удара немцы уничтожили на летном поле пять «Спитфайров», а еще три тяжело повредили. Большие потери были среди пилотов и наземного персонала. Тяжело ранен был командир 80-й эскадрильи Р. Акворт. Все немецкие самолеты благополучно вернулись на базу. На следующий день «Ме.262» снова атаковали англичан в «Граве», куда тем временем прибыли 80-я и

274-я эскадрильи «Темпестов» и 130-я и 402-я эскадрильи новейших «Спитфайров» «Мк.XIV». Бомбы реактивных бомбардировщиков устроили настоящее побоище среди наземного персонала и уничтожили по меньшей мере семь «Спитфайров». И снова захваченные врасплох зенитчики не отличились ни реакцией, ни меткостью. Уже в самом начале несколько огневых позиций было подавлено градом смертоносных осколков. Возвращавшихся на базу «Ме.262» пытались перехватить пилоты «Темпестов», но уходившие с максимальной скоростью реактивные машины оказались недостижимой целью.

«Звездным часом» реактивных бомбардировщиков стала операция «Боденплятте» («Опорная плита») в новогоднюю ночь 1945 г. «Ме.262» из 51-й бомбардировочной эскадры совместно с «Ме.109» и «ФВ-190» из 3-й истребительной эскадры нанесли удар по английскому аэродрому в Эндховене, где было уничтожено 50 «Спитфайров» и «Тайфунов». Это был наиболее результативный удар по аэродрому во всей операции «Боденплятте». Фактически реактивные бомбардировщики боролись за господство в воздухе, не сбивая одиночные самолеты союзников, но уничтожая их на аэродромах, — еще один аргумент в пользу постройки «Ме.262» в варианте ударного самолета.

Одной из самых известных акций реактивных бомбардировщиков стали удары по мосту в Ремагене. Это был единственный мост через Рейн, доставшийся союзникам неповрежденным. 7 марта 1945 г. американская 9-я танковая дивизия подошла к мосту Людендорфа в Ремагене и захватила его, сумев предотвратить подрыв. Мост был сразу же защищен с воды и воздуха. Омар Бредли писал: «На плацдарм было переправлено такое количество зенитной артиллерии, плотность огня которой только в два раза уступала плотности зенитного огня, созданной нами на плацдарме в Нормандии. Вверх по течению через Рейн были протянуты заграждения, предохраняющие мост от подводных мин и мин, управляемых по радио. С обеих сторон моста были выставлены патрули, следившие, чтобы диверсанты противника не просочились на мост в составе наших колонн. Аэростаты заграждения были подняты в воздух с высот по обоим берегам Рейна, в воду были сброшены глубинные бомбы, чтобы не позволить водолазам-подрывникам противника незаметно подойти к мосту»[1]. Однако для защиты от реактивных бомбардировщиков все эти меры были бесполезными. Для уничтожения моста была сформирована специальная группировка, состоявшая из восьми бомбардировщиков «Арадо-234» (из 76-й бомбардировочной эскадры) и примерно тридцати «Ме.262» из I группы 51-й бомбардировочной эскадры. Препятствием для реактивных «Ме.262» было лишь отсутствие управляемого оружия — пикирование, подобно «Ю-87», на них было нереализуемо. В целом действия немецкой реактивной авиации напоминали действия поршневых бомбардировщиков без истребительного и зенитного противодействия. Первый налет не привел к успеху, равно как и следующие двенадцать. Только полковнику Роберту Ковальски на «Арадо-234» удалось повредить один мостовой пролет, но инженерные подразделения американцев быстро его исправили. Но в конце концов сильно поврежденный мост рухнул сам по себе, от близкого разрыва тяжелого снаряда. Однако к тому моменту американцы переправили на плацдарм пять дивизий, и разрушение моста запоздало.

---

[1] *Брэдли О.Н.* Записки солдата. М.: ИИЛ, 1957. С. 554.

За период боев за Ремагенский мост 51-я эскадра потеряла всего одного пилота и две машины. Вряд ли «Ю-88» или «Хе.111» в 1940 г. во Франции или в 1942 г. где-нибудь под Ростовом могли выступить лучше. С другой стороны, попытки атаковать ту же цель обычными бомбардировщиками привели бы к их избиению, подобно тому как десятками сбивались советские «СБ», «ДБ-3» в 1941 г. при попытках разрушить захваченные мосты у Двинска и на Березине. Если бы Мессершмитт озадачился использованием «Ме.262» в качестве бомбардировщика еще весной 1943 г., то сочетание реактивного самолета и управляемого оружия могло дать в руки люфтваффе инструмент, подобный недоброй памяти «Ю-87» «штуке», способному уничтожать мосты, точечные цели на поле боя и в ближнем тылу противника.

Повторение пройденного

Применение «Ме.262» в качестве перехватчика было не столь успешным, как это принято представлять. Появление в ПВО рейха реактивного истребителя-перехватчика словно повернуло время вспять. Врагами немецких летчиков-истребителей вновь стали стрелки тяжелых бомбардировщиков. Это уже было в 1943 г., когда американцы впервые применили тактику массированных дневных налетов тяжелых бомбардировщиков в плотном строю. «Коробка» из летящих пространственным клином «Крепостей» и «Либерейторов» создавала очень плотную зону огня в задней полусфере, делая атаки истребителей почти невозможными. Лекарство от этого немцы нашли в атаке строя «Крепостей» в лоб, когда у стрелков бомбардировщиков было мало времени на прицеливание и огонь. На реактивном самолете подобная атака была просто невозможной. Не только стрелки «Б-17» и «Б-24», но и пилот истребителя просто не успевали открыть огонь. Вынужденные атаковать с задней полусферы, «Ме.262» снова сталкивались с 12,7-мм пулями, поражавшими цель просто за счет массирования огня. Кроме того, атака с задней полусферы требовала большего расхода боекомплекта. В носовой части располагалась кабина пилотов, единственное попадание в фюзеляж «Б-17» 30-мм снаряда пушки «МК-108» с передней полусферы гарантировало дальнейший полет бомбардировщика по спирали, ведущей к земле. С задней полусферы нужно было добиться фатальных повреждений планера самолета (не меньше трех попаданий 30-мм снарядов) или вывести из строя не менее чем два двигателя. На высокой скорости полета «Ме.262» наличие четырех пушек «МК-108» не обещало гарантированного результата самоубийственной атаки сквозь трассы пуль стрелков. Дело в том, что пушки «МК-108» были довольно своеобразным оружием. Конструктивно они представляли собой авиационный «ППШ»: штампованная затворная коробка, автоматика действовала на принципе отдачи свободного затвора. Но за простоту конструкции приходилось платить тактическими характеристиками оружия. Свободный затвор ограничивал начальную скорость 330-граммового снаряда «МК-108» до 540 м/с. Низким также был темп стрельбы пушки — 600 выстрелов в минуту. Для сравнения, 20-мм снаряд немецкой авиационной пушки «MG-151/20» покидал ствол со скоростью 805 м/с, а скорострельность орудия составляла до 900 выстрелов в минуту. Низкая начальная скорость снаряда «МК-108» приводила к большому рассеиванию очереди, и эффективной дальностью стрельбы была дистанция 150—200 метров, то есть практически в упор. Как временное решение на «Ме.262» ставились 24 ракеты «R-4M» под крыльями. Одного попадания «R-4M», боевая часть которой несла полкило гексогена, было достаточно для уничтожения тяжелого бомбардировщика с любой полусферы. Фактически ракеты становились основным оружием перехватчика.

К чему все это приводило? 11 сентября 1944 г. пилоты из испытательной команды 262 в первый раз атаковали тяжелые бомбардировщики. Они перехватили возвращающееся после рейда соединение «B-17» из 100-й бомбардировочной группы, эскортируемое «Мустангами» из 339-й истребительной группы. Фактически реактивные истребители атаковали уже побитую над целью группу. Бомбардировщики уже понесли тяжелые потери в результате атак «Ме.109» и «ФВ-190». Несмотря на это, «Ме.262» не сбили ни одной «Летающей крепости», только одному пилоту реактивных истребителей — Гельмуту Баудаху — удалось сбить «Мустанг» сил эскорта. На следующий день американцы проводили массированные налеты на различные цели в Южной Германии. Свыше 900 бомбардировщиков нанесли удары по нефтеперерабатывающим и авиационным заводам. В ходе противоборства силы ПВО Германии уничтожили 31 «B-17» и «B-24». Большую часть этих самолетов сбили поршневые истребители «Ме.109» и «ФВ-190». Только три машины стали жертвами «Ме.262» — капитан Георг-Петер Эдер из испытательной команды 262 сбил две «Летающие крепости» достоверно и одну — вероятно.

Вскоре вместо испытательной команды реактивными истребителями была вооружена целая истребительная эскадра — JG7 «Новотны». Достаточно интересно проследить боевую деятельность эскадры в

1945 г., когда она достигла хорошей комплектности самолетами и летчиками. Вторая половина марта 1945 г. была временем самых успешных действий эскадры. Практически ежедневно дело доходило до воздушных поединков с участием десятков, а иногда и сотен самолетов с обеих сторон. 17 марта на перехват «В-17», атаковавших Руланд, Болен и Коттбус, взлетело несколько «Ме.262» из III группы. Унтер-офицер Костер сбил две «крепости», а обер-лейтенант Вегманн и обер-фельдфебель Гобель — по одной. Одна из самых грандиозных воздушных битв разыгралась 18 марта над Берлином, когда три соединения бомбардировщиков 8-й воздушной армии (1221 бомбардировщик в сопровождении 632 истребителей) были атакованы большой группой истребителей из различных частей «Защиты рейха». Среди них находились не менее 37 истребителей «Ме.262» (в основном из III группы 7-й истребительной эскадры), из которых собственно в бой вступили 28 машин. В этот день впервые в широком масштабе были использованы ракеты «R-4M». Летчиками немецких реактивных истребителей было заявлено об уничтожении 12 бомбардировщиков и 1 истребителя. Командир эскадры «Новотны» майор Вейсенбергер сбил три «Летающие крепости». По два сбитых «Б-17» записали на свой счет обер-лейтенант Вегманн, лейтенант Шнорер, фенрик Эриг и обер-фенрик Ульрих. Обер-лейтенант Шалль сбил «Мустанг», а обер-лейтенант Зеелер, лейтенанты Редмахер и Штурм — по одной «Летающей крепости». Реальные потери американцев составили 8 тяжелых бомбардировщиков. В ходе этого боя был сбит и покинул свой самолет с парашютом обер-лейтенант Вегманн. Кроме его машины, эскадра потеряла еще пять других, а также двух пилотов — обер-лейтенантов Карла-Гейнца

Зеелера, ставшего жертвой стрелка одного из бомбардировщиков, и Ганса Вальдманна, который столкнулся со своим ведомым. На следующий день, 19 марта, 45 «Ме.262» из III группы 7-й истребительной эскадры в районе Хемница перехватили соединение «В-17». В контакт с противником выступили 28 реактивных истребителей. Снова были применены ракеты, и жертвами немцев стали шесть американских тяжелых бомбардировщиков. За этот результат пришлось заплатить потерей двух машин с пилотами. На базу не вернулись обер-фельдфебель Гейнц Матушка и лейтенант Гарри Мейер, которые были сбиты «Мустангами». Налеты следовали один за другим, 20 марта состоялся налет на Гамбург. Навстречу бомбардировщикам отправились 29 реактивных истребителей III группы 7-й эскадры. Из них 25 «Ме.262» вступили в контакт с противником. На этот раз пилотам реактивов удалось уничтожить девять «Летающих крепостей», в основном ракетами «R-4M». Соотношение 10:2 между сбитыми тяжелыми бомбардировщиками и своими потерями. Погибли обер-ефрейтор Гелькер и обер-фельдфебель Ген, сбитые «Мустангами» прикрытия. В течение 21—31 марта эскадра «Новотны» беспрерывно сражалась с союзными бомбардировщиками. За десять дней было сбито 92 самолета при потере 26 истребителей и 14 пилотов. Динамика сбитых и качественный состав жертв реактивных истребителей выглядят следующим образом:

21 марта — сбито 16 американских самолетов (тринадцать «В-17» «Летающая крепость», один «В-24» «Либерейтор», один «Р-47» «Тандерболт» и один «Р-51» «Мустанг»). Один из немецких пилотов претендовал на три самолета из этого списка, еще один — на два, остальные заявили об одном сбитом. Реальные потери американцев, по послевоенным данным, — пять тяжелых бомбардировщиков.

22 марта — сбито 15 американских самолетов (тринадцать «В-17» и два «Р-51»). Все победы были одиночными, то есть каждый пилот претендовал на один сбитый за день самолет союзников.

23 марта — сбиты три «Б-24», две победы майора Эрлера и одна победа обер-фельдфебеля Рейнгольда.

24 марта — сбито 14 самолетов союзников (десять «В-17», два «Р-51», один «Р-38» и один «Темпест»). Была только одна парная победа, остальные немецкие пилоты претендовали на один сбитый.

25—27 марта — сбито 10 самолетов союзников (семь «В-24», два «Р-51» и один «Ланкастер»). Все победы одиночные.

28—30 марта — сбито 11 самолетов союзников (пять «В-17», пять «Р-51» и один «Москито»). Стеле, Рудорфер и Шнорер претендовали на парные победы, остальные сбили по одному самолету союзников.

Как мы видим, в среднем сбивалось порядка 10 тяжелых бомбардировщиков и 2—3 истребителя сопровождения. Это, прямо скажем, немного. В ходе отражения налета на Берлин 6 марта 1944 г. ПВО рейха было сбито 69 четырехмоторных бомбардировщиков и 11 истребителей. Сбиты они были обычными поршневыми «Ме.109» и «ФВ-190». Предположим, что случилось чудо и комплектность 7-й истребительной эскадры достигнута неким соединением люфтваффе зимой 1944 г. Нет никаких оснований предполагать, что результативность была бы больше, нежели реально достигнутая в марте 1945 г. В связи с этим довольно странно выглядит утверждение Адольфа Галланда: «Я предпочел бы иметь один «Ме.262», чем пять усовершенствованных «Ме.109»[1]. В большинстве случаев в ходе отражения налетов союзнической авиации в марте 1945 г. пилоты «Ме.262» сбивали один самолет (скорее всего ракетами «R-4M»). Гораздо лучший результат мог быть достигнут массированными атаками поршневых «ФВ-190».

Ярче всего демонстрирует реальную эффективность «Ме.262» как средства ПВО наиболее массированное применение реактивного истребителя за всю историю его использования. На 9 апреля 1945 г. в распоряжении немцев было около двухсот боеспособных «Ме.262». Распределялись они (табл. 6)[2]:

Часть/соединение	Число боеготовых «Ме.262»
Штабная эскадрилья 7-й истребительной эскадры	5
I группа 7-й истребительной эскадры	41
III группа 7-й истребительной эскадры	30
«Ягдфербанд 44»	Примерно 50
I группа 54-й бомбардировочной эскадры (пилоты-бомбардировщики в роли истребителей)	37
10-я эскадрилья ночных истребителей	9
I группа 51-й бомбардировочной эскадры	15
II группа 51-й бомбардировочной эскадры	6
6-я разведывательная группа	7

---

[1] *Галланд А.* Указ. соч. С. 404.
[2] *Price A.* Op. cit. P. 52.

Вряд ли можно было бы рассчитывать на большее число боеготовых самолетов в 1944 г. при любом ускорении программы строительства реактивных самолетов. 10 апреля 1945 г. эти самолеты были брошены в бой против 1100 американских бомбардировщиков. Вылетели на перехват 55 реактивных самолетов, в непосредственный контакт с противником вступили 48 машин. Было заявлено о 9 сбитых и 3 предположительно сбитых тяжелых бомбардировщиках. Реальные потери американцев составили 10 бомбардировщиков. Этот успех был достигнут ценой потери 27 «Ме.262» (практически половина поднявшихся в воздух самолетов).

Если умножить число поднявшихся в воздух 10 апреля 1945 г. самолетов и число вступивших в контакт с противником на предложенный Галландом коэффициент, то получится 275 самолето-вылетов и 240 — вступивших в контакт самолетов в расчете на поршневые машины. Если сравнить эти цифры с налетом 6 марта 1944 г., то получается следующая картина. В ходе отражения того налета ПВО рейха было выполнено 528 вылетов, из которых 369 завершились вступлением в бой с противником. Было сбито 53 «Б-17», 16 «Б-24», 1 «Р-38», 5 «Р-47» и 5 «Р-51». Потери сил ПВО составили 22 «Ме.109», 19 «ФВ-190», 6 «Ме.410», 11 «Ме.110» дневных истребителей и 9 «Ме.110» ночных истребителей. Это реальные данные о потерях, а не заявленные пилотами результаты. Мы видим, что даже будучи разбавленными ночными и дневными двухмоторными «Ме.110», очевидно неспособными противостоять «Мустангам» и «Тандерболтам» эскорта, поршневые истребители добивались вполне весомого результата. Был сбит не десяток, а семь десятков тяжелых бомбардировщиков. Если исходить из реальной эффективности «Ме.262», то для уничтожения 70 тяжелых бомбардировщиков союзников потребовалось бы не менее 300—400 самолето-вылетов реактивных истребителей. Это едва ли в полтора раза меньше, чем потребовалось 6 марта 1944 г. поршневым «Ме.109» и «ФВ-190».

Вопреки утверждениям Адольфа Галланда, ПВО рейха требовалось не качество, а количество. Куда более перспективным, чем создание реактивных истребителей (сбивающих максимум 10—15 машин за один налет), представляется создание системы восполнения потерь людей и техники. В тот самый налет 6 марта 1944 г. ПВО рейха потеряло 46 летчиков убитыми и ранеными. И восполнять эти потери было нечем. Однако Галланд не озаботился этим вопросом, его мысли были заняты «чудо-оружием».

«Ягдфербанд» Галланда идет в бой

В 1945 г. Галланда отправили заниматься тем, что он реально умел делать, — летать и сбивать. В начале февраля 1945 г. было создано элитное подразделение под его командованием — «Ягдфербанд 44». Это была не эскадра, не группа и не эскадрилья, поэтому получила столь своеобразное название. По приказу от 24 февраля 1945 г. она включала 16 самолетов «Ме.262» и 15 летчиков. В подразделение Галланд отобрал целый ряд известных асов Востока и Запада — Штейнхофа, Крупински, Баркхорна, Бэра. Полностью укомплектовать «фербанд» кавалерами Рыцарского креста, однако, не удалось — в подразделение попало несколько пилотов, не имевших обширного боевого опыта. Рассмотрим достаточно характерный для «Ягдфербанд 44» вылет 8 апреля 1945 г. На боевое задание вылетела тройка «Ме.262» во главе с полковником Штейнхофом. Ведомыми Штейнхофа был молодой пилот лейтенант Фархманн и ас Восточного фронта капитан Крупински. Немецкие истребители шли на высоте 6000 м у подножия Альп. Первым заметил цель командир тройки. Штейнхоф сообщил по радио своим ведомым: «Лайтнинги» слева, внизу!» — и начал подниматься. Фархманн не удержался в строю и остался на 1000 м ниже. Штейнхоф перешел в пикирование и атаковал группу «P-38». Однако атака американских истребителей была безрезультатной — Штейнхоф взял неправильное упреждение при стрельбе. Снаряды его пушек не попали ни в один самолет. Тройка «Ме.262» вышла из боя и продолжила полет курсом на Штутгарт, откуда центр наведения сообщил о вражеских бомбардировщиках. Ведущий набрал высоту 8000 м, где его самолет нашел Фархманн и пристроился к нему. Минутой позже подошел и Крупински. Заметим, что все законы взлелеянной еще в Испании тактики пар (Rotte) были нарушены. «Ме.262» из «Ягдфербанд 44» летали на задание тройками (Kette). Самолет ведущего летел на острие клина, с превышением над ведомыми. В бою, как уже продемонстрировал опыт боевых действий троек поршневых истребителей в 1939—1942 гг., такое построение рассыпалось. Фактически каждый из пилотов «Ме.262» действовал в одиночку, на свой страх и риск. Отметим, что вполне нормально работавшая в 51-й бомбардировочной эскадре тактика одиночных самолетов в истребительных частях явно мешала.

Однако от вопросов тактических вернемся к нашим героям. Тройка Штейнхофа встретила цель, действительно достойную внимания, недалеко от Штутгарта. Они обнаружили большое соединение «B-24» и «B-17». Это были самолеты американской восьмой воздушной армии, идущие на Регенсбург. Первым атаковал бомбардировщики летевший на острие образуемого тройкой «Ме.262» клина Штейнхоф. Он пронесся стрелой мимо самолетов охранения и при приближении к бомбардировщикам хотел сперва открыть огонь ракетами. Однако устройство не сработало, ракеты не сошли с направляющих. Оставалось только нажать гашетку стрельбы из пушек. Штейнхоф обернулся и увидел, как моторы одного из «Либерейторов» окутались пламенем и черным дымом. Следовавшие за ведомым летчики «Ягдфербанд 44» тоже с энтузиазмом врезались в строй четырехмоторных бомбардировщиков. Еще один бомбовоз стал жертвой новичка Фархманна, а затем еще один «В-17» послал к земле Крупински. В той же атаке Фархманну удалось подбить еще один «В-17», он повредил ему правый мотор. Однако желание записать на свой счет сразу два тяжелых бомбардировщика едва не стало роковым для «качмарика» двух именитых асов. Сначала по нему пристрелялись стрелки бомбардировщиков, а минутой позже на него напали истребители эскорта. Штейнхоф об этом не знал. Выйдя из атаки, он высматривал своего ведомого, но безрезультатно. Горючее, потраченное в двух боях, вынуждало его вернуться в Рием. Сразу после посадки он стал спрашивать о своем «качмарике». Но никто ничего о нем не знал — сели только два «Ме.262» — Штейнхофа и Крупински.

Что же стало с Фархманном? При заходе в атаку стрелки повредили ему правое крыло так, что отказал мотор. Фархманн попробовал уйти на своем поврежденном самолете, но его засекли четыре истребителя сопровождения. Летевший на одном моторе «Ме.262» стал «сидячей уткой», и американские истребители засыпали реактивный истребитель пулями своих 12,7-мм «браунингов». Они пробили кабину и разнесли приборную доску. Фархманн понял, что пора прыгать с парашютом. Приземлился он в небольшой лесок у берега Дуная. Еще когда он висел на стропах парашюта, летчик услышал, как что-то большое упало в реку — это закончил свой путь его «Ме.262».

Мы видим, что система обороны тяжелых бомбардировщиков могла противостоять реактивным истребителям. Атака с задней полусферы позволяла стрелкам бомбардировщиков нашпиговать «Ме.262» тяжелыми пулями, а подранка уже могли добить истребители сопровождения. Подбитый самолет не могли даже толком прикрыть другие самолеты того же Ketten: при атаке строя бомбардировщиков реактивные истребители рассредоточивались, чтобы рассеять внимание стрелков и не позволять им создавать плотную стену огня на каком-то сравнительно узком фронте. Вследствие рассредоточения самолеты теряли друг друга из виду еще перед атакой. Эффективность прикрытия бомбардировщиков союзников смог оценить сам Адольф Галланд, когда атаковал даже не «Б-17» и «Б-24», а двухмоторные «Б-26» «Мародер». Один из истребителей сопровождения настиг его, сбил «Ме.262» и ранил летчика — Галланд получил ранение в ногу.

Одним словом, эффективность «Ме.262» в качестве средства защиты рейха можно характеризовать как умеренную. Она была несколько выше поршневых самолетов — «Ме.109», «ФВ-190» поздних серий, — но лишь увеличивала шансы удрать от истребителей прикрытия, если удалось не получить очередь от стрелка «Б-17» или «Б-24». Сделать «Ме.262» действительно эффективным перехватчиком могли управляемые ракеты «Рурсталь Х-4». Они позволяли атаковать «коробку» четырехмоторных самолетов с передней полусферы, причем даже не входя в зону эффективного огня стрелков бомбардировщиков. Но ракеты эти остались только в виде опытных образцов, ни одной атаки с их помощью на «Ме.262» произведено не было.

Атака, которой не было

Пролета вечером 6 июня 1944 г. одиночного разведчика на большой высоте никто не заметил. «Ме.262» с двумя фотокамерами отснял всю зону высадки, и вскоре был готов план операции.

— Подход к цели — на высоте 8 тысяч метров, — бесстрастно говорил командир эскадры. — Далее пологое пикирование и сброс бомбы на высоте не более 2 тысяч.

Он прекрасно понимал, что подробных объяснений нескольким опытным пилотам, выбранным для столь важной и опасной миссии, не требуется. Все они имели опыт пилотирования двухмоторных бомбардировщиков, провели более тысячи часов за штурвалом в воздухе.

В седьмом часу вечера следующего дня шесть теней со свистящим гулом поднялись в воздух с бетонки аэродрома. Спокойствия в воздухе пилотам прибавляло ощущение практически полной неуязвимости. Они неслись на огромной скорости над облаками на звенящей высоте. Под приборной доской тускло светился экран телевизионного прицела. В носу самолета была установлена управляемая небольшим рычажком камера, давшая отличный обзор вниз-вперед. Под брюхом каждого из реактивных бомбардировщиков дремала управляемая бомба. При подходе к цели самолеты один за другим стали нырять вниз, туда, где в дымке то и дело мелькали вспышки разрывов на узкой светлой полоске пляжа, отделявшей сушу от залива густого сине-го цвета. Их целью были две тянувшиеся от берега змеи, возле которых были видны рыбообразные очер-тания транспортов. Поймав в телевизионный прицел цепочку металлических конструкций, пилот сбрасывал бомбу, которая, оставляя белесый след реактивного двигателя, неслась вниз. Для управления ей у него была ручка-«кнюппель». На несколько секунд оставив управ-ление двигателем, летчик направлял ракету в цель и за-тем снова взмывал ввысь.

Из пяти бомб в цель попали две, по одной в каждую из змей. Остальные три подняли огромные столбы ила и песка рядом с наплавными пирсами. Разбитые пир-сы начало сносить в море. Растерянные пилоты истре-бителей, барражировавшие в воздухе над зоной вы-садки, даже не успели понять, что же случилось.

На следующее утро девятка реактивных бомбарди-ровщиков атаковала транспорты. С низким гулом они неслись над водой, сбрасывая бомбы и пролетая в не-скольких метрах над мачтами транспортов. Один из неизвестных самолетов был сбит удачно спикировав-шим на него «Темпестом». Двухмоторный самолет не-ловко перевернулся и упал в воду. Пилот «Темпеста» растерянно сказал по радио своим менее удачливым товарищам: «У него нет винтов...» Следующую атаку странных самолетов встретили уже в большей готов-ности и сбили сразу три из девятки, подловив их на вы-ходе из атаки в наборе высоты. Но жертвы среди напа-давших были уже слабым утешением. Это была катаст-рофа. Основной механизм снабжения зацепившегося за полоску берега десанта был прерван.

— Это второй Дьепп! — с досадой говорили канад-ские солдаты на английском плацдарме. У них уже был печальный опыт осени 1942 г., когда английское командование бросило в самоубийственную атаку на занятое немцами побережье «малоценных» представителей Содружества из Канады.

Рисковать крупными силами элитных соединений не стали. Вскоре должны были последовать атаки плацдарма крупными силами немецких войск, находившимися под командованием хорошо знакомого англичанам и американцам Эрвина Роммеля. Без устойчивого снабжения и господства в воздухе (пошатнувшегося от ударов неизвестных самолетов) открытие второго фронта в Европе могло стать кровавой мясорубкой. Без шума и пыли, сохранив тяжелое вооружение, союзники эвакуировались обратно в Англию.

Так или примерно так могли развиваться события в том случае, если бы приближенные Гитлера и руководство фирмы «Мессершмитт АГ» внимательнее слушали своего фюрера. Адольф Гитлер был неуравновешенным, физически и психически нездоровым человеком, но ему нельзя отказать в умении почувствовать правильное направление действий. Целенаправленная работа над «Ме.262» в качестве ударного самолета могла принести больше дивидендов, чем утешение нескольких десятков асов ощущением почти полной неуязвимости в кабине реактивного истребителя.

Что скрывали Шпеер и Галланд?

Жалобы на бесноватого фюрера в большинстве мемуаров немецких генералов и воротил промышленности являются приметой того, что какие-то ляпы допустил сам автор воспоминаний. А. Галланду весной 1943 г. следовало озаботиться не выбиванием для себя и нескольких мегаасов реактивных истребителей, а подготовкой 1000—2000 пилотов для обычных поршневых самолетов. Это позволило бы скомпенсировать потери зимы 1944 г. и удерживать ПВО рейха на приемлемом уровне боеспособности. В свою очередь Шпеер должен был обеспечить этих пилотов самолетами. В реальности и тот и другой фактически только реагировали на действия противника вместо игры на опережение. События поздней осени 1943 г. и зимы 1943—1944 гг. заставили немцев наращивать производство обычных истребителей, но нужный темп был достигнут слишком поздно. Большую часть 1943 г. производство одно- и двухмоторных истребителей в Третьем рейхе колебалось около 1000 штук в месяц. Максимум выпуска был в июле, 1263 самолета. В ноябре 1943 г. выпустили 985 истребителей, в декабре — всего 687. Несколько оживилось производство в начале 1944 г. — 1525 самолетов в январе и 1104 в феврале (из них 825 «Ме.109» и 209 «ФВ-190»). Резкое наращивание производства произошло, когда клюнул жареный петух и американцы начали массированное воздушное наступление на Германию. В июне 1944 г. месячное производство истребителей достигло отметки 2449 машин. В сентябре 1944 г. только «Ме.109» и «ФВ-190» в варианте истребителей выпустили 1511 и 885 штук соответственно. Общий выпуск одномоторных, двухмоторных, дневных, ночных истребителей в сентябре 1944 г. составил 3078 (!) самолетов. Не будем забывать, что это достижение промышленности, засыпаемой бомбами. Но к осени 1944 г. для выпущенных истребителей не было уже ни топлива, ни пилотов. Как говорит русская пословица — «Хорошо яичко к Христову дню». Полторы тысячи поршневых «мессеров», сходящих с конвейеров в месяц, были актуальны зимой—весной 1944 г., в разгар воздушной войны над рейхом. Галланду и Шпееру стоило потратить свою кипучую энергию на производство поршневых истребителей и подготовку пилотов для них, а не надеяться на манну небесную в лице реактивного истребителя «Ме.262».

* * *

Любой авторитарный режим держится не столько на тотальном контроле, сколько на психологическом воздействии возможных репрессивных мер. Вся полнота власти, сосредоточенная в руках Гитлера, не означала его способности поднять все брошенные ему перчатки неповиновения. Он рассчитывал поднять только те, появление которых он предполагал заранее. Откровенного массового саботажа его вполне разумных предначертаний в отношении «Ме.262» Гитлер просто не ожидал. В результате того, что асы-истребители тащили одеяло «Ме.262» на себя, этот революционный по своим возможностям самолет не сыграл заметной роли ни в воздушной войне, ни в сражениях на земле. «Ме.262» по определению не мог выпускаться большой серией, и использование было целесообразно в тех областях, где эффект достигается за счет высоких летных качеств небольшого числа самолетов. Предпочтительной областью применения реактивного самолета представляется разведка, спецоперации в роли ударного самолета (мосты, аэродромы) и уничтожение разведчиков противника в воздухе.

Оглавление

Глава 3

НО РАЗВЕДКА ДОЛОЖИЛА ТОЧНО...

Глава 4

АВТОМАТЧИКИ

Глава 5

С ШАШКАМИ НА ТАНКИ

Глава 6

НАСТУПЛЕНИЕ СМЕРТИ ПОДОБНО?

Глава 7

НЕУЯЗВИМЫЕ ЧУДО-ТАНКИ

Глава 8

352 СБИТЫХ КАК ПУТЬ
К ПОРАЖЕНИЮ

Глава 9

ПЕХОТА ПРОТИВ ТАНКОВ

Глава 10

РЕАКТИВНОЕ ЧУДО-ОРУЖИЕ

А. И. Исаев

АНТИСУВОРОВ
ДЕСЯТЬ МИФОВ ВТОРОЙ МИРОВОЙ

Художественный редактор *П. Волков*
Компьютерная верстка *О. Шувалова*
Корректор *И. Зорина*
Ответственный за выпуск *А. Светлова*

ЛР № 065715 от 05.03.1998. ООО «Издательство «Яуза»
109507, Москва, Самаркандский б-р, 15
Контактный тел.: (095) 745-58-23

ООО «Издательство «Эксмо»
127299, Москва, ул. Клары Цеткин, д. 18/5. Тел. 411-68-86, 956-39-21.
Home page: **www.eksmo.ru** E-mail: **info@eksmo.ru**

Оптовая торговля книгами «Эксмо»:
ООО «ТД «Эксмо». 142700, Московская обл., Ленинский р-н, г. Видное,
Белокаменное ш., д. 1, многоканальный тел. 411-50-74.
E-mail: **reception@eksmo-sale.ru**

Оптовая торговля бумажно-беловыми
и канцелярскими товарами для школы и офиса «Канц-Эксмо»:
Компания «Канц-Эксмо»: 142702, Московская обл., Ленинский р-н, г. Видное-2,
Белокаменное ш., д. 1, а/я 5. Тел./факс +7 (495) 745-28-87 (многоканальный).
e-mail: **kanc@eksmo-sale.ru**, сайт: **www.kanc-eksmo.ru**

Полный ассортимент книг издательства «Эксмо» для оптовых покупателей:

В Санкт-Петербурге: ООО СЗКО, пр-т Обуховской Обороны, д. 84Е. Тел. (812) 365-46-03/04.
В Нижнем Новгороде: ООО ТД «Эксмо НН», ул. Маршала Воронова, д. 3. Тел. (8312) 72-36-70.
В Казани: ООО «НКП Казань», ул. Фрезерная, д. 5. Тел. (8435) 70-40-45/46.
В Ростове-на-Дону: ООО «РДЦ-Ростов», пр. Стачки, 243А. Тел. (863) 268-83-59/60.
В Самаре: ООО «РДЦ-Самара», пр-т Кирова, д. 75/1, литера «Е». Тел. (846) 269-66-70.
В Екатеринбурге: ООО «РДЦ-Екатеринбург», ул. Прибалтийская, д. 24а. Тел. (343) 378-49-45.
В Киеве: ООО ДЦ «Эксмо-Украина», ул. Луговая, д. 9. Тел./факс: (044) 537-35-52.
Во Львове: ТП ООО ДЦ «Эксмо-Украина», ул. Бузкова, д. 2. Тел./факс (032) 245-00-19.

Мелкооптовая торговля книгами «Эксмо» и канцтоварами «Канц-Эксмо»:
117192, Москва, Мичуринский пр-т, д. 12/1. Тел./факс: (495) 411-50-76.
127254, Москва, ул. Добролюбова, д. 2. Тел.: (495) 745-89-15, 780-58-34.

Полный ассортимент продукции издательства «Эксмо»:

В Москве в сети магазинов «Новый книжный»:
Центральный магазин — Москва, Сухаревская пл., 12. Тел. 937-85-81.

Волгоградский пр-т, д. 78, тел. 177-22-11; ул. Братиславская, д. 12, тел. 346-99-95.
Информация о магазинах «Новый книжный» по тел. 780-58-81.

В Санкт-Петербурге в сети магазинов «Буквоед»:
«Магазин на Невском», д. 13. Тел. (812) 310-22-44.

По вопросам размещения рекламы в книгах издательства «Эксмо»
обращаться в рекламный отдел. Тел. 411-68-74.

Подписано в печать с готовых монтажей 15.12.2006.
Формат 84x108 $^1/_{32}$. Гарнитура «Прагматика». Печать офсетная.
Бум. тип. Усл. печ. л. 21,97.
Доп. тираж 3 000 экз. Заказ № 10353.

Отпечатано с предоставленных диапозитивов
в ОАО "Тульская типография".
300600, г. Тула, пр. Ленина,109 .